François Géré

Pourquoi les guerres ?
Un siècle de géopolitique

*Avec la collaboration d'Annie Jafalian pour la Russie et le Caucase
et d'Arnaud Blin pour les flux et les organisations internationales.
L'auteur remercie Mme Valérie Niquet pour sa contribution sur le Japon et
M. Philippe Wodka-Gallien pour sa contribution sur la guerre électronique,
et Melle Vanina Géré pour sa contribution historique.*

COURRIER INTERNATIONAL

21 RUE DU MONTPARNASSE 75283 PARIS CEDEX 06

Coordination éditoriale
Dulce Gamonal

Cartographie
Thierry Gauthé/Courrier international

Mise en page
ATE

Maquette de couverture
Bernard Van Geet

Lecture-correction
Service de lecture-correction Larousse-Bordas

Fabrication
Nicolas Perrier

Distributeur exclusif au Canada : «Messageries ADP, 1751 Richardson, Montréal (Québec) ».

ISBN : 2-03-505389-7

« *La vie est un récit insensé fait de bruit et de fureur déclamé par un acteur fou* » écrit Shakespeare, dans *Macbeth* (acte V, scène 5).
Qui ne serait tenté d'en dire autant de la guerre ? Elle qui surprend, scandalise et affole ; elle qui a pu et peut encore, de par le monde, susciter l'enthousiasme et la liesse. C'est affaire de temps et de lieux. En mai 2000, les écoliers éthiopiens bénéficièrent de deux jours de congé pour célébrer la victoire sur l'Érythrée, au terme d'un affrontement particulièrement sanglant.

Cet ouvrage ne vient pas célébrer la guerre, pas plus qu'il n'en annonce la disparition. Il vient la présenter et l'expliquer dans toutes ses causes, ses formes et ses dimensions. Car comme l'écrivit son théoricien majeur Carl von Clausewitz, « la guerre est un caméléon » et, par rapport à elle, nous les êtres humains sommes également des caméléons. Car le biface guerre-paix constitue, que cela plaise ou non, un miroir des passions humaines.
Par sa démarche, ses raisonnements et sa cartographie, ce livre se veut un guide des conflits actuels autant qu'une enquête sur l'intemporalité de la conflictualité.
Comprendre, c'est déjouer la surprise et réduire la peur de l'inconnu. Inexplicable déflagration, la violence terrorise. Expliquée, elle se dévoile et devient vulnérable à qui entend résister et riposter. Comprendre, c'est donner prise à la raison sur la violence des peurs et des passions.

En sa seconde moitié, le XXᵉ siècle a été dominé par le sigle du « fou » (mad, pour mutual assured destruction), destruction mutuelle assurée par l'échange des frappes thermonucléaires Cette situation suggère pourtant une rationalité terminale des adversaires contraints d'organiser l'esquive de l'apocalypse. Le XXIᵉ siècle s'ouvre dans une ambiance de nihilisme, de violence sans raisons apparentes, ni mobiles déclarés. Et cependant la guerre, conduite par des acteurs, animés par des mobiles, utilisant des techniques obéissant à des principes découverts par des scientifiques et appliqués par des ingénieurs, procède d'une rationalité propre, se plie même à des règles de droit, celles-là mêmes qui conduisent à la paix.
C'est pourquoi nous proposons au lecteur de suivre, dans le temps et l'espace, les sentiers de la guerre pour la comprendre, et de la comprendre pour la maîtriser.
Cet itinéraire s'est construit sur quatre piliers : la circulation du conflit, la dynamique entre paix et guerre, le cycle des empires et les pulsations de mondialisation.

F. G.

SOMMAIRE

Le siècle
des guerres totales

Dominée par les immenses destructions de deux guerres réputées mondiales, la première partie du XXᵉ siècle paraît saisie du vertige suicidaire des puissances européennes. Incapables de s'accorder sur un partage de la prospérité mondiale, étourdies de visions géopolitiques grossièrement darwiniennes (les peuples luttent pour leur vie dans l'espace), remettant de ce fait en question le système des frontières, les élites du Vieux Continent confient au hasard des armes le soin d'établir un ordre mondial.

● *Deux guerres mondiales*

Du cornet à dés sortent d'abord le désastre puis l'effacement durable des Européens au bénéfice des deux Grands qui, quarante années durant, polarisent le monde sous la menace d'une autre catastrophe mondiale : le possible déchaînement de la guerre nucléaire à outrance. La destruction mutuelle assurée pétrifie la guerre en Europe et dans la partie extrême-orientale de l'Asie. Pour autant, les guerres de décolonisation ont fait des continents africain et asiatique des espaces de guerres extrêmement meurtrières. Sous la forme de luttes de libération à caractère révolutionnaire, le continent latino-américain aura connu, par dizaines, guerres civiles et guérillas d'une extrême cruauté. Triste mémorial ! Et pourtant, ce siècle est également marqué par le désir ardent de frayer des chemins de paix, larges, durables, universels. En 1928, la déclaration Briand-Kellogg met la guerre hors-la-loi, l'Organisation des Nations unies remplace en 1945 la trop fragile Société des Nations. Sa charte établit un authentique droit international fondé sur le respect des frontières, la souveraineté territoriale.

L'agression étant condamnée, l'intervention internationale devient légitime dès lors qu'elle restaure la paix avec le droit. D'étranges soldats aux casques bleus se déploient à travers le monde pour maintenir la paix. Action insuffisante, sans doute. Imparfaite ? À l'évidence. Cependant, chaque État, chaque organisation internationale reconnaît l'absolue nécessité de l'arbitrage des Nations unies. Moralement épuisée par la guerre, fourbue de destructions, l'Europe, en dépit de la guerre froide, recherche viscéralement la paix. Elle la trouve, imparfaite, armée jusqu'aux dents, durant la guerre froide. Temps des angoisses et des crises. Toutefois, rien ne bouge. Sur fond de dissuasion nucléaire, la prospérité économique pour l'aire euro-atlantique et la construction d'un marché européen parachèvent l'enterrement de toutes les haches de guerre. La plus paisible des frontières est l'absence de frontière. Plus d'une génération aura traversé avec émotion ces postes abandonnés entre la France et la République fédérale.

● *Deux mondes*

La seconde moitié du siècle offre un contraste saisissant entre deux mondes : le premier ignore l'invasion et les ravages des guerres civiles, religieuses, sociales ou ethniques. La prospérité, même ralentie, favorise une redistribution, certes encore inégale, mais apaisante. La faible fécondité et l'allongement de l'espérance de vie dissipent, sans les supprimer complètement, la virulence des tensions sociales. Schématiquement, la situation est inverse dans une autre partie du monde qui n'est pas exactement le Sud, qui n'est plus le tiers-monde. La sinistre triade guerre-épidémie-famine y sévit comme dans l'Europe des XVIᵉ et XVIIᵉ siècles. Ces espaces

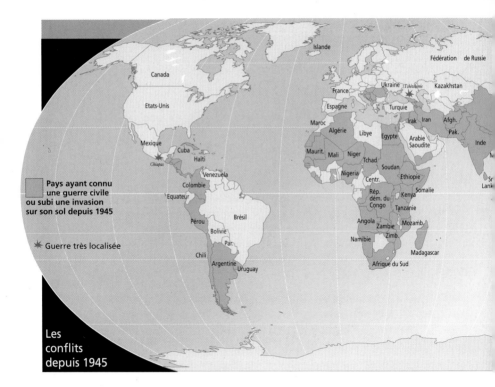

Les conflits depuis 1945

Pays ayant connu une guerre civile ou subi une invasion sur son sol depuis 1945

Guerre très localisée

d'extrême violence restent confinés. Endogènes, les conflits s'étouffent sur eux-mêmes : Grands Lacs africains, Algérie, Palestine... Les aires de prospérité se prémunissent contre les effets d'exportation des séquelles : flux de réfugiés, boat people, clandestins. Déjà le terrorisme a traversé les frontières, y compris celles des États-Unis. Tout cela suggère comme un nouveau containment (endiguement) de la sphère de prospérité euro-atlantique, tant il est vrai qu'après deux siècles de paroxysme de la violence militaire théorisée par un Clausewitz, relu et corrigé par Lénine, de moyens justifiés par les fins, le monde réclame pour l'homme des droits, un régime international de protection contre l'arbitraire. L'Europe voudrait extirper la violence de la politique. Mais comment y parvenir ? Quelle stratégie de paix efficace mettre en œuvre après tant d'échecs et de tentatives désespérantes d'inefficacité ? Or, en dépit de l'amplification médiatique, malgré les effets de proximité de la guerre dans les Balkans, ce début de XXIᵉ siècle paraît moins meurtrier. Les guerres interétatiques se font rares. Globalement, le nombre des conflits diminue. Le terrorisme international est en forte régression. Ce n'est certes pas la paix universelle, et la défaillance des Nations unies en la matière révèle une fois encore la relégation dans une fin de l'histoire d'une utopie de paix universelle nécessaire à l'humanité.

Cette paix partielle, relative, insatisfaisante ne serait-elle pas la conséquence d'un fait majeur, la suprématie des États-Unis ?

● Les États-Unis, comme Rome...

Cette entrée de siècle s'annonce marquée par l'action plus ou moins cohérente d'une nation dominante, de plus en plus animée par le dessein délibéré d'exercer sa puissance pour conserver et développer l'avantage acquis au sortir de la Seconde Guerre mondiale puis de la guerre froide. S'agit-il d'un nouvel empire ? Sans doute. Encore faut-il en reconnaître la nature originale et singulière. Les États-Unis s'identifient à l'ère de l'Information. Portés par elle, ils contribuent volontairement à en accélérer l'essor. Cette situation s'accompagne d'une nouvelle poussée de mondialisation. Il y a toujours mondialisation lorsqu'un État est capable d'embrasser par le mouvement englobant de la puissance détenue une

étendue au-delà de son voisinage naturel. Et soudain, le 11 septembre 2001, les symboles de l'Amérique s'effondrent dans l'attaque terroriste la plus meurtrière et la plus spectaculaire de l'histoire. La brutalité du choc, la profondeur du traumatisme, les innombrables conséquences donnent le sentiment d'une relance de l'histoire. Il se pourrait cependant que les tendances de fond finissent par l'emporter. L'histoire, par essence tragique, est ponctuée d'accidents. On ne voit pas les États-Unis changer de système économique. Au contraire, en s'efforçant de résorber les risques de crise collatérale, en proclamant que justice a été faite en Afghanistan, on les trouve soucieux de rétablir, dans une souffrance assumée, la règle du « business as usual ».

Des flux et des frontières

● *La libre circulation des biens, moteur de la prospérité des peuples*

Le monde se recompose selon des lignes de partage et des voies de communication souvent très anciennes, dont la modernité retrouve la tradition. Après une période de fracture, l'Europe part à la recherche de ses frontières. La chute du mur de Berlin signifiait la libre circulation des hommes, des idées, des marchandises. La fin de la guerre froide pose à nouveau la question des flux et des frontières, mais de manière contradictoire. D'une part, la prétention au droit d'ingérence au nom de valeurs supérieures (droit des minorités, droits de l'homme) conteste la rigide souveraineté de la frontière territoriale. D'autre part, la volonté de fixer les flux illégaux exige au contraire un contrôle plus strict des voies de passage et des points de transit. Les marchands, les trafiquants, les aventuriers reviennent sur ces pistes de l'histoire que sont les routes de la soie et des épices. L'Asie centrale retrouve sa vocation de voie continentale. Le Pakistan redevient cet unique passage stratégique vers l'Inde. Le site archéologique de Taxila, proche d'Islamabad, témoigne de cette superposition de strates d'empires conquérants.

Sans doute la géographie naturelle n'impose-t-elle plus sa loi : les obstacles physiques sont percés, survolés, contournés. Malgré tout, elle sert toujours de cadre structurant. L'espace à franchir et le temps de traversée se conservent par une sorte de loi de circulation générale qui régit encore l'espace planétaire, imposant aux civils comme aux militaires, aux marchands comme aux guerriers de respecter une rationalité.

Reste à savoir quels biens peuvent circuler et sous quelles conditions et vers quels destinataires ? Qui a autorité pour dire le partage entre bons et mauvais flux ? On finit par confondre territoires nationaux et territoires douaniers dans le vaste brassage des zones économiques continentales qui tend vers une mondialisation encore loin d'être totale. La circulation des marchandises et la diffusion des technologies portées par les hommes qui disposent du savoir-faire a son envers, la prolifération des substances dangereuses et illégales : armes, drogues, prostitution, argent sali par tous les crimes, les intrigues, les corruptions.

S'il paraît légitime d'exercer un contrôle sur les flux de capitaux en direction des « paradis fiscaux », que dire de ces flux de richesses qui, tel le pétrole, irriguent des prospérités lointaines échappant à des peuples exposés à la privation, à l'injustice sociale, à l'arbitraire de régimes autocratiques et sectariens. Les flux et les États s'interrogent mutuellement. Le XXIᵉ siècle devra forger un compromis pour éviter le chaos.

●Ainsi intervient ce livre, sur les frontières du siècle nouveau

Dans la tension entre guerre et paix, cet ouvrage expose les ressorts dont tensions et détentes font et défont la grande machine conflictuelle. Nous proposons ici un guide des conflits : leurs antécédents, leurs mobiles, leurs acteurs, les moyens à l'œuvre et, bien sûr, les lieux, scènes de plus en plus diverses et étranges où se joue l'affrontement des hommes. Après la terre, la mer, l'air, l'espace exoatmosphérique ajoute une dimension à vocation directrice sur les autres milieux. Un guide suppose une cartographie, des représentations de l'espace, une figuration du conflit.

La carte, un repère et un leurre

De façon remarquable, la représentation de l'espace, la cartographie, suit les tours et les détours de la politique et de la stratégie internationales. Elle fait plus que l'exprimer, elle en rend compte jusque dans ses travers, comme autant de fausses pistes. Comme le diplomate et le stratège usent de stratagèmes pour convaincre, le cartographe, en représentant un phénomène, commet un acte stratégique : il crée un artefact de réalité destiné à façonner et orienter des perceptions, celle du public, celle des gouvernants. La carte est un repère, mais aussi un leurre. On peut se fourvoyer à cause d'une carte… Les cartographes peuvent fabriquer de fausses perceptions qui désorientent. La carte fonctionne comme la mémoire. Elle est tout aussi indispensable. Et cependant, elle peut tromper et trahir, y compris de bonne foi. La carte informe le missile de croisière en lui fournissant le relevé de terrain. Les repères dans le temps sont équivalents à ceux dans l'espace : bien construits, organisés, ils conduisent vers le but. Une fausse mémoire, comme une fausse carte, fourvoie l'entendement, trompe sur le chemin, fait manquer la destination. Il existe deux types d'espaces cartographiques : la carte de situation, la carte de compréhension. Toutes deux guident l'action, mais à des niveaux et suivant des finalités très différents.
- La première est technique. Immédiatement opérationnelle, elle doit éviter l'erreur matérielle d'information. Son idéal est l'adéquation parfaite entre le réel et la représentation.
- La seconde, de niveau stratégique, est plus abstraite, plus distante de la réalité immédiate. Elle représente un possible afin de le rendre plus hautement probable. En ce sens, c'est un outil d'influence. La géographie politique a fortement contribué à créer ce type de cartographie, qui relève autant d'une vue de l'esprit que d'une vision du réel. Douteuse, ambiguë, partielle, partiale, chargée de tous les travers de l'imperfection humaine, elle joue cependant un rôle majeur : elle inspire et guide le responsable politique dans sa représentation du monde et de l'équilibre des forces. Elle influence donc la décision. Pour le meilleur ou pour le pire…
Pour notre part, en orientant le lecteur, nous n'avons cherché qu'à lui fournir des marques dans l'espace et le temps de la conflictualité. Posant des signes de piste, nous bornons un itinéraire entre le supposé connu et l'inconnu partiellement prévisible. À chacun, du citoyen au décideur, de faire son libre choix et de prendre les bonnes décisions…

LES CONFLITS DU XXe SIÈCLE

L'ébranlement des empires

Quelle que soit leur longévité, les empires ont une sorte de cycle de vie. De 1870 à 1920, l'Europe des empires connaît l'extraordinaire chevauchement de phénomènes antinomiques : expansion et dépérissement.

En dépit de l'extrême diversité des formations impériales, l'empire correspond toujours à l'existence d'un État supra-national puissant, capable d'exercer une domination sur plusieurs entités culturellement hétérogènes, tant par la langue que par la religion, et de les réunir en un ensemble politiquement cohérent, fondé sur un principe de légitimité dynastique. Le terme « empire » peut renvoyer à une tradition légitimante tout comme il constate, en cette deuxième moitié du XIXᵉ siècle, un état de fait nouveau représenté par l'Empire britannique.

Un empire se caractérise par une phase conquérante de dilatation de la puissance, puis de conservation, enfin de déclin. Tout empire périra, a dit J.-B. Duroselle. En fonction de cette évolution les frontières de l'empire (marches ou limes), par définition transnationales, reposent sur la puissance qui résulte de la force des armes, de la subtilité des alliances, des combinaisons matrimoniales et de la reconnaissance tant du prestige que des bienfaits matériels retirés de l'appartenance à l'empire.

La domination impériale ne s'exerce pas uniquement par la force. Elle s'accompagne d'une action pour faire partager un certain nombre de valeurs, de goûts… Elle impose la paix entre les factions, crée un cadre de vie communautaire, unifié par un droit.

Le début du XXᵉ siècle se caractérise par un phénomène de fragmentation impériale en unités de dimensions relativement modestes sur l'espace européen. Mais le fait impérial se développe selon deux tendances inverses et, en grande partie, antagonistes.

- Deux empires sont sur le déclin, contestés de l'intérieur comme de l'extérieur. L'Empire turc (ottoman), dont la maladie n'en finit pas de précipiter la disparition. Depuis 1830, avec la perte de ses possessions helléniques, il ne cesse d'être bouté hors d'Europe, tandis que le feu couve dans ses posses-

▼ François-Joseph (1830-1916), empereur d'Autriche (à partir de 1848) et roi de Hongrie (à partir de 1867). Il tenta de maintenir l'unité de l'Empire austro-hongrois en jouant la carte du fédéralisme.

◀ Victoria (1819-
1901), reine de
Grande-Bretagne
et d'Irlande (à partir
de 1837) et impéra-
trice des Indes
(à partir de 1876).
Son règne marque
l'apogée de la puis-
sance anglaise.

sions orientales, où émerge le sentiment national arabe. Fort différente, plus assurée en apparence, la situation de l'Empire austro-
hongrois est à peine moins périlleuse. L'association germano-
magyare ne parvient plus à contenir les revendications nationales
des peuples tchèque, slaves du Nord et du Sud, alors même que
ceux-ci voient d'autres nations s'arracher à la tutelle de l'Empire
ottoman, avec le soutien de Vienne !
- La seconde tendance concerne un phénomène expansionniste.
Elle donne naissance au terme « impérialisme », qui comporte une
approche économique nouvelle. Le social-démocrate allemand
Rudolf Hilferding en porte la paternité, en dépit d'une récupération
léniniste rapide qui en fait le « stade suprême du capitalisme »,
c'est-à-dire sa phase d'expiration.
L'impérialisme décrit ainsi le mouvement d'expansion de trois
États, Grande-Bretagne, France et Russie. Sans doute, au Canada
et en Inde, les deux premiers se sont-ils déjà affrontés au XVIIIe siècle, tandis que la Russie a lancé depuis longtemps ses cosaques
dans l'immensité sibérienne, qui, déjà, se présente historiquement
comme une formation impériale. Mais tous trois connaissent, sensiblement au même moment, une phase de dilatation de la puissance qui leur permet de coloniser de très vastes territoires. Ce
partage colonial est contesté par un autre empire, plus tardivement
constitué, l'Allemagne.
Cette évolution détermine très fortement les perceptions et les théo-
risations géopolitiques de la première moitié du XXe siècle.
Alors que l'empire russe, ravagé par la guerre civile, évolue vers
une reconstitution impériale par les soviets, la France et la Grande-
Bretagne, qui se partagent les dépouilles des vaincus, font figure
d'empires dominants, décidant des frontières sur trois continents.
C'est ne pas percevoir l'affaiblissement de leur potentiel réel, que
va révéler aux peuples momentanément soumis la Seconde Guerre
mondiale. ∎

La géographie
politique, ou
géopolitique,
se définit comme
une explication –
sinon une justifi-
cation – par
la géographie
des objectifs
politiques.
Espace et
puissance
constituent
ses éléments
de base.

À la recherche des équilibres de puissance

L'idée d'une explication des rapports de force internationaux par l'analyse des potentiels de puissance constitue une tentative précoce d'évaluation générale de la situation du monde. Elle s'exprime de deux manières très différentes et cependant complémentaires. D'une part, la mesure des capacités stratégiques (balance of power) entre des puissances sensiblement de même nature et de même développement, à la fois au niveau mondial mais aussi sur le plan régional.
D'autre part, et à l'opposé, c'est la relation beaucoup plus globale entre des pays entretenant certes des relations économiques, mais de façon asymétrique, séparés par des niveaux de développement et des écarts culturels considérables.

L a notion d'équilibre de la puissance constitue un outil de description et d'explication des relations internationales. Il s'agit une fois de plus d'une métaphore physique visant à analyser l'état d'un système stratégique éminemment complexe que l'on réduit à une sorte de pesée des potentiels des puissances. Reste à savoir qui la réalise, en fonction de quel étalon de mesure universel ? Elle n'a en fait de valeur que rapportée à celui qui l'énonce, dans sa relation partiellement subjective à sa perception de l'intérêt national.

▶ Tranchée française à Verdun. Comme l'a écrit François Furet, la violence extrême de la Première Guerre mondiale va marquer de son empreinte tout le XXe siècle.

La puissance s'exprime par des valeurs démographiques, économiques, culturelles, militaires difficilement quantifiables, d'autant que l'on ne dispose d'aucun système d'équivalence permettant de les additionner pour produire un résultat fiable.

On verra sans difficulté excessive dans le testament politique de Richelieu (1642) une prescience spontanée de ces oppositions et leur traduction en termes géopolitiques : la Mer contre la Terre, ainsi que la correction des déséquilibres par des alliances de revers, fondées sur la recherche de l'intérêt national, primant sur toutes les croyances et les liens dynastiques, comme l'alliance avec les protestants contre la puissance catholique du Saint Empire romain germanique.

Cette conception des relations internationales est donc intemporelle. Par la suite, elle fonde l'approche des géopoliticiens ainsi que l'investigation des théoriciens des relations internationales comme le trop méconnu Quincey Wright ou Hans Jurgen Morgenthau, auxquels doit beaucoup la réflexion de Raymond Aron.

● Déséquilibres de développement : la vision devient mondiale

Alors que les puissances européennes s'essaient à la pesée de leurs potentiels, elles vivent déjà un état de déséquilibre mondial que masque encore l'existence des empires coloniaux. Le développement des sciences et des techniques, les moyens de production qui en dérivent, l'organisation sociale qui les accompagne créent une fracture profonde qui, à mesure du temps écoulé, prend un caractère inéluctable. La révolution industrielle du XIXᵉ siècle est créatrice d'une fracture durable qui se retrouve de nos jours dans l'existence du G7.

Le savoir, l'éducation, la formation, la santé se développent et se concentrent dans une petite partie du monde nord-occidental. Seul le Japon parvient, grâce à une stratégie d'État très cohérente (le Meiji, 1868-1912), à tirer son épingle du jeu. Ailleurs, les structures féodales maintenues retardent l'éducation et conduisent à négliger l'extraordinaire potentiel représenté par la population féminine.

Ni les deux guerres mondiales, ni la décolonisation ne modifieront cette tendance.

Réaménagés, entre puissances du Nord, les flux de richesses restent durablement déséquilibrés au profit du Nord qui, certes, n'est pas homogène puisqu'une partie de l'Europe échappe à l'industrialisation. Il n'empêche. La ponction des ressources naturelles mais aussi de la matière grise du Sud s'effectue au profit quasi exclusif du Nord.

Créateurs de conflits violents et de crises économiques ponctuelles, ces déséquilibres de fond permettent d'expliquer les écarts de potentiels militaires. Même si les stratégies militaires disposent d'une autonomie propre, même si les guerres peuvent créer des surprises (comme en Indochine ou en Afghanistan), même si le terrorisme s'efforce de corriger les écarts de potentiels en exploitant certaines vulnérabilités nouvelles, ce déséquilibre fondamental continue au début du XXIᵉ siècle à exercer sa loi d'airain. ■

Raymond Aron (1905-1983). Ce sociologue et politologue français analyse les relations internationales par l'équilibre des puissances antagonistes. Marqué par la guerre froide et par la dissuasion nucléaire réciproque de l'Est et de l'Ouest, il résume le monde d'alors par la formule célèbre : « paix impossible, guerre improbable ».

1900-1914
Empires et nation

Alors que la géopolitique moderne se fonde sur les concepts d'espace et de puissance, l'affirmation en Europe de l'État-nation est lourde de conséquences. Elle implique à la fois la remise en cause des systèmes impériaux autrichien et turc, la poursuite de l'entreprise coloniale et une contestation récurrente sur le tracé des frontières.

L'Europe des nations

Après l'ébranlement de la Révolution française, l'Europe des empires parvient à maintenir le statu quo impérial. Et cependant, perturbatrice du siècle, contrainte mais irrésistible, l'idée de nation fait son chemin, remettant en question les frontières établies. Affirmation d'une identité culturelle, demandeur des prestiges et des pompes de l'État, le nationalisme est contagieux : le voisin prend conscience de son altérité. L'idée de

La « question d'Orient » rebondit en 1875-1876, lors de la révolte des populations de Bosnie-Herzégovine et de Bulgarie. Le congrès de Berlin de 1878 ampute l'empire turc de la Serbie, du Monténégro, de la Roumanie, de la Bosnie-Herzégovine, de la Thessalie, de l'Épire et de la Bessarabie.

nation réapparaît avec éclat lors des révolutions de 1848, annonçant une nouvelle marche de l'histoire. La seconde moitié du siècle se présente alors comme une phase d'émancipation nationale dominée par la création de l'Italie puis de l'Allemagne.

● L'affirmation du principe de l'État-nation

Le principe de l'État-nation tend à l'emporter sur la légitimité dynastique autour de la personne du souverain. Tandis que se réduisent les possessions européennes de l'Empire ottoman, c'est, à son tour, l'empire d'Autriche-Hongrie qui fait figure d'«homme malade». L'émancipation nationale se réalise sous des formes d'institutions politiques fort différentes : monarchie, empire, assez rarement république.

C'est dire que la volonté nationale n'est pas synonyme de démocratie. Le comble de la complexité est sans doute atteint par l'empire de Napoléon III, courant au service du nationalisme italien, se rétribuant par Nice et la Savoie, pour finalement établir la monarchie des ducs de Savoie dont Garibaldi aura été la dupe flamboyante.

● Légitimité et dérives de l'affirmation de l'État-nation

Si le nationalisme fait voler en éclats les systèmes impériaux, il ne parvient pas à donner aux frontières une rigoureuse stabilité. Toute conquête de l'idéal national, souvent réalisée par la force, s'accompagne de frustrations parce que le point d'équilibre entre deux revendications opposées ne semble jamais devoir être atteint. Dans une Europe en pleine expansion démographique et économique, le

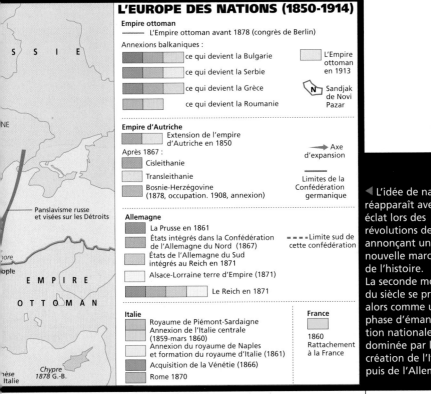

L'EUROPE DES NATIONS (1850-1914)

Empire ottoman
L'Empire ottoman avant 1878 (congrès de Berlin)
Annexions balkaniques :
- ce qui devient la Bulgarie
- ce qui devient la Serbie
- ce qui devient la Grèce
- ce qui devient la Roumanie
- L'Empire ottoman en 1913
- Sandjak de Novi Pazar

Empire d'Autriche
- Extension de l'empire d'Autriche en 1850
Après 1867 :
- Cisleithanie
- Transleithanie
- Bosnie-Herzégovine (1878, occupation. 1908, annexion)
- Axe d'expansion
- Limites de la Confédération germanique

Allemagne
- La Prusse en 1861
- États intégrés dans la Confédération de l'Allemagne du Nord (1867)
- États de l'Allemagne du Sud intégrés au Reich en 1871
- Alsace-Lorraine terre d'Empire (1871)
- Le Reich en 1871
- Limite sud de cette confédération

Italie
- Royaume de Piémont-Sardaigne
- Annexion de l'Italie centrale (1859-mars 1860)
- Annexion du royaume de Naples et formation du royaume d'Italie (1861)
- Acquisition de la Vénétie (1866)
- Rome 1870

France
- 1860 Rattachement à la France

Panslavisme russe et visées sur les Détroits

Chypre 1878 G.-B.

◀ L'idée de nation réapparaît avec éclat lors des révolutions de 1848, annonçant une nouvelle marche de l'histoire. La seconde moitié du siècle se présente alors comme une phase d'émancipation nationale dominée par la création de l'Italie puis de l'Allemagne.

nationalisme conduit à des formes agressives chauvines, irrédentistes et expansionnistes. Il est largement responsable de nouvelles visions géopolitiques du monde et de théories impérialistes qui, ayant attisé craintes et passions, favorisent l'explosion de 1914.

Le nationalisme s'abandonne à une confusion entre l'espace et le temps. Au nom d'un passé plus ou moins lointain dont la réappropriation sert l'affirmation identitaire, on revendique un espace abandonné depuis des siècles et dont les frontières relèvent d'une exégèse partisane d'une tradition plus ou moins bien documentée. Les définitions de la nation sont loin d'être uniques et stables : le sang, l'appartenance, déterminisme et libre arbitre favorisent autant de modèles d'appartenance différents. Le pire advient avec le progrès d'une conception raciste : le Volk (peuple) entendu comme identité biologique. ■

L'incertaine frontière orientale de l'Europe

O ù commence l'Europe ? La géographie offre un commode repère pour la partie occidentale. À l'est, tout demeure incertain. L'Océan crée une limite. Sans doute au gré des alliances et du développement de flux pacifiques peut-on faire abstraction de la Manche, voire même parler d'une aire euro-atlantique.

Saint Empire romain germanique : nom donné , à partir du XVᵉ siècle, à l'empire d'Europe centrale fondé en 962 par Othon Iᵉʳ le Grand et dissous en 1806.

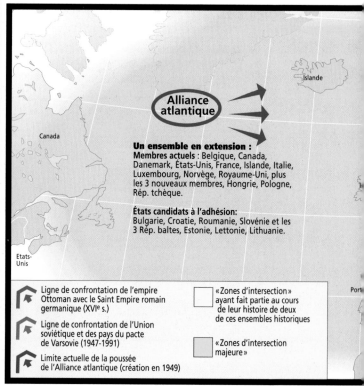

Islande

Canada

Alliance atlantique

Un ensemble en extension :
Membres actuels : Belgique, Canada, Danemark, États-Unis, France, Islande, Italie, Luxembourg, Norvège, Royaume-Uni, plus les 3 nouveaux membres, Hongrie, Pologne, Rép. tchèque.

États candidats à l'adhésion:
Bulgarie, Croatie, Roumanie, Slovénie et les 3 Rép. baltes, Estonie, Lettonie, Lithuanie.

Etats-Unis

↗ Ligne de confrontation de l'empire Ottoman avec le Saint Empire romain germanique (XVIᵉ s.)

↗ Ligne de confrontation de l'Union soviétique et des pays du pacte de Varsovie (1947-1991)

↗ Limite actuelle de la poussée de l'Alliance atlantique (création en 1949)

☐ «Zones d'intersection» ayant fait partie au cours de leur histoire de deux de ces ensembles historiques

☐ «Zones d'intersection majeure»

Port

Mais l'espace maritime en temps de crise et de guerre reste têtu. Il faut franchir la Manche et plus encore surmonter la distance entre les bordures des continents européen et américain. À l'ouest, la notion de frontière naturelle maritime permet à l'Europe de connaître ses limites. Sans doute les îles Britanniques créent-elles une ouverture atlantique porteuse de nombreuses divagations politiques. Il n'empêche que le franchissement du « Channel » fut toujours un problème européen posé aux Espagnols (l'Invincible Armada), aux Français (Trafalgar) et, enfin, aux Allemands (1940). La notion de frontière naturelle, fondement d'une géostratégie contraignante, reste pertinente.

Rien de tel à l'est, où la frontière, purement politique, s'identifie à la vie et à la mort des empires. Il n'est là rien d'établi, rien d'assuré. La géographie physique n'apporte pas de réponse avant d'atteindre l'Oural.

C'est le rapport des puissances en une période donnée, de durée variable, qui fixe la frontière. Dès lors qu'un empire implose ou se défait sous le choc de forces extérieures, la frontière devient incertaine. Le conflit et la violence armée redeviennent les facteurs de détermination de nouvelles limites. La frontière s'établit momentanément au point d'épuisement des énergies combattantes.

Byzance (395-1453) constitue-t-elle un espace européen et une marche asiatique ? Cet empire « du milieu » marque, vers l'Occident la limite du Saint Empire romain germanique tandis que vers l'Orient, il contient la poussée des « envahisseurs » asiatiques arabes, turcs, etc. Le détroit des Dardanelles ne sépare que symboliquement l'Europe méridionale du reste de l'Asie.

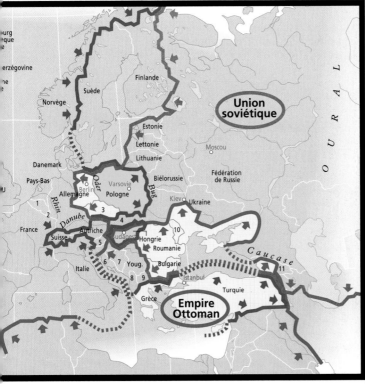

◄ C'est le rapport des puissances en une période donnée, de durée variable, qui fixe la frontière. Dès lors qu'un empire implose ou se défait sous le choc de forces extérieures, la frontière devient incertaine.

Rome tout d'abord, Byzance ensuite, font du Pont-Euxin (nom donné par les Grecs à la mer Noire) une plaque tournante intercontinentale. Contrôler ce point névralgique revient à disposer d'une capacité de projection de puissance vers les différents azimuts de la sécurité et de la prospérité, soit au contraire de verrouillage ou d'endiguement de la pénétration adverse.

● Des frontières fonction de trois poussées

C'est donc bien pour endiguer la puissance soviétique qu'en 1954 les États-Unis font rentrer la Turquie, en dépit de l'opposition de la Grèce, dans l'Alliance atlantique, statut dont Ankara entend tirer profit pour s'arrimer à un continent prospère d'où, trois siècles durant, elle fut refoulée.

Pour s'en tenir à l'époque moderne et contemporaine, les frontières orientales de l'Europe sont du point de vue géostratégique fonction de trois poussées :

- l'Empire ottoman (XIVe siècle-1920), qui s'arrête devant Budapest après le carnage de Mohács (1526) ;
- la puissance soviétique, qui s'installe sur l'Oder-Neisse (limite occidentale de la Pologne) grâce au pacte de Varsovie constitué en 1955 ;
- la puissance euro-atlantique, dominée par les États-Unis, qui progresse par élargissement et exploitation de ses points d'appui, notamment la Turquie.

Aujourd'hui, la construction européenne et l'élargissement de l'OTAN reconduisent, en termes différents, les mêmes incertitudes. La troisième poussée d'influence, celle de l'aire euro-atlantique, cherche ses marques du nord de la Baltique aux confins du Bosphore...

Ainsi voit-on apparaître l'œil d'un cyclone stratégique européen centré sur un front de perturbations allant de Varsovie à Istanbul en passant par Budapest. ■

La frontière germano-polonaise sur l'Oder-Neisse fut entérinée en 1945. Elle enlevait à l'Allemagne un cinquième de sa superficie de 1938. L'Allemagne reconnut de facto cette frontière en 1970, avant de passer un traité définitif avec la Pologne en 1990.

Les empires coloniaux en 1914

B ien qu'étalées sur plusieurs siècles en raison des implantations précoces espagnoles et portugaises, la rapidité et l'ampleur des colonisations britannique et française au tournant des XIXe et XXe siècles constituent une nouvelle poussée de mondialisation correspondant à une seconde phase de développement de la puissance industrielle.

Un continent, l'Europe, en domine deux autres. Cependant, personne ne semble remarquer que ces tout-puissants Européens sont depuis 1823 écartés du continent latino-américain sans espoir de retour par la doctrine du président Monroe (doctrine excluant toute intervention des Européens en Amérique latine, comme toutes interventions américaines dans les conflits européens). Très centrée sur elle-même, imbue du sens de sa supériorité économique, souvent convaincue d'être dépositaire d'une mission civilisatrice, l'Europe s'émerveille de voir un immense territoire, le Congo, devenir la propriété personnelle du roi d'un petit État de 17 000 km², la Belgique, ou bien encore l'immense archipel indonésien soumis à la tutelle des seuls Pays-Bas.

Toutefois, l'essentiel est représenté par deux grands empires, britannique et français, occupant à eux seuls, en 1914, plus du quart des terres émergées. Ces deux empires, tout d'abord édifiés aux XVIIᵉ et XVIIIᵉ siècles, connaissent de profonds changements dès la fin du XVIIIᵉ siècle : la France cède en 1763 ses colonies du Canada et des Indes à l'Angleterre, tandis que celle-ci voit ses possessions amputées par la création des États-Unis en 1783. Au début du XIXᵉ siècle, la France édifie un « second empire », qui comprend en 1914 10 millions de kilomètres carrés et 48 millions d'habitants. L'Empire britannique, quant à lui, recouvre 33 millions de kilomètres carrés et regroupe alors 28 % de la population mondiale. L'écart de potentiel entre les deux empires est important, même si la fierté nationale française n'en veut rien voir.

Il est vrai que la modestie de la portion allemande constitue l'inégalité la plus flagrante. Trop tard venue dans le partage colonial auquel le chancelier Bismarck n'accorde qu'un intérêt distant, l'Allemagne wilhelmienne se prend à contester un ordre jugé intolérable. Même phénomène en mode mineur dans le royaume d'Italie, qui subit à Adoua, en 1896, une défaite humiliante et doit se contenter en 1914 de l'Érythrée, de la Somalie italienne, de la Libye (dont l'occupation est limitée) et d'un protectorat limité sur l'Éthiopie du Nord.

● Deux grandes questions se posent à la veille de 1914

La colonisation a-t-elle économiquement profité aux grandes puissances, au point même d'en être l'origine ? La prospérité britannique est considérée par l'école marxiste comme le produit de la mise en esclavage de l'Inde.

L'inégalité du partage colonial a-t-elle contribué au déclenchement de la guerre ? Lénine développe cette thèse, cherchant à démontrer que la guerre relève du blocage des économies capitalistes européennes qui ne trouvent plus de marchés en raison des « prés carrés coloniaux ». La réponse à ces deux questions fera l'objet de débats passionnés dans la période postérieure de décolonisation, donnant naissance à la théorie du pillage du tiers-monde. Ainsi le mouvement anti-impérialiste de la seconde moitié du XXᵉ siècle se nourrit-il de la saga coloniale. Ainsi la violence des conflits africains peut-elle encore se réclamer de l'absurdité des frontières arbitraires établies par les Européens il y a plus d'un siècle, lors de la célèbre conférence de Berlin (1884-1885).

Plus anciens mais réduits telle une peau de chagrin depuis l'émancipation de l'Amérique latine dès 1811, les empires coloniaux espagnol et portugais gardent cependant un intérêt politique et économique non négligeable. L'Espagne possède des territoires en Afrique (sud du Maroc, Sahara espagnol et Guinée espagnole), parfois frontaliers avec les autres grandes puissances coloniales. L'Empire portugais profite en 1914 de nombreux comptoirs maritimes, ainsi que du Mozambique, de l'Angola et de la Guinée portugaise, trois acquisitions tardives du XIXᵉ siècle.

Au début du XXᵉ siècle, le président Théodore Roosevelt définit un corollaire à la doctrine Monroe de 1823, qui servira de justification aux interventions de Washington en Amérique latine.

Les justifications du colonialisme européen seront de trois ordres : le nationalisme, la surpopulation des métropoles (de 1800 à 1914, la population européenne passe de 180 à 430 millions d'habitants) et l'idéal humanitaire (évangélisme protestant ou laïcité républicaine).

> Bien qu'étalées sur plusieurs siècles en raison des implantations précoces espagnoles et portugaises, la rapidité et l'ampleur des colonisations britannique et française au tournant des XIX⁰ et XX⁰ siècles constituent une nouvelle poussée de mondialisation.

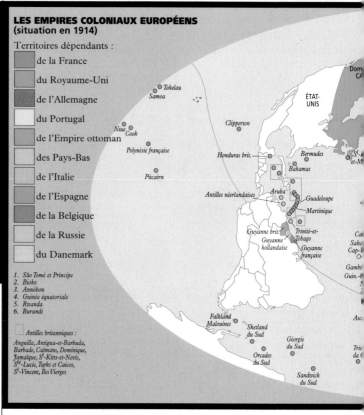

LES EMPIRES COLONIAUX EUROPÉENS
(situation en 1914)

Territoires dépendants :

de la France
du Royaume-Uni
de l'Allemagne
du Portugal
de l'Empire ottoman
des Pays-Bas
de l'Italie
de l'Espagne
de la Belgique
de la Russie
du Danemark

1. São Tomé et Principe
2. Bioko
3. Annóbon
4. Guinée équatoriale
5. Rwanda
6. Burundi

Antilles britanniques :
Anguilla, Antigua-et-Barbuda,
Barbade, Caïmans, Dominique,
Jamaïque, Sᵗ-Kitts-et-Nevis,
Sᵗᵉ-Lucie, Turks et Caicos,
Sᵗ-Vincent, Îles Vierges

Enfin, plus particulier, l'empire colonial russe est le résultat d'une conquête intérieure tout au long du XIX⁰ siècle, ayant absorbé ses pays limitrophes : il englobe une grande partie de l'Europe orientale (de la Finlande jusqu'à la Géorgie), le Kazakhstan, pour s'arrêter au nord de la Mandchourie. Ces empires sont des enjeux majeurs dès la seconde moitié du XIX⁰ siècle, qui voit les grandes puissances se disputer le « gâteau chinois » et l'Afrique, prises d'une fièvre colonisatrice occasionnée par l'industrialisation croissante. Les colonies permettent en effet à leurs possesseurs de profiter de débouchés économiques, de s'assurer l'avantage militaire, de résoudre la question de la poussée démographique européenne grâce aux colonies de peuplement. ■

La géopolitique : Friedrich Ratzel, Halford Mackinder…

Au fil du temps, chaque État qui aspire à la puissance crée, en fonction de ses moyens de perception et d'occupation de l'espace, une géopolitique qu'il tend à présenter comme universelle alors qu'elle n'est que culturelle. On s'en émerveille, on la critique, on en retrouve les vertus, mais on l'explique rare-

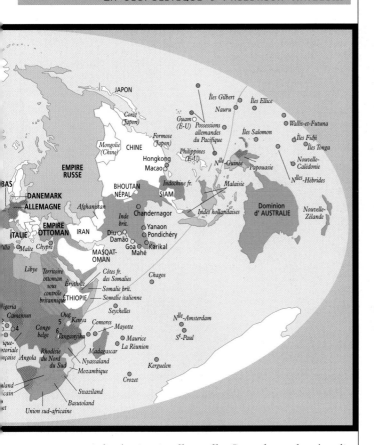

ment en tant qu'opération intellectuelle. Sans doute, la géopolitique est-elle historiquement le produit de la rencontre entre la politique, vieille affaire des peuples, et la géographie, qui, à la fin du XIX⁰ siècle, dans le monde occidental en pleine expansion, tend à se constituer comme discipline descriptive et explicative du monde physique et humain.

Dans ses premières expressions, la géopolitique est fortement marquée par le darwinisme social (application aux sociétés humaines des principes de la sélection naturelle). Son discours, très divers, est également influencé par les nationalismes agressifs tels que le pangermanisme ou, plus tard, les interprétations droitières du marxisme-léninisme, posant, par exemple, l'Italie en nation prolétaire surpeuplée privée d'espace, autant de thèmes que l'on retrouve pour justifier l'expansionnisme japonais des années 30. Le général allemand Karl Haushofer achèvera de donner à la géopolitique une connotation raciste en couplant le thème de l'espace vital de Ratzel (1844-1904) avec les théories raciales qui ravageaient alors la pensée scientifique allemande.
L'école américaine et anglaise (Alfred Mahan, Halford Mackinder, Nicholas Spykman) échappe à ces travers idéologiques, tout en restant attachée à une conception géographique de l'exercice de la puissance militaire. Mahan pense les États-Unis comme une île-continent qui doit, dès le temps de paix, étendre sa puissance par un réseau de bases et de facilités mili-

Friedrich Ratzel (1844-1904). Considéré comme l'un des fondateurs de la géographie politique moderne. Son œuvre se fonde sur deux concepts centraux : la notion d'État en tant qu'organisme vivant et le combat pour l'espace territorial.

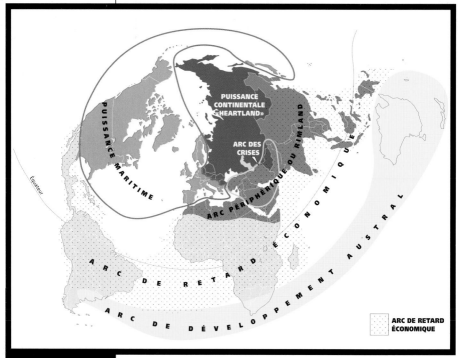

PUISSANCE
CONTINENTALE
«HEARTLAND»

ARC DES
CRISES

PUISSANCE MARITIME

PUISSANCE CONTINENTALE

Équateur

ARC PÉRIPHÉRIQUE OU RIMLAND

ARC DE RETARD ÉCONOMIQUE

ARC DE DÉVELOPPEMENT AUSTRAL

ARC DE RETARD
ÉCONOMIQUE

▲ La perception
géopolitique
du monde, issue
des travaux
de Mackinder.
D'après l'*Atlas
stratégique*
de G. Chaliand et
J.-P. Rageau
(éd. Complexe).

taires permettant d'atteindre par l'est et par l'ouest les façades
du continent eurasiatique. Mackinder systématise cette vision en
pensant la masse continentale eurasiatique comme pivot de la
puissance mondiale. Ces spéculations favorisent le développement d'un dualisme entre puissance de terre et puissance de mer,
dont la valeur heuristique (processus de découverte) générale
conduit souvent à des conclusions d'un simplisme excessif. Il
favorisera la bipolarisation entre les États-Unis et l'Union soviétique, dont les Américains redoutent, après 1945, l'expansion
territoriale.

● Une ébauche de mondialisation
Au fil du temps, chaque puissance, en fonction de ses moyens de
perception et d'occupation de l'espace, crée une géopolitique
qu'elle tend à présenter comme naturelle et même universelle. Il
en va ainsi de la géopolitique américaine des années de guerre
froide et suivantes. Procédant d'une volonté et d'un besoin de
représentation du monde, la géopolitique constitue une ébauche
de la mondialisation par les puissances dominantes ou émergentes
du moment.
C'est une tentative d'explication du monde par une représentation
intellectuelle dans laquelle la carte joue le rôle de support démons-
tratif, mais aussi de preuve, insidieusement glissée, pour caution-
ner une idéologie latente. Comme l'a montré, en son renouveau,
l'école française des années 70 (Gérard Chaliand, Yves Lacoste),
elle reste un outil didactique remarquable, sous réserve d'une
posologie (modalités d'utilisation) critique qui mesure soigneusement le dosage. ■

1914-1929
Le déclin du Vieux Continent

*Épuisée par le conflit, l'Europe signe son déclin définitif
en élaborant des traités de paix porteurs de conflits à venir.
La Grande-Bretagne et la France croient maintenir leur
prééminence en agrandissant leurs empires coloniaux avec
les dépouilles allemandes et turques. Alors que la Russie rouge
reconstitue l'espace impérial tsariste, les États-Unis reviennent
provisoirement à leur isolationnisme traditionnel.*

Suicide de l'Europe

Dès 1900, les grandes puissances européennes mettent la dernière main à l'édification d'une machine infernale diplomatique qui conduit inexorablement à une guerre généralisée en Europe. Tandis que Lénine, à Zurich, dans une solitude extrême, dénonce «l'impérialisme stade suprême du capitalisme», personne n'avait prévu en sa durée et sa dimension cette première guerre industrielle.

La planification militaire d'un conflit de courte durée échoue de peu. Il s'en faut de la Marne. Mais ce peu correspond à l'extrême ténuité de l'écart entre des potentiels globalement équivalents. Presque parfaite, la symétrie des capacités de destruction conduit à l'épuisement mutuel des adversaires. Le plus étonnant

◀ Soldats français avec leur masque à gaz sur le front de la Somme. Les gaz asphyxiants sont utilisés pour la première fois par les Allemands à Ypres en avril 1915.

pour le regard rétrospectif et anachronique, celui qui juge de tout dans l'après-coup, fut sans doute l'incapacité à tirer une leçon de cette première épreuve.

Certes le système de Versailles tisse une sorte de linceul pour les puissances apparemment victorieuses. Mais Hitler et la crise de 1929 sont-ils responsables de tout ? Les totalitarismes ont-ils forcé les démocraties ? Ces analyses manichéennes expliquent-elles l'immensité du désastre ?

Rêvons un instant de ces rêves interdits par la science historique : que serait l'Europe aujourd'hui si deux guerres ne l'avaient déchirée, saignée, ruinée ? Vaine songerie. Les puissances européennes ont organisé et réalisé leur déclin précisément parce qu'elles n'ont pas été capables de transcender la frontière nationale au nom d'une prospérité commune. Chacun des acteurs a cru pouvoir l'emporter sur les autres pour achever, avec sa victoire, sa propre domination sur l'Europe. Français, Allemands, Britanniques avaient certes une vision de l'Europe, mais d'une Europe vassalisée par la domination d'un grand féodal.

Les puissances impériales qui se croient victorieuses dépècent les vieux empires : l'Autriche-Hongrie, l'Empire ottoman sont littéralement achevés… Stupéfiant prélude au sort qui attend les empires coloniaux britannique et français. La situation a en effet changé. Cette Europe épuisée devient une proie dans la confrontation entre les vainqueurs de la Seconde Guerre mondiale qui se disputeront l'influence sur le continent durant toute la guerre froide. ■

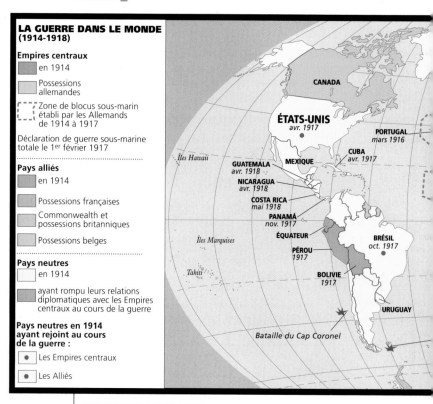

LA GUERRE DANS LE MONDE
(1914-1918)

Empires centraux

   en 1914

   Possessions allemandes

   Zone de blocus sous-marin établi par les Allemands de 1914 à 1917

Déclaration de guerre sous-marine totale le 1er février 1917

Pays alliés

   en 1914

   Possessions françaises

   Commonwealth et possessions britanniques

   Possessions belges

Pays neutres

   en 1914

   ayant rompu leurs relations diplomatiques avec les Empires centraux au cours de la guerre

Pays neutres en 1914 ayant rejoint au cours de la guerre :

   ● Les Empires centraux

   ● Les Alliés

CANADA

ÉTATS-UNIS
avr. 1917

PORTUGAL
mars 1916

Îles Hawaii

GUATEMALA
avr. 1918

MEXIQUE

CUBA
avr. 1917

NICARAGUA
avr. 1918

COSTA RICA
mai 1918

PANAMÁ
nov. 1917

Îles Marquises

ÉQUATEUR

BRÉSIL
oct. 1917

PÉROU
1917

Tahiti

BOLIVIE
1917

URUGUAY

Bataille du Cap Coronel

La première guerre fut-elle mondiale ?

Lorsqu'un étudiant bosniaque assassine l'archiduc François-Ferdinand d'Autriche le 28 juin 1914 à Sarajevo, le mécanisme des alliances se déclenche. L'Europe s'engage dans une guerre de longue durée, dont la cause immédiate n'est que l'aboutissement de ses rivalités économiques, de la montée des nationalismes et de l'antagonisme germano-slave dans les Balkans.

D'abord circonscrit aux deux systèmes d'alliances, le conflit s'étend avec la participation de l'Italie et de l'Empire ottoman qui, en 1915, rejoignent, la première, l'Entente (France, Grande-Bretagne), et le second, la Duplice (Allemagne, Autriche-Hongrie). L'engagement des Turcs, dont les possessions s'étendent jusqu'au golfe Persique et à la péninsule arabique, contribue à la mondialisation de la guerre.

En outre, les deux grandes puissances coloniales mettent à contribution les ressources matérielles et humaines de leurs empires. C'est alors la mondialisation du conflit (opération de la «libération de la nation arabe» par Lawrence d'Arabie) qui s'opère et s'affirme en 1917, quand les États-Unis, la Chine et le Brésil entrent en guerre aux côtés de l'Entente, respectivement en avril, août et octobre. Si le conflit n'est pas mondial territorialement, il l'est en ce qui concerne les ressources humaines et matérielles.

Le 28 juillet 1914, Vienne déclare la guerre à la Serbie. Aussitôt, la Russie déclenche la mobilisation générale. L'Allemagne déclare alors la guerre à la Russie (1er août) puis à la France (3 août) et viole la neutralité belge, ce qui entraîne l'entrée dans le conflit de la Grande-Bretagne.

En dépit du faible nombre des États neutres à la fin du conflit et de la mobilisation des empires coloniaux, le déroulement et le dénouement de la guerre restent profondément eurocentrés.

En raison de la mobilisation croissante de l'économie au service de la guerre longue, celle-ci prend une tournure totale dans une fièvre d'exaltation nationaliste soigneusement entretenue par le « bourrage de crâne » d'une propagande appuyée sur une censure rigoureuse. Ni absolument mondiale, ni rigoureusement totale, cette guerre prend une forme nouvelle et inattendue : l'acharnement nationaliste s'appuie sur la capacité industrielle à produire en masse et durablement des armes de destruction de masse. La guerre industrielle exaltée perd le sens de la mesure de l'homme. Pour ce faire, les nouveaux armements (mitrailleuses, grenades, premiers avions de reconnaissance puis de chasse, sous-marins et torpilles depuis la mer du Nord jusqu'aux côtes du Liberia) font leur apparition.

À l'arrière se développe une économie dite « de guerre » : l'effort doit être total pour financer la guerre. Ainsi, l'industrie est mobilisée dans la course à l'armement. L'État s'endette auprès de puissances commerciales comme les États-Unis (800 milliards de dollars pour le Royaume-Uni au sortir de la guerre) et invite les populations à souscrire aux emprunts de guerre, comme c'est le cas de l'État français. Les femmes sont mobilisées aux travaux des champs et dans les usines d'armement.

Par la détermination des politiques et l'encadrement des populations civiles, la « grande guerre » devient un choc où les nations engagent toutes leurs forces : il faut « la victoire ou la mort ». La répression des mutineries de 1917, le contrôle de l'information (censure et propagande) sont les signes du jusqu'au-boutisme caractéristique du conflit. La Première Guerre mondiale ouvre ainsi la voie à la guerre totale.

En novembre 1918, lorsque l'armistice est finalement signé à Compiègne, la guerre s'achève sur la mort de 8 millions d'hommes, (et d'innombrables invalides), sur le traumatisme des survivants et sur une nouvelle Europe, exsangue de dettes et ravagée par les combats. Le haut état-major allemand rejette sur le pouvoir politique la responsabilité de la défaite. Les germes d'un nouvel affrontement se répandent dans la population allemande, exaspérée par le traité de Versailles et les maladresses des vainqueurs. ▪

Le bilan humain du conflit se solde par 9 millions de morts (dont Allemagne 2 millions, Russie 1,8 million, France 1,4 million, Turquie 800 000 et Grande-Bretagne 700 000) et plus de 20 millions de blessés.

Le système de Versailles ou la préparation de la prochaine guerre

Peu de traités auront été autant critiqués. Incohérence, irréalisme. Pouvait-on, à ce moment-là, faire mieux ? Pouvait-on faire pire ? La critique lucide de l'économiste John Meynard Keynes, bien isolé en son temps, ne porte pas. Le traité (signé en 1919) est dominé par le contentieux franco-allemand. De ce fait, il n'est que le produit inévitable de l'effroyable affrontement dont il se veut la conclusion.

Traumatisé par l'ampleur des sacrifices consentis, le gouvernement français, dirigé par Clemenceau depuis 1917 (âgé alors de 76 ans), cherche à se payer sur l'ennemi et à éradiquer à jamais ses capacités militaires. Il ne peut aller au bout de sa logique, freiné par les Britanniques, inquiets d'un excès de supériorité de la France sur le continent, et bridé par les principes du président américain Woodrow Wilson, qui cherche à établir les principes d'une paix durable. Comble d'ironie, Wilson est désavoué par le Congrès républicain qui refuse de ratifier les engagements pris.

L'article 231 du traité rend l'Allemagne responsable de la guerre. Accusation rejetée par l'ensemble de la classe politique et par l'opinion allemandes, y compris l'extrême gauche, qui rejette la faute sur l'impérialisme. Ainsi, le traité deviendra-t-il outre-Rhin le « diktat ». Cette perception est favorisée par l'attitude du grand état-major inspiré par Ludendorff, qui refuse d'accepter la défaite, créant le mythe efficace du coup de poignard dans le dos d'une armée invaincue. Dans ces conditions, les principales clauses du traité de Versailles apparaissent comme une juxtaposition d'irréalisables sanctions et d'inutiles précautions.

« L'Allemagne paiera. » Cette exigence, en apparence légitime au regard des dévastations d'une partie du territoire français, s'avère inapplicable. Sortant de guerre après quatre ans de blocus maritime, l'Allemagne ne peut fournir les 132 milliards de marks-or exigés, si bien que, humiliante et irritante, la question des réparations traîne, sans aboutir, d'une conférence à l'autre jusqu'en 1932. Poincaré aura beau faire occuper la Ruhr en 1923 pour « prendre un gage » l'Allemagne, choisissant la politique du pire, abandonne le mark à l'hyperinflation.

Lors de la conférence de Locarno (octobre 1925), les ministres français et allemand des Affaires étrangères, Aristide Briand et Gustav Stresemann, s'accordent finalement sur les voies d'un compromis (déjà annoncé par le plan Dawes de 1924).

● Frontières

Les rectifications à l'ouest, dominées par le retour à la France de l'Alsace-Lorraine ne posent pas de véritables difficultés. La Sarre restera toutefois un objet de litige jusqu'en 1954. Mais le problème le plus grave se trouve à l'est, avec la Pologne. Si, avec brutalité, le partage de la Silésie est réglé, il n'en va pas de même du statut des villes de Memel et de Dantzig, déclarées « villes libres » sous mandat de la SDN, alors que la population est à majorité allemande. Aberration géographique, le corridor de Dantzig offre le prétexte de la prochaine guerre.

La démilitarisation de l'Allemagne comporte deux volets : l'espace et les moyens. Le premier volet définit des zones territoriales qui doivent constituer des garanties de sécurité. À cette fin, la Rhénanie est déclarée zone démilitarisée.

Le second comporte l'interdiction pour l'Allemagne de la conscription, d'une flotte de guerre et de l'arme aérienne.

Les zones démilitarisées ne résisteront pas à la volonté de Hitler, et, dès 1936, Strasbourg sera à nouveau « à portée des canons allemands », en dépit des vaines protestations françaises. Superbe organisateur, le général von Seeckt saura créer une armée de métier prête à encadrer le moment venu l'ensemble des

Préparé par Clemenceau, Lloyd George, Wilson et Orlando, le traité de Versailles est signé le 28 juin 1919. Il ampute l'Allemagne du huitième de son territoire et du dixième de sa population de 1914. Il limite les forces terrestres allemandes à 100 000 hommes et impose à Berlin des réparations financières considérables.

▶Cote mail taillée, le traité de Versailles crée plus de problèmes qu'il n'apporte de solutions. Incapables de comprendre les nouveaux mécanismes du monde moderne, les dirigeants précipitent le déclin de l'Europe.

Signé le 4 juin 1920 entre les Alliés et la Hongrie, le traité de Trianon modifie largement la carte de l'Europe centrale et orientale : réduction d'un tiers de la Hongrie, élargissement des territoires de la Tchécoslovaquie, de la Roumanie et de la Yougoslavie.

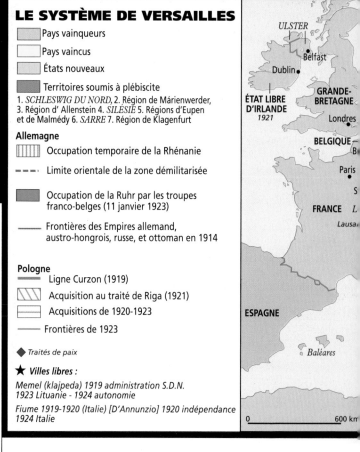

LE SYSTÈME DE VERSAILLES

- Pays vainqueurs
- Pays vaincus
- États nouveaux
- Territoires soumis à plébiscite

1. *SCHLESWIG DU NORD*, 2. Région de Márienwerder, 3. Région d' Allenstein 4. *SILÉSIE* 5. Régions d'Eupen et de Malmédy 6. *SARRE* 7. Région de Klagenfurt

Allemagne

- Occupation temporaire de la Rhénanie
- Limite orientale de la zone démilitarisée
- Occupation de la Ruhr par les troupes franco-belges (11 janvier 1923)
- Frontières des Empires allemand, austro-hongrois, russe, et ottoman en 1914

Pologne

- Ligne Curzon (1919)
- Acquisition au traité de Riga (1921)
- Acquisitions de 1920-1923
- Frontières de 1923

◆ *Traités de paix*

★ *Villes libres :*

Memel (klajpeda) 1919 administration S.D.N.
1923 Lituanie - 1924 autonomie

Fiume 1919-1920 (Italie) [D'Annunzio] 1920 indépendance 1924 Italie

effectifs de la nation. Le rapprochement tactique (1939) avec l'URSS permettra à l'Allemagne de procéder à des transferts de matériels interdits et à disposer de bases pour l'entraînement de ses forces modernes.

Les clauses du traité de Versailles sont assorties de procédures de vérification comportant des inspections effectuées par les militaires alliés, surtout français. Le général Noiret informera durant plusieurs années le gouvernement français des innombrables et très repérables contraventions allemandes. En vain. Les considérations politiques l'emportent auprès de gouvernements incertains. L'essentiel de la stratégie française obéit désormais au principe de la sécurité collective. Paris n'entend plus agir qu'avec le soutien britannique, en dépit de divergences d'intérêts dans le monde et de perceptions forcément différentes de la stabilité géopolitique en Europe. ■

Le Moyen-Orient
bouleversé et exploité
(1900-1930)

E n 1880, le gouvernement britannique passe un accord en vue de la prospection des ressources énergétiques avec le cheikh de Bahrein. En 1907, c'est la fusion de Royal Dutch et de Shell en vue d'exploiter les pétroles de Perse et de Mésopotamie. Puis, en 1911, on découvre des gisements pétroliers de Mossoul.

Ces brefs repères permettent de comprendre la mise en place d'un dispositif visant au contrôle et à l'exploitation des ressources du Moyen-Orient au service du développement industriel des puissances occidentales.
Le Moyen-Orient, creuset de civilisations, carrefour entre trois continents, avec ses axes fluviaux (le Nil, le Tigre et l'Euphrate) et maritimes (la mer Rouge, le canal de Suez), devient une zone stratégique majeure pour les intérêts des grandes puissances occidentales. Or la zone reste en grande partie sous le contrôle

des Ottomans. Istanbul ayant fait le choix du camp allemand, la guerre est ainsi l'occasion d'arracher la zone et ses richesses à la domination turque.

Dès 1915, le Moyen-Orient devient une préoccupation majeure pour les belligérants : la route des Indes est vitale au ravitaillement du Royaume Uni. Les armées française et britannique convergent alors vers Istanbul depuis Salonique, Bassohra et Suez. L'Empire ottoman affronte les Britanniques en Mésopotamie et en Palestine tandis qu'il doit aussi faire face aux Russes sur le front du Caucase. Bien que les offensives russes soient victorieuses en janvier 1916 à Erzurum et en avril de la même année à Trébizonde, les Anglais doivent capituler en Mésopotamie.

Mais sur ce vaste théâtre se développe une action moins classique : la grande action dirigée par T.E. Lawrence. Ayant conclu une alliance avec les chefs des populations bédouines sous domination ottomane (Abdullah, Faysal et leur père Husayn ibn Ali), cet intellectuel-aventurier organise la « libération de la nation arabe ». Combinant guerilla et propagande, il prend à revers les forces ottomanes provoquant la chute d'Aquaba.

Pendant ce temps, les gouvernements français et anglais conçoivent, à l'insu de Lawrence qu'ils tiennent pour un simple agent, un plan de partage de l'Empire ottoman en deux zones, où ils exerceront leur influence économique et politique à l'issue de la guerre. Les Arabes ne sont pas davantage mis au courant de ces accords Sykes-Picot (mai 1916). L'armée anglaise s'étant emparé de Bagdad en novembre 1917, la déclaration Balfour affirme la volonté britannique de « créer après la guerre un foyer national juif en Palestine ». Malgré la proclamation d'Husayn comme « roi des Arabes » en octobre 1918, la constitution d'une nation arabe basée sur une langue commune est étouffée. L'aventurier du désert a été simplement utilisé par le Colonial Office.

1920 a été dénommée par les Arabes *âm an nakba*, l'année du désastre. En effet, la Société des Nations attribue un mandat sur la Syrie et sur le Liban à la France, sur la Palestine et la Mésopotamie à la Grande-Bretagne. Aussitôt, le général Gouraud écrase à Damas les troupes de Fayçal. Celui-ci devient alors roi d'Iraq et Abdullah, émir de Transjordanie en 1922. D'étranges frontières sont ainsi créées, fixant des inégalités, légitimant des arbitraires… C'est bien en vain que le président américain Wilson avait proclamé trois ans plus tôt le droit des peuples à disposer d'eux-mêmes.

Ainsi, la Grande-Bretagne renforce-t-elle sa maîtrise de la route des Indes, ayant imposé la démilitarisation des Détroits turcs, se maintenant sur le canal de Suez (malgré l'indépendance de l'Égypte en 1922). Elle est également bénéficiaire du pétrole du Proche-Orient, via l'Iraq Petroleum Company à Mossoul. Le principe des royalties est établi, qui organise durablement un système de dépossession de la richesse au détriment du développement régional et de la prospérité des populations locales.

L'action des deux grandes puissances attise les conflits plus qu'elle ne les apaise. La réaction arabe à la déclaration Balfour sur le foyer national juif et au régime mandataire est l'occasion de manifestations anti-juives entre 1920 et 1921. La Grande-Bretagne annonce alors que l'immigration juive sera fonction de

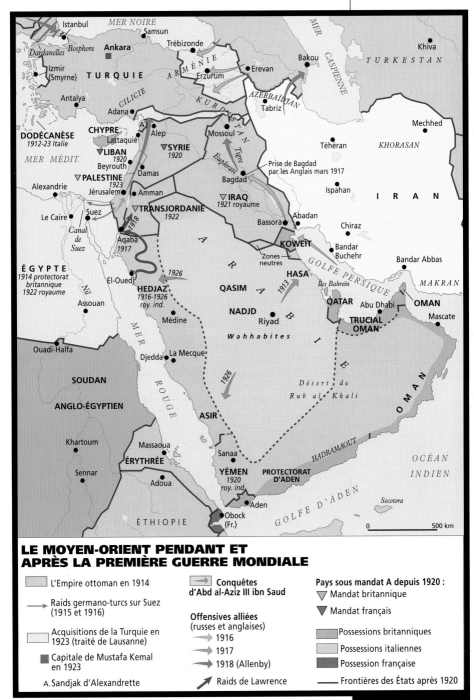

LE MOYEN-ORIENT PENDANT ET APRÈS LA PREMIÈRE GUERRE MONDIALE

L'Empire ottoman en 1914

Raids germano-turcs sur Suez (1915 et 1916)

Acquisitions de la Turquie en 1923 (traité de Lausanne)

Capitale de Mustafa Kemal en 1923

A. Sandjak d'Alexandrette

Conquêtes d'Abd al-Aziz III ibn Saud

Offensives alliées (russes et anglaises)
1916
1917
1918 (Allenby)

Raids de Lawrence

Pays sous mandat A depuis 1920 :
Mandat britannique

Mandat français

Possessions britanniques

Possessions italiennes

Possession française

Frontières des États après 1920

la capacité d'accueil économique de la Palestine. Au Liban, le gouvernement français doit faire face aux révoltes des minorités druzes de 1925 à 1926. Tous les ingrédients sont réunis pour faire du Moyen-Orient un inextricable foyer d'instabilité chronique. Les décisions franco-britanniques de 1916 pèsent encore sur l'affrontement israélo-palestinien du début du XXIe siècle. ■

▲ Britanniques et Français se partagent les dépouilles de l'Empire ottoman au Proche- et au Moyen-Orient.

1917-1924 : de l'Empire russe à l'Empire soviétique

Signé le 18 février 1918 entre Moscou et Berlin, le traité de Brest-Litovsk amputait la Russie de toutes ses possessions polonaises, de la Lituanie, des pays Baltes, d'une partie de la Biélorussie et l'obligeait à reconnaître l'indépendance de la Finlande et de l'Ukraine.

Dès 1918, Moscou veut récupérer les territoires perdus à Brest-Litovsk. La guerre soviéto-polonaise se solde par le traité de Riga (mars 1921). La Russie soviétique récupère ainsi l'Ukraine orientale et une partie de la Biélorussie.

En l'espace de sept ans, un empire s'écroule. Il perd sa classe dirigeante, voit s'effondrer ses bases économiques, subit la sécession de territoires colonisés au fil des siècles. La poignée de révolutionnaires qui s'empare du pouvoir reconstitue l'empire, à sa manière, selon de nouveaux principes politiques, dans une étonnante chevauchée militaire, où sur les immenses étendues de la masse eurasiatique se lancent des trains-forteresses et des locomotives propagandistes.

L'engagement de la Russie dans la Première Guerre mondiale a pour conséquence d'exposer l'empire tsariste à une double menace, tant extérieure qu'intérieure. L'armée plie sous le choc des offensives menées par une Allemagne plus industrialisée. Les défaites relancent la dynamique révolutionnaire qui semblait étouffée depuis l'échec de 1905. En février 1917, tandis que la guerre traîne, au prix de pertes considérables, grèves et manifestations éclatent à Moscou, puis à Petrograd. La paysannerie n'est pas moins exaspérée qui fournit le plus lourd tribut dans cette « armée de poitrines » de 15 millions de soldats mal armés et mal nourris. Lâché par les forces de répression, contesté par ses proches, le tsar Nicolas II abdique en mars 1917.

Le pouvoir passe rapidement entre les mains d'un gouvernement provisoire issu de la Douma (Parlement), où s'affirment les démocrates modérés emmenés par Aleksandr Kerenski. Bien qu'il incarne la légitimité, le gouvernement doit de facto partager le pouvoir avec les soviets d'ouvriers et de soldats, où dominent alors les Socialistes révolutionnaires (SR). Ces deux autorités s'opposent toutefois quant à la priorité à accorder à la guerre ou à la réorganisation politique et économique. Déjà les généraux de la contre-révolution cherchent à reprendre le pouvoir. Le poids des armes brouille la voix des politiques légalistes.

D'autant plus que, de son exil de Zurich, rentre Lénine, avec la bénédiction des dirigeants austro-allemands qui voient en lui l'arme de la désagrégation de la Russie. Sitôt arrivé, avec un opportunisme foudroyant, il résume son programme en un slogan : « Le pain, la paix, la terre. » Les masses, manipulées par une propagande menée de main de maître, s'alignent sur ce programme « attrape-tout ».

Le coup d'État bolchevique d'octobre 1917 à Saint-Pétersbourg déclenche une nouvelle phase de la guerre civile. Pour la gagner, Lénine prend la décision de faire la paix quoi qu'il en coûte. En mars 1918, le régime bolchevique, malgré l'opposition de Trotski, signe alors, avec les empires centraux, le traité de paix de Brest-Litovsk qui impose de lourdes pertes territoriales à la Russie. Les autorités de Moscou restent cependant confrontées aux offensives mal coordonnées des armées blanches, aux interventions maritimes des Alliés, et enfin à la résistance des peuples allogènes qui, ayant proclamé leur indépendance, entendent s'affranchir de la

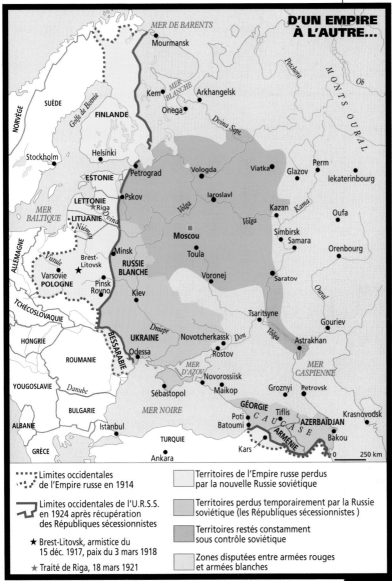

D'UN EMPIRE À L'AUTRE...

Légende :

- ▪▪▪▪ Limites occidentales de l'Empire russe en 1914
- Limites occidentales de l'U.R.S.S. en 1924 après récupération des Républiques sécessionnistes
- ★ Brest-Litovsk, armistice du 15 déc. 1917, paix du 3 mars 1918
- ★ Traité de Riga, 18 mars 1921
- Territoires de l'Empire russe perdus par la nouvelle Russie soviétique
- Territoires perdus temporairement par la Russie soviétique (les Républiques sécessionnistes)
- Territoires restés constamment sous contrôle soviétique
- Zones disputées entre armées rouges et armées blanches

tutelle coloniale, qu'elle soit russe ou soviétique. L'Armée rouge, organisée par Trotski, doit faire face à toutes ces situations, aggravées par l'offensive polonaise de 1920. Forte de 5 millions d'hommes, absorbant le meilleur des capacités ouvrières et révolutionnaires, l'armée rouge finit par s'imposer partout, sur des espaces immenses et dans des situations d'une extrême complexité. Pourtant, contenue par le cordon sanitaire formé par ses adversaires, la révolution ne s'exporte pas vers l'Europe centrale et occidentale. En décembre 1922, l'Union des républiques socialistes soviétiques est créée, et la Constitution du nouvel État, ratifiée en janvier 1924. Les bases d'un nouvel empire territorial sont jetées. Le pays est en ruines. Saigné de ses meilleurs militants, le parti bolchevique se bureaucratise. Le temps de Staline est venu... ■

▲ Lénine sacrifie les frontières russes. Mais la révolution mondiale échoue. Les soviets s'installent sur les terres colonisées de la Russie impériale.

33

1930–1950

Naissance d'un monde global

Annoncé par la crise de 1929, le deuxième conflit mondial boule-verse la donne internationale. Alors que l'Europe règle, sous l'arbi-trage américano-soviétique, ses nombreux problèmes des frontières, le reste du monde commence à se redéfinir. Ainsi, l'empire des Indes se scinde en deux États, par nature antago-nistes, tandis que le Proche-Orient commence à mettre en place les éléments d'un affrontement destiné à durer jusqu'au siècle suivant et à marquer de façon récurrente toute la politique internationale.

La crise de 1929 : une mondialisation économique sous forme de désastre

Crise de surproduction ou de sous-consommation ? Un demi-siècle plus tard économistes et historiens en débattent encore. Une seule certitude : les économies développées sont devenues soli-daires. Le rejet de cette solidarité se fond ensuite dans les brouillards d'un autre désastre : la guerre mondiale.

● Le «jeudi noir»

Lors du «jeudi noir» d'octobre 1929, le krach de Wall Street lié à une spé-culation sauvage survient dans une économie américaine déjà touchée depuis quelques mois par la baisse de la consommation. Le gouvernement américain relève ses tarifs douaniers, rapatrie ses capitaux, met en œuvre tous les mécanismes de désolidarisation de son économie du reste du monde. Ce réflexe isolationniste et protectionniste ne fait qu'exporter la crise, qui frappe les économies européennes les plus dépendantes.

La brutalité des chocs ne laisse pas la place pour des conciliations poli-tiques et des arbitrages économiques apportant un traitement mondial de la crise. Le repli de chacun sur ses difficultés sociales intérieures conduit au contraire à une rupture des solidarités naissantes et à une régression vers les antagonismes internationaux. Faute de mécanismes préétablis, l'urgence l'emporte et avec elle l'improvisation ; même si fréquemment les solutions adoptées, de type déflationniste, se ressemblent, il n'existe cepen-dant aucune concertation.

Le New Deal rooseveltien s'efforce alors de relancer la consommation tout en développant une politique de grands travaux. À l'opposé, l'autarcie nationale-socialiste étatise fortement l'économie allemande, mais le déve-loppement d'une industrie de guerre fausse les données de l'évolution éco-nomique.

Quatre ans après le krach de Wall Street, les échanges internationaux avaient perdu plus de 65% de leur valeur, passant de 3 milliards en 1929 à moins de 1 milliard au début de 1933.

● Le «planisme» d'État

La crise insère brutalement l'État dans l'économie, parce qu'il apparaît comme le seul régulateur social dans une urgence qui semble condamner le traditionnel «laisser-faire» libéral. La question est de savoir quelle place la puissance publique s'octroie et celle qu'elle réserve au marché et aux entrepreneurs privés. Interrogation d'autant plus profonde que l'Union soviétique, qui construit dans le sang une économie absurde, peut se déclarer épargnée par cette crise du capitalisme mondial. Dans un climat sociopolitique extrêmement tendu, nombreux sont ceux qui croient à l'immunité de l'Union soviétique, ce qui renforce la croyance dans le dirigisme et le «planisme» d'État, tout en récusant le communisme en tant que modèle politique et social. La Seconde Guerre mondiale achève de brouiller toute évaluation de la validité des remèdes utilisés. Au lendemain du conflit, plusieurs pays européens (dont la France et la Grande-Bretagne) procédant à d'importantes nationalisations développent un modèle d'économie de marché dirigée et planifiée. Les États-Unis, dopés par la prospérité de l'après-guerre, semblent ne pas s'être posé la question, au-delà du plan Marshall, qui tend à solidariser le succès américain et la prospérité de l'Europe occidentale momentanément épuisée. La sortie du conflit s'accompagne également de la création de mécanismes de régulation internationaux comme le Fonds monétaire international sur la base des accords de Bretton Woods ainsi que d'organes censés traiter les maux sociaux (BIT) et les écarts de développement (FAO). ■

La maîtrise
des grands espaces

▼ Vue de désert. Toute démarche géopolitique passe d'abord par une recherche de maîtrise des grands espaces, qu'ils soient terrestres, océaniques ou aériens.

La recherche de la prospérité comme la conduite de la guerre s'accompagnent d'un effort de maîtrise de l'espace, c'est-à-dire l'acquisition de la capacité à surmonter les obstacles naturels dans les meilleures conditions de sécurité.

● Maîtriser les espaces terrestre, océanique et aérien

Une expédition militaire (Alexandre, Hannibal, Bonaparte) se résume d'abord et surtout à la domination (ou à l'adaptation) de la distance, de la météorologie, du relief et, enfin, de la durée. Dans la guerre, une part importante, parfois majeure, des pertes doit être attribuée aux facteurs naturels, à la malnutrition, aux accidents et aux maladies bien plus qu'à l'action directe de l'ennemi. C'est donc la fonction logistique qui progressivement s'impose comme le moyen du succès durable d'une opération sur de vastes étendues. La Seconde Guerre mondiale constitue la première tentative de l'industrie et de la technique militaires pour maîtriser dans leur ensemble et à l'échelle mondiale les espaces terrestre, océanique et aérien. Les armes ne cessent d'évoluer vers des performances plus remarquables : durée, résistance, portée. Cette capacité fait la différence entre deux catégories de puissances belligérantes.

- Il y a celles qui se risquent par des coups brefs, surprenants par leur audace mais incapables de durer, faute de moyens. Point de lendemains pour ces actions spectaculaires : l'attaque de Pearl Harbor, la prise de Singapour et de l'Indonésie, pour le Japon. De son côté, l'Allemagne maîtrise un temps le continent européen, soit plus de dix fois son propre territoire. Mais Hitler, après Napoléon, s'épuise dans la profondeur russe, sans même s'emparer de Moscou.

L'acquisition soudaine de la supériorité dans un milieu réputé difficile comme la jungle ou le désert assure la victoire par une surprise tactique. Rommel excelle un moment dans le désert africain. Et puis ? Tout dépend ensuite de la capacité de l'adversaire à «encaisser».

- Car à l'opposé figurent les puissances à gros potentiels qui, tels les États-Unis et l'Union soviétique, peuvent encaisser, récupérer, riposter dans la durée en renforçant toujours plus leur maîtrise de l'espace.

La première grande bataille aéronavale, Midway (1942), dans le Pacifique, constitue à bien des égards une leçon de ce phénomène stratégique, par l'utilisation des moyens les plus nouveaux - les porte-avions, au premier chef - mais aussi par la capacité à déchiffrer les codes de transmission de l'information de l'adversaire.

Ainsi, quelle que soient la puissance, la qualité, la diversité des moyens, la maîtrise des espaces dans leur complexité croissante due à l'utilisation du milieu exo-atmosphérique (au-delà de 50 km d'altitude) et à la création d'espaces artificiels (dans le spectre électromagnétique ou dans le cyberespace électro-informatique) demeure un défi formidable pour les armées. ■

Guerre mondiale,
guerre totale ?

À l'été 1940 s'est déroulée une guerre européenne de plus, apparemment moins dévastatrice que la précédente, à peine plus spectaculaire que la reddition de Napoléon III à Sedan en 1870. On se trompe : cette guerre sera totale.

Rien de plus européen que ce conflit en ses débuts. L'Allemagne règle ses comptes et fait payer cher la faillite du système de Versailles. À l'ouest, la France paie le prix de ses faiblesses et Hitler envisage un temps une paix avec l'Angleterre. À l'est, rien de nouveau. Tout respire le vieil arrangement avec la mise en œuvre cynique du pacte germano-soviétique, dont la Pologne fit les frais, comme cela lui est arrivé si souvent dans l'histoire.

Première erreur : l'Angleterre n'est pas disposée à composer. Churchill annonce en un discours étonnant : « We will fight on the beaches, on the desert sand. We will never surrender » (Nous nous battrons sur les plages, sur le sable du désert. Nous ne nous rendrons jamais). Par cette déclaration, par le V de la Victoire, Churchill fait plus que tendre les énergies, il exprime le caractère absolu du conflit qui s'engage.

Erreur encore : Hitler n'a aucune intention de faire de Rethondes un armistice ouvrant la voie à une paix honorable pour l'État français.

Erreur enfin : ce même Hitler entend mener à l'est, dans la profondeur slave, une guerre de conquête au profit de la « race des seigneurs » pour y disposer de son *Lebensraum* (espace vital).

Juin 1941 (invasion de l'Union soviétique) et décembre 1941 (Pearl Harbor) achèveront de donner à la guerre une dimension mondiale. Dimension qui ne se limite plus à la géographie, mais correspond à la mobilisation totale des ressources, au recours à une violence paroxystique et au caractère absolu des buts de guerre.

● La guerre comme totalité se décline à tous les niveaux :

- Géographique

Des sables de Libye aux glaces de Mourmansk, des jungles de Birmanie aux rizières de la plaine du Pô, cette guerre fut partout et pour tous. Les partisans se levèrent à des moments différents pour refuser la terre à l'occupant.

- Économique

La chaîne industrielle américaine tourne à plein régime dès 1943, acheminant d'énormes quantités de matériels de toutes sortes grâce à la noria des liberty-ships. L'Allemagne et le Japon sont saturés puis submergés par la formidable logistique américaine à laquelle se joint la production soviétique, repliée derrière la barrière ouralienne.

En Allemagne, l'économie n'est totalement mobilisée qu'avec lenteur, à mesure des difficultés. Plus que Goering, c'est l'architecte de Hitler, Albert Speer, qui avec d'immenses difficultés met la production industrielle au service de la machine de guerre. Une partie de l'effort repose sur l'exploitation féroce des pays occupés : ressources énergétiques, main-d'œuvre, savoir-faire.

- Technologique

Tous les milieux sont pour la première fois utilisés à plein : l'espace aérien devient un véritable théâtre d'affrontement, redoublé par le développement de la guerre dans le spectre électromagnétique. Les ondes des radars déchiffrent le ciel. Bientôt le sonar fouillera la profondeur océanique, où l'essor de la puissance sous-marine cause d'effroyables ravages. Toutes les armes furent ainsi convoquées, en une exceptionnelle poussée novatrice. On prend de l'avance, parfois pour un demi-siècle (statoréacteurs, missiles aérobies, missiles balistiques, V1, V2). La recherche nucléaire militaire, accélérée par le Manhattan Project, donne aux États-Unis l'arme suprême au moment où la partie est déjà jouée.

Le bilan humain de la Seconde Guerre mondiale se solde par plus de 40 millions de morts, civils et militaires : URSS, au moins 17 millions ; Allemagne, 5,5 millions ; Pologne, 4 millions ; Chine, 2,2 millions de militaires, Yougoslavie, 1,6 million ; Japon, 1,5 million de militaires...

En 1945, l'URSS confirme ses annexions de 1939-1940 sur la Pologne et sur la Finlande ; elle absorbe les États baltes, l'Ukraine subcarpatique, le nord de la Bucovine, la Bessarabie, et le nord de la Prusse-Orientale.

LA GUERRE DANS LE MONDE
(1939-1945)

Pays de l'Axe, leurs satellites et territoires sous dépendance

ou occupés par eux

Pays restés neutres pendant la durée du conflit

Coalition contre les pays de l'Axe (Nations unies après le 1er janv. 1942)

Afrique française : territoires restés sous le régime de Vichy jusqu'au débarquement américain de nov. 1942 en A.F.N.

Campagnes des sous-marins allemands dans l'Atlantique
sept. 1939 avr. 1940 août 1942 mai 1943
déc. 1941 juill. 1942

Limite extrême de l'avancée japonaise ; embryon de la sphère de coprospérité asiatique (selon les vues géopolitiques japonaises)

Période initiale de la participation au conflit des pays de la coalition
● 1939, 1940 ▼ 1943
▲ 1941, 1942 ◆ 1944, 1945

CANADA
ÉTATS-UNIS
MEXIQUE
COSTA RICA
PANAMÁ
COLOMBIE
PÉROU
BOLIVIE
CHILI
ARGENTINE
VENEZUE
BRÉSIL

▲ **L'extrémisme des idéologies, la radicalité des buts de guerre, le déchaînement des techniques de destruction modernes font de ce conflit la première véritable guerre totale.**

- Militaire

S'il existait encore en 1939 un principe de retenue, la logique de la guerre s'en défait. Elle lui substitue progressivement une stratégie d'emploi illimité de la violence afin de briser toute volonté de résistance adverse et atteindre l'objectif de la capitulation inconditionnelle. Ainsi, les bombardements «stratégiques» de terreur s'intensifient à la fin de l'année 1944 tant sur l'Allemagne (Dresde) que sur le Japon (bombardement de Tokyo), où l'emploi de l'arme nucléaire vient placer un tragique point d'orgue.

- Politique

Les buts de la guerre se fondent sur une vision politico-idéologique sans faille. Le nazisme invoque le *Lebensraum.* La liquidation de la Pologne procède de cette vision d'une germanisation raciale.
Le Japon utilise une fibre anticolonialiste pour promouvoir l'idée d'une Asie non chinoise baptisée «sphère de coprospérité». Les Alliés menés pas les États-Unis ont un objectif absolu : la capitulation de l'Allemagne nazie et l'éradication de son régime. Hitler n'a que le choix entre le suicide et Nuremberg (jugement par le tribunal des vainqueurs).

- Spirituel

Les fondements mêmes de la raison et de l'espèce humaines ont été ébranlés par la radicalité totalisante de la guerre, dont l'extermination des Juifs reste comme le symbole massif et tragique.

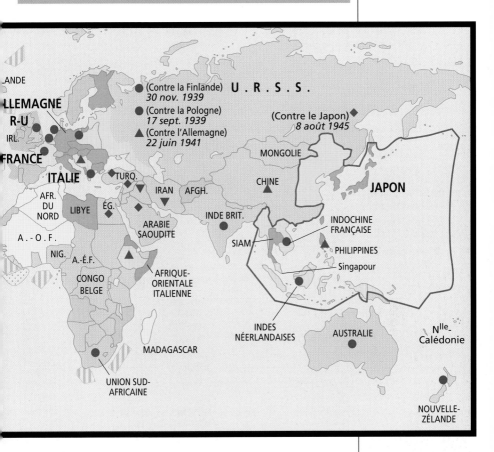

● Le principe de responsabilité collective

En 1914-1918 s'élevèrent de multiples voix en faveur d'un arrêt des combats et d'une recherche politique de la paix. Rien de tel en 1944. Aller jusqu'au bout va de soi.

Que les activités intellectuelles ordinaires – presse, radio, cinéma –, aient été mobilisées comme jamais auparavant se comprend et passe encore. Le plus grave tient au développement d'un acharnement à rompre avec les lois traditionnelles de la guerre : la distinction entre civils et militaires n'a pas été respectée, pas plus que la distinction entre les sexes sous les bombardements de terreur ou que le respect pour les prisonniers, contraints de travailler pour le vainqueur. En Union soviétique et même aux États-Unis, le principe de la responsabilité collective s'applique : les Japonais-Américains sont internés, les Tchétchènes et les Ingouches, tout comme les Allemands de la Volga, sont déportés. Finalement, la réalité même de la condition humaine aura été remise en cause par la mise en œuvre du délire racial de l'État SS.

Et cependant innombrables auront été ceux qui, au cas par cas, à leur niveau de responsabilité civile ou militaire, auront cherché à rétablir des codes de conduite humains, à restaurer des règles de mesure dans l'emploi de la violence. Ainsi Paris ne brûlera pas.

Tous ceux-là ont résisté à la logique de la guerre totale. ■

Après sa défaite, le Japon perd toutes les conquêtes qu'il avait faites depuis le XIXe siècle : les îles Kouriles et le sud de Sakhaline passent à l'URSS ; la Corée se scinde en deux États indépendants, tandis que la Mandchourie et Formose sont restituées à la Chine.

Europe année zéro, le suicide semble accompli

L a Seconde Guerre mondiale a fait du continent un champ de ruines et causé plusieurs dizaines de millions de morts en Europe, en majeure partie des civils. Elle a provoqué en outre le déplacement de plus de 30 millions de personnes. La crise morale est à son comble : trop de trahisons, de collaborations, de lâchetés, d'inconcevables horreurs ont scarifié la vieille Europe qui pensait avoir tout connu.

▼ La Grande-Bretagne est épuisée, la France dévastée, et l'Allemagne divisée.

Afin de construire la paix et d'organiser l'Europe de l'après-guerre, les conférences se succèdent entre les « trois Grands ». Du 4 au 11 février 1945, Churchill, Roosevelt et Staline adoptent à Yalta une série de décisions concernant le sort des vaincus, celui de l'Europe

L'EUROPE AU LENDEMAIN DE LA SECONDE GUERRE MONDIALE

—— Frontières en 1947

● Capitales d'États

Gains territoriaux de l'U.R.S.S.

♦ Territoire libre de Trieste (1947-1954)

Territoires italiens attribués à la Yougoslavie

▲ Rectifications de frontières au profit de la France

Sarre, reliée économiquement à la France jusqu'en 1959

Acquisition de la Bulgarie

Partage de l'Allemagne

République fédérale d'Allemagne, R.F.A. (1949)

République démocratique allemande, R.D.A. (1949)

◐ Partage de Berlin

—— Ligne Oder-Neisse

libérée et la mise en place de l'Organisation des Nations unies. Peu après la capitulation allemande, Staline, Churchill (puis son successeur Clement Attlee) et Harry Truman, nouveau président des États-Unis se réunissent à Potsdam du 17 juillet au 24 août 1945 pour déterminer les traités de paix et le sort de l'Allemagne. Celle-ci est divisée en quatre zones d'occupation, américaine, anglaise, française et soviétique ; Berlin est exterritorialisée et partagée suivant le même schéma. Ces conférences donnent lieu à d'autres bouleversements territoriaux dès le 10 février 1947, après la conférence de Paris : l'Union soviétique récupère la moitié est de la Pologne, (qui en compensation glisse jusqu'à l'Oder-Neisse), les États baltes, la Carélie et la Bessarabie ; l'Italie doit céder le Dodécanèse à la Grèce et l'Istrie à la Yougoslavie ; enfin, la Roumanie restitue à l'URSS et à la Bulgarie les territoires conquis depuis 1940.

Ces efforts de règlement en mode traditionnel s'avèrent rapidement inadaptés, car l'équilibre traditionnel des rapports de force est définitivement bouleversé sans qu'il soit possible de définir le nouveau seuil de stabilisation. Les empires coloniaux ne sont plus contrôlables par leurs propriétaires autoproclamés. Passé le choc, le délitement se poursuit, inexorable, plus ou moins habilement, retardé ou négocié. L'Europe cherche d'abord ses marges orientales, du côté de la Turquie, de la Grèce et la Russie. N'y parvenant pas, elle se fragmente en deux aires dominées chacune par une puissance périphérique : une zone euro-atlantique où les États-Unis vont peser de plus en plus lourd, une zone soviétique dominée par la combinaison originale entre l'expansionnisme russe et l'idéologie communiste-léniniste.

D'autre part, les nouvelles frontières déclenchent de nouveaux déplacements de populations, à tel point que l'ONU fonde le Haut-Commissariat pour les réfugiés, dans une Europe qui manque de tout : d'infrastructures de transport, industrielles, de logement, de matières premières... Incapable d'autonomie, l'Europe est tiraillée entre les influences antagonistes des deux Grands et se divise nettement dès 1947, avec la mise en place du plan Marshall (aide massive des États-Unis à la reconstruction de l'Europe, que les républiques socialistes refuseront). ■

> En 1945, l'Italie perd tout son empire colonial, cède à la France des petits territoires alpins et perd au profit de la Yougoslavie l'Istrie et une grande partie de la Vénétie Julienne, tandis que Rhodes et le Dodécanèse passent à la Grèce.

La formation d'Israël et la 1ʳᵉ guerre israélo-arabe

Le conflit qui s'engage en Palestine en 1947-1949 semble dérisoire au regard de l'embrasement que vient de connaître le monde. Pourtant, le poids écrasant du massacre des Juifs européens s'exerce. Un peuple veut vivre. Un État apparaît dans la violence. Israël devient le nœud de toutes les contradictions, le point focal de la conscience malheureuse de l'Occident, qui, par ailleurs, y trouve son compte. Les populations arabes n'ont aucune raison de comprendre et d'endosser cette responsabilité. Une nouvelle poudrière commence a prendre forme.

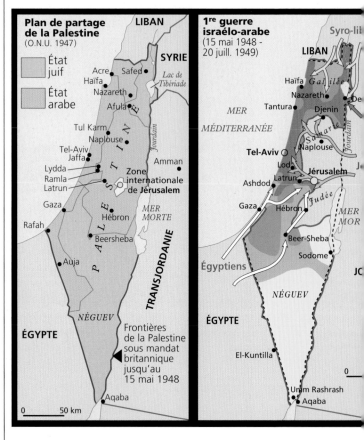

Plan de partage de la Palestine (O.N.U. 1947)

■ État juif
□ État arabe

LIBAN · SYRIE · Acre · Safed · Haïfa · Lac de Tibériade · Nazareth · Afula · Tul Karm · Naplouse · Tel-Aviv · Jaffa · Lydda · Ramla · Latrun · Amman · Zone internationale de Jérusalem · Gaza · Hébron · MER MORTE · Rafah · Beersheba · Auja · PALESTINE · JOURDAIN · TRANSJORDANIE · NÉGUEV · ÉGYPTE

Frontières de la Palestine sous mandat britannique jusqu'au 15 mai 1948

0   50 km

1re guerre israélo-arabe (15 mai 1948 - 20 juill. 1949)

Syro-lib · LIBAN · Haïfa · Galilée · Nazareth · Tantura · Djenin · MER MÉDITERRANÉE · Naplouse · Tel-Aviv · Lod · Jérusalem · Latrun · Ashdod · Judée · Gaza · Hébron · MER MOR · Beer-Sheba · Sodome · Égyptiens · NÉGUEV · ÉGYPTE · El-Kuntilla · Umm Rashrash · Aqaba

0

Dès novembre 1945, les troupes anglaises sont pratiquement en état de guerre contre les Juifs de Palestine. Le 29 novembre 1947, l'ONU adopte un plan de partage de la Palestine en deux États, arabe et juif, Jérusalem étant gérée par les Nations unies.

Évolution des rapports démographiques en Palestine :
1880 :
Juifs 24 000
Arabes 525 000
1914 :
Juifs 57 000
Arabes 670 000
1948 :
Juifs 630 000
Arabes 1,3 million

● L'Occident exporte ses culpabilités

Convaincu du droit des Juifs, dispersés dans le monde, à disposer de la sûreté d'un État qui soit leur, le mouvement sioniste de Theodor Herzel ne prend une forme politique cohérente qu'à la fin du XIXe siècle. En 1897, en raison des pogroms d'Ukraine, le Congrès sioniste préconise l'établissement d'une entité politique destinée à recevoir les Juifs persécutés. Le 2 novembre 1917, sans se soucier des promesses faites aux chefs arabes, le gouvernement britannique annonce, dans le cadre de la déclaration Balfour, son intention de favoriser la création d'un « foyer national juif » en Palestine sur laquelle la SDN lui confère un mandat. L'immigration de Juifs dans la région par vagues successives (*alya*, en hébreu) commence. L'augmentation progressive du nombre des colons qui parviennent à acheter les meilleures terres exacerbe les tensions. Le ressentiment arabe palestinien éclate lors de la grande grève de 1937, réprimée par les Britanniques. Simultanément, les milices juives s'organisent pour former un embryon d'armée, la Hagganah, plus ou moins concurrencée par des organisations extrémistes comme l'Irgoun et le groupe Stern, où Menahem Begin fait ses premières armes. En 1940, les Britanniques interrompent l'immigration des Juifs. Le maintien de cette mesure après 1945 provoque l'insurrection juive de 1947. Dans la droite ligne de sa politique de décolonisation, Londres décide d'abandonner son mandat en mai 1948 et porte l'affaire palestinienne devant les Nations unies.

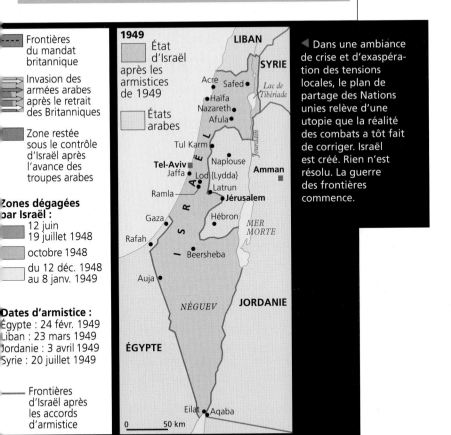

Frontières du mandat britannique

Invasion des armées arabes après le retrait des Britanniques

Zone restée sous le contrôle d'Israël après l'avance des troupes arabes

Zones dégagées par Israël :
12 juin
19 juillet 1948
octobre 1948
du 12 déc. 1948 au 8 janv. 1949

Dates d'armistice :
Égypte : 24 févr. 1949
Liban : 23 mars 1949
Jordanie : 3 avril 1949
Syrie : 20 juillet 1949

Frontières d'Israël après les accords d'armistice

1949
État d'Israël après les armistices de 1949

États arabes

LIBAN
SYRIE
Acre
Safed
Lac de Tibériade
Haïfa
Nazareth
Afula
Tul Karm
Tel-Aviv
Jaffa
Naplouse
Amman
Lod {Lydda}
Ramla
Latrun
Jérusalem
Gaza
Hébron
MER MORTE
Rafah
Beersheba
Auja
NÉGUEV
JORDANIE
ÉGYPTE
Eilat
Aqaba
0   50 km
ISRAËL
Jourdain

◄ Dans une ambiance de crise et d'exaspération des tensions locales, le plan de partage des Nations unies relève d'une utopie que la réalité des combats a tôt fait de corriger. Israël est créé. Rien n'est résolu. La guerre des frontières commence.

Dans une totale confusion sur le terrain, l'Assemblée générale des Nations unies adopte, le 29 novembre 1947, une résolution, connue sous le nom de « plan de partage », prévoyant la partition de la Palestine en un État juif et un État arabe. Accepté par les Juifs, mais rejeté par les Arabes, le plan définit les frontières du nouvel État, d'une superficie de 12 000 km², et fait de Jérusalem une zone internationale. Les autorités juives se préparent à prendre le pouvoir. Le jour même de l'expiration du mandat britannique, David Ben Gourion proclame, à Tel-Aviv, la création de l'État d'Israël. La guerre se généralise. Une coalition hétéroclite faite de troupes égyptiennes, libanaises, syriennes, irakiennes et jordaniennes prend l'offensive le 15 mai. La trêve de juillet imposée par le Conseil de sécurité des Nations unies est mise à profit par les Israéliens, qui parviennent à prendre pied à Jérusalem-Ouest et qui, par des raids meurtriers, chassent devant eux les populations palestiniennes, gagnant 8 000 km² supplémentaires. Vaincus, humiliés, l'Égypte, le Liban, la Syrie et la Transjordanie signent en 1949 des accords d'armistice, et non de paix, avec Israël. Le flot de réfugiés palestiniens est pris en charge par le HCR (Haut-Commissariat des Nations unies pour les réfugiés). En l'absence de tout accord politique s'instaure une situation de crise larvée. L'état de fait repose sur le rapport instable des équilibres militaires. Chacun se prépare pour la prochaine épreuve de force. ▪

Le mandat anglais sur la Palestine prend fin le 14 mai 1948. Le même jour, David Ben Gourion proclame l'indépendance de l'État d'Israël. La guerre qui s'ensuit aussitôt entraîne le départ vers les pays arabes voisins de quelque 800 000 réfugiés palestiniens.

Inde-Pakistan : déchirure et déchirements

Par contraste avec l'Afrique ou le Sud-Est asiatique, l'immense sous-continent indien semble quitter paisiblement la tutelle coloniale britannique. Ces apparences masquent difficilement les déchirements entre ethnies et religions. Un conflit majeur s'enracine dans la longue durée, porteur de dangers considérables dès lors qu'en 1998 l'Inde et le Pakistan ont accédé au rang de puissances nucléaires.

● Une campagne de désobéissance civique

Limité au XIXe siècle à certains cercles d'intellectuels anglophones, le mouvement nationaliste indien contre l'administration britannique se répand au début du XXe siècle, sous l'impulsion de Gandhi, parmi les masses populaires. Très rapidement, l'antagonisme entre la majorité hindoue et la minorité musulmane quant à la perspective de l'indépendance complique la situation. Dès les années 1930, la Ligue musulmane, précocement créée en 1906 par Muhammad Ali Jinnah, réclame la création d'un État musulman distinct. Une telle revendication est d'abord encouragée par Londres, qui cherche à diviser les communautés pour mieux asseoir son fragile pouvoir. Les nationalistes hindous, pour leur part, souhaitent maintenir l'unité de l'ancien empire des Indes en mettant en place un gouvernement composé de représentants des deux religions.

Pendant la Seconde Guerre mondiale, une campagne de désobéissance civile et de non-coopération lancée par les Indiens aggrave la crise politique, et encourage le gouvernement britannique à régler au plus vite le problème indien. Mais l'implantation géographique des hindous et des musulmans déjoue la simplicité des frontières. Les musulmans occupent en effet trois principales régions : l'ensemble du Pendjab, situé au nord-ouest de la péninsule indienne, le Bengale-Oriental, localisé à l'est, et l'Hyderabad, en plein centre. Dès 1946, des heurts sanglants opposent les deux communautés, hindoue et musulmane.

● Deux États indépendants

Le 15 août 1947, le Parlement britannique vote l'indépendance de l'Inde, partagée en deux États indépendants. L'Union indienne est créée, intégrant l'Hyderabad – soumis par la force en 1949.

Quant au Pakistan, il comprend deux territoires, le Pakistan occidental (Pendjab) et le Pakistan oriental (Bengale), séparés par 1 500 km de terres indiennes. Cette cote mal taillée provoque massacres et déplacements massifs de populations. De 1947 à 1950, plus de 7 millions de musulmans fuient l'Inde, tandis que 10 millions d'hindous s'y réfugient.

Le Cachemire, État princier à majorité musulmane, mais dirigé par un souverain hindou, est immédiatement revendiqué par les deux États. La première guerre indo-pakistanaise est déclenchée en décembre 1947. Un accord de cessez-le-feu est signé sous les

Au cours du seul été 1947, on estime à au moins 400 000 morts le bilan des affrontements entre hindous et musulmans. Adversaire convaincu de la partition, Gandhi est assassiné le 30 janvier 1948 par un fanatique hindou.

Le Cachemire était dirigé depuis le XIXe siècle par une dynastie hindoue. Après l'indépendance, l'Inde justifie ses prétentions sur le pays par la légitimité de la dynastie hindoue, tandis que le Pakistan met en avant les revendications de la majorité musulmane.

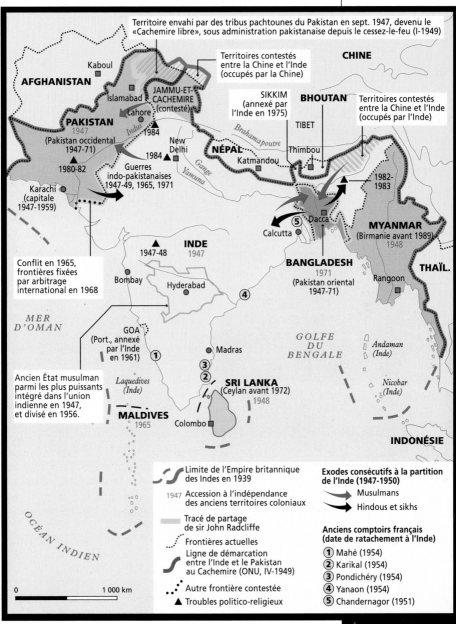

Territoire envahi par des tribus pachtounes du Pakistan en sept. 1947, devenu le «Cachemire libre», sous administration pakistanaise depuis le cessez-le-feu (I-1949)

CHINE

Kaboul

Territoires contestés entre la Chine et l'Inde (occupés par la Chine)

AFGHANISTAN

SIKKIM (annexé par l'Inde en 1975)

BHOUTAN

Territoires contestés entre la Chine et l'Inde (occupés par l'Inde)

JAMMU-ET-CACHEMIRE (contesté)

Islamabad

Lahore

TIBET

PAKISTAN
1947
(Pakistan occidental 1947-71)

1984

New Delhi

Brahamapoutre

NÉPAL

Thimbou

Katmandou

1980-82

1984

1982-1983

Karachi (capitale 1947-1959)

Guerres indo-pakistanaises 1947-49, 1965, 1971

Gange

Yamuna

Dacca

MYANMAR (Birmanie avant 1989)
1948

Calcutta

Conflit en 1965, frontières fixées par arbitrage international en 1968

INDE
1947-48   1947

BANGLADESH
1971
(Pakistan oriental 1947-71)

THAÏL.

Bombay

Hyderabad

Rangoon

MER D'OMAN

GOLFE DU BENGALE

Andaman (Inde)

GOA (Port., annexé par l'Inde en 1961)

Madras

Ancien État musulman parmi les plus puissants intégré dans l'union indienne en 1947, et divisé en 1956.

Laquedives (Inde)

SRI LANKA (Ceylan avant 1972)
1948

Nicobar (Inde)

MALDIVES
1965

Colombo

INDONÉSIE

OCÉAN INDIEN

0   1 000 km

Limite de l'Empire britannique des Indes en 1939

1947 Accession à l'indépendance des anciens territoires coloniaux

Tracé de partage de sir John Radcliffe

Frontières actuelles

Ligne de démarcation entre l'Inde et le Pakistan au Cachemire (ONU, IV-1949)

Autre frontière contestée

▲ Troubles politico-religieux

Exodes consécutifs à la partition de l'Inde (1947-1950)

Musulmans

Hindous et sikhs

Anciens comptoirs français (date de rattachement à l'Inde)
① Mahé (1954)
② Karikal (1954)
③ Pondichéry (1954)
④ Yanaon (1954)
⑤ Chandernagor (1951)

auspices des Nations unies le 1er janvier 1949, créant une ligne de partage entre forces pakistanaises au nord et forces indiennes au sud (que New Delhi annexe en 1957, ce qui provoque une nouvelle guerre en 1965). La «LOC» (line of control) se transforme en zone de crise endémique et de guerres ponctuelles favorisant le développement d'une guérilla islamiste radicalisée, en sorte qu'au début du XXIe siècle, aucun règlement n'a été atteint. ■

▲ Le partage de l'ancien empire des Indes est porteur des conflits à venir.

1950-1990

L'ère de deux Grands et l'apparition du tiers-monde

Rien ne peut se comprendre dans le monde de l'après-guerre sans la grille d'interprétation de l'affrontement Est-Ouest. Les conférences de Yalta (février 1945) et Potsdam (juillet 1945) ont posé les règles générales du jeu. Les anciennes colonies qui accèdent peu à peu à l'indépendance vont soit se situer totalement dans cette logique, soit tenter d'y échapper en se définissant comme non-alignés. L'effondrement de l'URSS en 1991 marque la fin de la période.

La guerre froide, un immobilisme changeant

En octobre 1962, les Américains ont la preuve que des rampes de lancement de missiles balistiques soviétiques sont en cours d'installation à Cuba. Le président Kennedy exige leur retrait et place Cuba en état de blocus. L'opinion publique craint la guerre nucléaire. L'URSS s'incline et renonce à installer ces rampes de lancement.

Jamais déclarée, jamais engagée, cette épreuve de force aura occupé en continuité la seconde moitié du XXᵉ siècle. Par cette image, on s'est efforcé de décrire un conflit de haute intensité entre deux États – l'Union soviétique et les États-Unis, ainsi que leurs systèmes d'alliances –, qui ne se résolvait pas par l'usage ouvert et direct de la force armée organisée.

L'affrontement est réglé par trois facteurs dominants :
- la dimension territoriale et la puissance des deux protagonistes sortis vainqueurs de la Seconde Guerre mondiale ;
- l'opposition absolue de leurs systèmes de valeurs idéologiques ;
- la détention de l'arme nucléaire, cette dernière composante provoquant le blocage de la guerre directe.
Le conflit, absolu dans sa nature, puisque aucune résolution politique négociée n'intervient pour y mettre un terme, se développe sous quatre formes, facettes d'une même stratégie indirecte.
- La course aux armements à des fins d'intimidation politique et d'attrition économique : tandis que l'on prétend surpasser en nombre et en qualité les capacités de l'ennemi, on l'entraîne à épuiser son potentiel économique.
- La lutte idéologique par voie de propagande ouverte ou d'activités de désinformation occultes.
- Les crises qui manifestent la réalité du conflit, la détermination des adversaires à l'emporter et leur choix d'y parvenir sous des formes indirectes de manière à éviter l'affrontement nucléaire (crise de Cuba en octobre 1962, par exemple).
- La guerre réelle qui se déroule sur des théâtres périphériques et

par alliés interposés : Vietnam, Afghanistan et, plus complexe encore, les affrontements du Moyen-Orient (guerre du Kippour de 1973). Si l'on s'accorde communément à situer vers 1946-1948 le début de la guerre froide, son unité en tant que conflit global n'a été reconnue que rétrospectivement, à la suite de la chute du mur de Berlin et de la disparition totale de l'Union soviétique (1989-1991).

L'ampleur des mutations géopolitiques et des phénomènes de redistribution de la puissance à l'échelle mondiale permet de mesurer ce que fut, dans son exceptionnelle singularité, cette brève période. ■

La décolonisation : vers une autre mondialisation

D ès la fin de la Première Guerre mondiale, en raison de l'épuisement des « vainqueurs » britannique et français, la décolonisation est en germe. À partir de 1945, elle devient inexorable. Une sorte d'irrésistible mouvement, identifié à celui de l'histoire, défait l'entreprise coloniale des puissances européennes. Les vainqueurs de 1945 – États-Unis et URSS – favoriseront, chacun à sa manière, le processus. Les États-Unis au nom des principes de Wilson, l'URSS au nom du marxisme-léninisme.

Toujours brutal, souvent violent, le phénomène donne aux peuples et à leurs gouvernements le sentiment d'une unité mondiale qui ne résiste pas à l'analyse de la diversité des situations régionales.

Il n'empêche. De même que l'essor de la puissance européenne a donné le sentiment d'un inexorable flux de l'histoire, de même la décolonisation restera durablement perçue comme un reflux.

- En Asie, la décolonisation sera brève, lancée par la décision britannique de transférer la souveraineté à l'Inde au sein d'un Commonwealth librement consenti.

Tandis que les Néerlandais sont rapidement balayés en Indonésie, les Français tentent vainement de reprendre pied en Indochine avant d'y renoncer en 1954.

- La décolonisation de l'Afrique ne présente ni la même soudaineté ni la même cohérence. Étirée dans le temps (jusqu'au départ en 1974, après un long conflit, des Portugais d'Angola et du Mozambique), fragmentée dans l'espace, elle donne naissance à un néo-colonialisme. La France abandonne ses protectorats marocain et tunisien, mais s'accroche à la colonie de peuplement que

▼ Mohandas Karamchand Gandhi (1869-1948). Cet avocat indien invente en 1917 la résistance passive. Il demeure à jamais comme le symbole de la non-violence.

La décolonisation se préparait dès l'entre-deux-guerres : action de Gandhi en Inde, fondation du Parti national indonésien par Sukarno (1927), troubles en Indochine française (1930), triomphe électoral du Wafd en Égypte (1924), création du premier mouvement anticolonialiste algérien par Messali Hadj (1927), etc.

représentent les départements français d'Algérie. La présence de colons installés de longue date contribue à donner à la guerre un caractère meurtrier. Ce phénomène se retrouve également en Rhodésie et, plus encore, en Afrique du Sud, où le régime de l'apartheid parvient à se maintenir jusqu'en 1994. À l'opposé, des solutions de coopération, supposées apporter des bénéfices mutuels, interviennent en Afrique noire (loi cadre Defferre de 1956, autodétermination de 1959).

Cette vaste négation de la domination coloniale se réalise au nom de grands principes : indépendance, liberté, justice et égalité des droits. Qu'en reste-t-il dans la pratique, au cas par cas ?

Le sous-développement des nouveaux États, en partie dû à l'exploitation organisée par les colonisateurs sans la volonté de développer les colonies au profit des populations locales, trouve son illustration dans l'absence de formation politique des masses. Ainsi, les pays émancipés prêtent le flanc à l'installation de régimes autoritaires, souvent issus de la loi du plus fort au cours de luttes pour le pouvoir entre élites locales. Le système du parti unique s'impose dans la plupart des États d'Afrique et du Moyen-Orient, présenté par ses représentants comme le seul moyen de maintenir la stabilité politique. Dans la plupart des cas, il s'agit d'un parti de rassemblement à l'idéologie vague, car il se veut l'expression de toute la nation.

Ces handicaps sont renforcés par un héritage culturel souvent pesant, dont la tradition d'autorité est forte. Par ailleurs, le manque de cohésion sociale et les divisions ethniques font paraître les régimes autoritaires comme les seuls défenseurs de l'identité nationale. Les dictatures sont souvent le fait des militaires, particulièrement en Asie du Sud-Est et en Afrique où, depuis la proclamation de l'indépendance, la moitié des pays ont connu un coup d'État militaire (Sierra Leone, Nigeria, Ghana, Mali, Algérie, Thaïlande, Birmanie, Indonésie...). Les tentatives de sécession ethnique sont réprimées dans des flots de sang (par exemple, celle des Ibos du Biafra en 1967).

Seul moyen d'expression des opposants, la violence est souvent le lot quotidien des pays fraîchement décolonisés et peut atteindre des niveaux désastreux avec les guérillas meurtrières (sans compter la répression) et déstabilisatrices qui, en Asie et en Afrique, se réfèrent généralement à l'idéologie marxiste.

L'excès des difficultés économiques conduit les grandes puissances à organiser un système d'aide aux pays sous-développés (fixée officiellement à 1% du produit intérieur brut), mais les aides publiques au développement sont souvent mal utilisées par les États qui la reçoivent (construction de monuments pharaoniques à la gloire du chef de l'État, par exemple), quand elles ne font pas l'objet d'une injuste distribution. Par ailleurs, les systèmes de coopération établis entre les pays émancipés et leur anciennes métropoles s'accompagnent souvent de contreparties économiques.

Si d'anciennes colonies ont réussi leur croissance économique puis leur développement, notamment en Asie grâce à la troisième révolution industrielle (Singapour), nombre de pays d'Afrique et quelques États asiatiques émancipés (Cambodge, Laos) figurent sur la liste établie par l'ONU des pays les moins avancés (PMA), souffrant de famines, d'épidémies (notamment le sida en Afrique), de guerres civiles, à tel point qu'ils amènent certaines grandes puissances et de nombreuses organisations humanitaires à envisager la légitimité du « droit d'ingérence » dans ces États. ∎

Guérillas et sens de l'histoire

La seconde moitié du XXe siècle tend à s'identifier à une forme très particulière de guerre : la guérilla, qui prend son sens politique et tire sa légitimité de la revendication par les peuples colonisés de leur libération et de leur souveraineté nationales.

La guérilla correspond à la phase de développement des luttes dites « de libération nationale » qui accompagnent une grande partie de la décolonisation de 1945 à 1974 (Angola, Mozambique). On en trouve encore des expressions nombreuses jusqu'à la fin du siècle : Front Polisario, Érythrée, mouvements de libération de la Palestine). Le réveil du nationalisme dans les Balkans s'accompagne de la formation de milices qui revendiquent le titre d'« armée de libération » (UCK).

Cette situation correspond à une sorte de retournement symétrique de l'histoire. Les peuples ont été vaincus par de petites unités dotées d'une supériorité militaire combinant technique et organisation. Bien souvent, les « Blancs » ont su habilement jouer des rivalités ethniques. Ils ont pu ainsi disposer d'une reconnaissance (renseignement) assurée par des « scouts » et recruter des unités de supplétifs indigènes qui compensaient leur faiblesse numérique.

La guérilla, au départ militairement inférieure, l'emporte parce que désormais elle dispose d'un objectif politique simple et très puissant qui assure son unité. Cette unité est en général obtenue par des méthodes expéditives et impitoyables. L'organisation correspond en général à un modèle de type bolchevique. Nombreux ont été d'ailleurs les dirigeants de guérillas formés dans les écoles du Parti, à Moscou.

Révolutionnaire, le but est donc total : l'indépendance politique, la liberté contre un oppresseur étranger. Une fois l'objectif atteint, le ciment s'effrite et le cours de l'histoire retrouve son lit : rivalités ethniques et claniques, contestation des frontières, etc.

Stratégie militaire asymétrique (du fort au faible), l'art de la guérilla (et de la contre-guérilla) repose sur des techniques bien connues, très ordinaires, très efficaces dès lors qu'on les respecte : ruse, surprise, guerre physique et propagande psychologique. Elle tire parti de la connaissance du terrain, en particulier lorsqu'il est d'accès malaisé pour une armée régulière et surtout du soutien de la population qui renseigne, nourrit, assurant ainsi l'indispensable logistique pour une action forcément inscrite dans la longue durée.

En avril 1955, la conférence de Bandung (Indonésie) regroupe 23 pays d'Afrique et 6 d'Asie. Elle dénonce de façon collective le colonialisme et marque la naissance de ce qu'on appelle désormais le « tiers-monde ». Le futur président sénégalais, Léopold Sédar Senghor, évoque alors la « mort d'un complexe d'infériorité ».

En fonction de la diversité des situations, on distingue la guérilla urbaine (bataille d'Alger, 1956 ; Tupamaros du Paraguay, dans les années 70) de la guérilla rurale, mais dans tous les cas l'avantage va à celui qui connaît le mieux le milieu. C'est la raison pour laquelle les guérillas révolutionnaires exportées, conformément à la théorie du « foco » (foyer révolutionnaire) de Che Guevara, ont fini par échouer.

Lorsqu'elles sont mues par la volonté politique de l'affirmation d'une identité nationale étatique, ces guérillas cherchent à évoluer vers la formation d'une armée régulière. Dans certains cas (Afghanistan), la guérilla peut correspondre au refus de voir s'établir un État central dominé par un clan ou une ethnie.

Plus encore que la guerre classique, la guérilla tire sa puissance d'effets psychologiques liés à son enracinement populaire favorisant le développement de rumeurs et de contes héroïques exaltant le courage du peuple en armes et de ses chefs. L'échec réel de Guevara n'est que peu de chose au regard du mythe qui s'établit autour de sa personne soigneusement mise en scène, surtout après sa mort.

Toutefois, l'effet d'une habile contre-propagande et les maladresses politiques de la guérilla elle-même peuvent dégrader cette image, provoquer l'isolement et transformer les combattants populaires en bandes mercenaires, privées de toute légitimité politique. Tel est le cas, notamment, du Sendero luminoso (Sentier lumineux), guérilla maoïste du Pérou. ■

OTAN-Pacte de Varsovie
Une victoire totale par abandon

L'Alliance atlantique constitue aujourd'hui, de très loin, l'organisation politico-militaire la plus puissante qui ait jamais existé au monde. L'histoire a certes vu se développer et dépérir des alliances importantes liées à la volonté et aux mobiles d'un empire puissant. Pourtant, que le regard se prolonge jusqu'à l'Antiquité, on ne saurait trouver, toute chose étant égale par ailleurs, aucun État, aucun empire capable de se hausser à ce niveau de puissance.

● **L'endiguement : la frontière figée face au perturbateur**
Créée en avril 1949, elle repose sur un traité signé à Washington dont la simplicité est exemplaire. Ses articles IV et V définissent une frontière claire – le tropique du Cancer –, assortie d'une clause de solidarité défensive : une agression contre un des États membres entraîne le soutien automatique des autres participants, selon des modalités qui toutefois sont soumises à consultation. Politiquement dirigée par le Conseil de l'Atlantique Nord, elle repose sur un outil militaire complexe et exceptionnellement puissant mis en place à partir de 1952, qui se subdivise en commandements intégrés. L'ensemble des opérations militaires

L'OTAN FACE AU PACTE DE VARSOVIE (en 1990)

- États-Unis
- Alliance atlantique
- O.E.A. (Organisation des États Américains)
- U.R.S.S.
- Pacte de Varsovie
- Comecon

dépend du SHAPE (Supreme Headquarter of Allied Powers in Europe) placé sous l'autorité de SACEUR (Strategic Commander in Europe), poste réservé à un officier supérieur américain relevant directement du président des États-Unis. Les États membres de l'OTAN s'engagent à mettre à sa disposition leur territoire et les forces armées jugées nécessaires à l'accomplissement des missions. Ils participent financièrement au fonctionnement de cette structure intégrée.

Alliance défensive, l'OTAN s'est dotée d'une doctrine stratégique de plus en plus complexe au fil du temps. Le tournant se situe en 1966-1968 lorsque Robert MacNamara, secrétaire d'État à la Défense, décide d'adopter la « riposte graduée ». Face à la supériorité de l'Union soviétique qui pourrait procéder à une attaque surprise en masse, l'OTAN organise une dissuasion composée de trois échelons d'escalade : une capacité de riposte conventionnelle de plus en plus puissante, l'engagement des forces nucléaires « tactiques » de courte portée, puis la menace d'emploi des « systèmes centraux », à savoir les forces nucléaires stratégiques britanniques et américaines qui provoqueraient l'anéantissement de l'Union soviétique. En cas de guerre, la responsabilité de SACEUR relève de l'autorité du président des États-Unis.

● Un outil d'influence

Formidable instrument militaire dont les moyens ne cessent de progresser en sophistication, l'Alliance constitue également un remarquable outil d'influence auprès des diplomates et des militaires, des scientifiques, des universitaires européens, invités à participer à ses innombrables comités d'études.

▲ Un face-à-face de 40 ans. Des milliers de missiles nucléaires prêts à traverser l'Arctique. Des alliances qui divisent le monde en deux blocs. Et soudain, plus rien.

L'article 6 du traité de l'Atlantique élargit la garantie militaire de l'Alliance au territoire de la Turquie.

De 1950 à 1955, l'Alliance connaît une phase d'élargissement marquée par l'entrée de la Turquie en 1952, de l'Allemagne de l'Ouest en 1955 (qui déclenche, côté soviétique, la création du pacte de Varsovie).

Élargissement que contrarie le fracassant retrait français des structures militaires intégrées en 1966, assorti, il est vrai d'accords bilatéraux qui en atténuent le tranchant apparent. Tardivement, en 1981, l'Espagne rejoint l'Alliance.

En face, le pacte de Varsovie, s'il dispose de moyens militaires considérables (dont la qualité a toujours fait l'objet de controverses) ne présente pas la même nature politique. La domination soviétique y est totale. Il n'est pas question de s'en retirer. Hongrois et Tchécoslovaques en font la tragique expérience ainsi que, dans une moindre mesure, les Polonais dans les années 80. La doctrine est défensive en son principe. Mais elle se fonde sur les principes de Sokolovski, à savoir une défensive offensive qui à la fois frappera l'ennemi en profondeur et châtiera lourdement son agression. Armes chimiques et biologiques s'ajoutent aux arsenaux nucléaires qui viennent littéralement truffer le sol de l'Europe centrale.

Lorsqu'en novembre 1989 le mur de Berlin tombe et qu'en mars 1990 le pacte de Varsovie est dissous, l'Alliance atlantique pourra se vanter d'avoir gagné la guerre froide sans qu'un seul coup de canon ait jamais été tiré dans sa zone de responsabilité (sauf lors du conflit gréco-turc de 1974).

La lutte la plus intense aura été indirecte et psychologique, via la propagande, les campagnes de désinformation, les agents d'influence, l'espionnage. Elle aura également été économique, mobilisant les économies au service d'une guerre possible. Là encore la « stratocratie » socialiste se trouvait en position de faiblesse intrinsèque. Une autre ère commence alors. C'est pour l'Alliance le temps d'une remise en question majeure… ■

Signé en 1955 entre l'URSS, l'Albanie, la Bulgarie, la Hongrie, la Pologne, la RDA, la Roumanie et la Tchécoslovaquie, le pacte de Varsovie est un traité de défense mutuelle plaçant les différentes armées sous un commandement unifié soviétique.

La guerre de Corée : « guerre impossible, paix improbable »

L a guerre de Corée constitue la première manifestation de la guerre froide en Asie, théâtre où l'affrontement militaire prend une tournure plus directe et plus meurtrière qu'en Europe, même si elle manifeste la volonté des grandes puissances de circonscrire l'affrontement.

Commencée en août 1950, suspendue le 27 juillet 1953, la guerre de Corée crée la plus durable partition territoriale de l'après-guerre.
Elle se déroule en trois phases :
-L'attaque surprise de la Corée du Nord par Kim Il-sung qui dispose d'un soutien militaire soviétique ainsi que de l'aide dans la profondeur arrière de la Chine populaire.

La guerre de Corée se solde par la mort d'au moins un million d'hommes, dont 33 630 Américains et 288 Français.

- Alors que les forces communistes semblent victorieuses, le général Douglas MacArthur, agissant sous mandat des Nations unies, parvient grâce aux troupes américaines stationnées au Japon, à effectuer un audacieux débarquement à Inchon, prenant à revers les forces armées nord-coréennes qui refluent vers la frontière chinoise. La poursuite des forces américaines menace la frontière du Yalu (fleuve entre la Chine et la Corée du Nord) et conduit la Chine populaire à intervenir massivement. Ainsi, près d'un million de « volontaires » submergent les forces des Nations unies.

MacArthur envisage alors l'emploi d'armes de dispersion radioactives, voire l'atomisation partielle de la Chine. Catégoriquement opposé à un nouvel emploi du nucléaire, le président américain Harry Truman limoge l'espèce de proconsul qu'était devenu en Extrême-Orient MacArthur. Le tabou éthico-politique sur le nucléaire commence à s'établir et consacre peu à peu la fonction exclusivement dissuasive d'une arme tenue, à juste titre, pour excessivement dévastatrice.

- La troisième phase correspond à un affrontement indécis, très meurtrier auquel met fin le président Eisenhower, dès son entrée en fonction.

L'armistice de Panmunjom établit une frontière artificielle entre le Nord et le Sud correspondant à la ligne du 38e parallèle. À 40 km de Séoul, la capitale du Sud, cette zone démilitarisée gardée par près de 1 million et demi de soldats et bardée de fortifications de toutes sortes a connu des accrochages sporadiques, limités mais continus.

Tandis que la Corée du Sud trouve, sous un régime autoritaire, les voies du développement économique, le Nord applique les principes d'un marxisme-léninisme militariste orchestré par un avatar de Staline, le maréchal président Kim Il-sung. La fin de la guerre froide, loin d'être synonyme de réunification, révèle l'effroyable misère de la population de la Corée du Nord, alors même que Pyongyang s'efforce de se doter de capacités balistiques et nucléaires. ∎

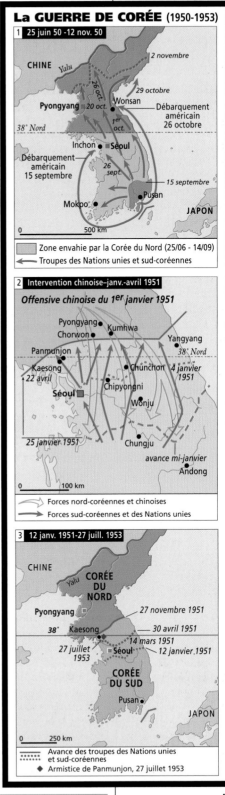

La GUERRE DE CORÉE (1950-1953)

1 25 juin 50 -12 nov. 50

CHINE — Yalu
2 novembre
26 oct.
29 octobre
Pyongyang 20 oct. — Wonsan
Débarquement américain 26 octobre
1er oct.
38° Nord
Inchon ■ Séoul
Débarquement américain 15 septembre
26 sept.
15 septembre
Mokpo ● — ● Pusan
JAPON
0 — 500 km

Zone envahie par la Corée du Nord (25/06 - 14/09)
Troupes des Nations unies et sud-coréennes

2 Intervention chinoise–janv.-avril 1951

Offensive chinoise du 1er janvier 1951

Pyongyang ●
Chorwon ● — ● Kumhwa
Yangyang
Panmunjon ●
38° Nord
Kaesong ●
● Chunchon
4 janvier 1951
22 avril
● Chipyongni
Séoul ☐
● Wonju
25 janvier 1951
● Chungju
avance mi-janvier
● Andong
0 — 100 km

⇨ Forces nord-coréennes et chinoises
→ Forces sud-coréennes et des Nations unies

3 12 janv. 1951-27 juill. 1953

CHINE
Yalu
CORÉE DU NORD
Pyongyang ☐
27 novembre 1951
38° Kaesong ●
30 avril 1951
14 mars 1951
27 juillet 1953
■ Séoul
12 janvier 1951
CORÉE DU SUD
Pusan ●
JAPON
0 — 250 km

Avance des troupes des Nations unies et sud-coréennes
◆ Armistice de Panmunjon, 27 juillet 1953

Dominos
et guerres d'Indochine

Obsédée par la prolifération de l'idéologie communiste, l'administration américaine construit, à partir des années 50, une théorie simple mais suggestive, dite « des dominos » : dès lors qu'un pays succombe à la domination communiste ses voisins risquent de basculer à leur tour sous le double effet de l'agression extérieure et de la subversion intérieure. Cette conception n'est pas éloignée de ce qui fut tenu pour la stratégie de Hitler en Europe à partir de 1935.

● La guerre française

Très durement frappée dans ses capacités et son prestige par la Seconde Guerre mondiale, la France essaie de maintenir sa position en Indochine. Pour y parvenir elle rejette le dialogue, dit de la baie d'Along, avec Hô Chi Minh, bombarde durement Haiphong et engage la guerre contre les communistes en cherchant à donner légitimité à l'empereur Bao Dai. La défaite française de Cao Bang, dès 1950, montre la puissance du Viêt-minh (mouvement nationaliste), de plus en plus soutenu par la Chine communiste qui fournit des matériels lourds.

Grâce à ce soutien, mais aussi en raison d'une remarquable organisation (encadrement, hiérarchies parallèles) le Viêt-minh inflige à Diên Biên Phu (printemps 1954) une défaite symbolique qui précipite l'issue de la négociation de Genève engagée avec le gouvernement de Pierre Mendès France. Le Vietnam est alors divisé en deux, au nord du 17e parallèle un État communiste, au sud, un État pro-occidental.

En dépit des efforts tardifs du maréchal de Lattre, les États-Unis considèrent qu'ils sont les seuls à disposer de la légitimité et de la puissance pour mettre un terme à l'expansion communiste. Foster Dulles a fait savoir que partout le communisme devait être contenu et repoussé. C'est la théorie des dominos qui s'exprime.

● La théorie des dominos et la guerre américaine

Sans être totalement fausse, la théorie des dominos méconnaît la composante nationaliste du conflit vietnamien, ainsi que sa dimension sociale dans une Asie encore rurale écrasée de pauvreté. Les Américains, voulant appuyer le Sud contre les communistes du Nord, ne parviennent pas à y imposer une solution politique nationale puissante et conquérante. Les conditions désastreuses dans lesquelles disparaît en 1963 le président sudiste Ngô Dinh Diêm renforcent le Nord-Vietnam et son relais politique au sud, le FNL. C'est toujours au nom de la théorie des dominos que les Américains soutiennent les coups d'État militaires en Thaïlande et en Indonésie, où, en 1967, la prise de pouvoir par le général Suharto s'accompagne du massacre de milliers d'Indonésiens d'origine chinoise.

L'offensive du Têt de 1968, politiquement désastreuse, achève de convaincre la classe politique américaine qu'il est préférable d'abandonner. L'opinion se révèle de plus en plus hostile.

En 1946, l'accord négocié par Jean Sainteny avec Hô Chi Minh reconnaissant l'autonomie de la République démocratique du Vietnam est torpillé par le haut-commissaire Georges Thierry d'Argenlieu.

À la suite des accords de Paris de janvier 1973, les Américains se retirent progressivement du Viêtnam. En dépit du projet de cessez-le-feu, Hanoi et Saigon continuent le combat jusqu'à l'effondrement final du Sud en avril 1975.

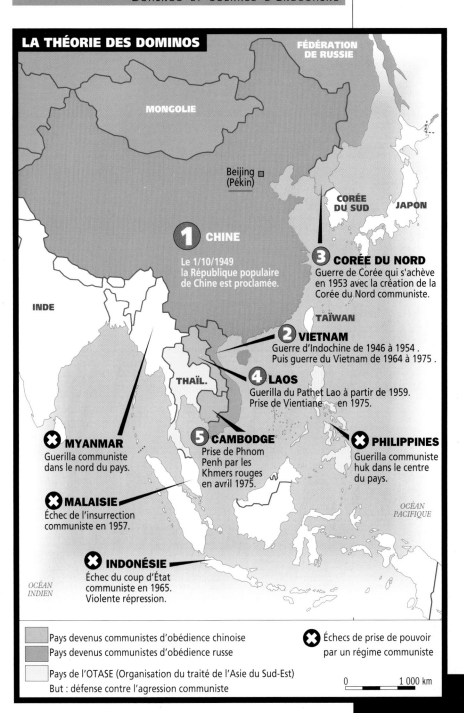

LA THÉORIE DES DOMINOS

FÉDÉRATION DE RUSSIE

MONGOLIE

Beijing (Pékin)

CORÉE DU SUD

JAPON

1 CHINE
Le 1/10/1949 la République populaire de Chine est proclamée.

INDE

3 CORÉE DU NORD
Guerre de Corée qui s'achève en 1953 avec la création de la Corée du Nord communiste.

TAÏWAN

2 VIETNAM
Guerre d'Indochine de 1946 à 1954 .
Puis guerre du Vietnam de 1964 à 1975 .

THAÏL.

4 LAOS
Guerilla du Pathet Lao à partir de 1959.
Prise de Vientiane en 1975.

✗ MYANMAR
Guerilla communiste dans le nord du pays.

5 CAMBODGE
Prise de Phnom Penh par les Khmers rouges en avril 1975.

✗ PHILIPPINES
Guerilla communiste huk dans le centre du pays.

✗ MALAISIE
Échec de l'insurrection communiste en 1957.

OCÉAN PACIFIQUE

✗ INDONÉSIE
Échec du coup d'État communiste en 1965.
Violente répression.

OCÉAN INDIEN

Pays devenus communistes d'obédience chinoise
Pays devenus communistes d'obédience russe
Pays de l'OTASE (Organisation du traité de l'Asie du Sud-Est)
But : défense contre l'agression communiste

✗ Échecs de prise de pouvoir par un régime communiste

0   1 000 km

Un puissant mouvement de contestation se développe, auquel adhère pleinement Martin Luther King. La société américaine se remet en question à travers le prisme du Vietnam.
Entré en fonctions en 1969, Richard Nixon, aidé de son conseiller Henry Kissinger, entend se retirer dans des conditions honorables qui font l'objet d'interminables sessions à la conférence de Paris.

▲ L'application de la théorie des dominos a abouti à un partage de fait en Asie du Sud-Est.

Pour parvenir à ses fins, Washington intensifie les bombardements sur le Nord, développe la «vietnamisation» du conflit, et n'hésite pas à étendre la guerre au Cambodge où les Nord-Vietnamiens ont installé des bases logistiques puissantes alimentant la route Hô-Chi-Minh. La déstabilisation du régime du prince Norodom Sihanouk précipite le Cambodge dans une effroyable guerre civile de longue durée.

Un accord est signé en janvier 1973. En 1975, le Nord-Vietnam donne l'assaut final. Les Khmers rouges prennent Bangkok et les communistes du Pathet Lao s'installent à Vientiane. En proie à la crise du Watergate, l'Amérique se met à croire que les dominos commencent à s'écrouler… ▪

La crise de Suez
ou le passage des commandes

L'expédition militaire franco-britannique, réussie militairement et manquée diplomatiquement, va révéler une nouvelle distribution de la puissance.

En juillet 1956, le colonel Nasser proclame la nationalisation de la Compagnie du canal de Suez, dont la Grande-Bretagne et la France sont alors les principaux actionnaires. Londres et Paris décident de réagir, en liaison avec Tel-Aviv. D'autant plus volontiers que le gouvernement socialiste de M. Guy Mollet croit que la solution du problème algérien passe par Le Caire, soutien du FLN. En octobre 1956, profitant de la reprise des hostilités entre Israël et ses voisins arabes, des parachutistes franco-britanniques sautent sur la région du canal au motif de protéger ses installations.

Fort de l'amitié du vice-roi Saïd Pacha, Ferdinand de Lesseps entreprit la construction du canal en 1859. Londres s'y opposa dans un premier temps de peur de voir la France s'implanter au Levant et menacer la route des Indes.

▶ Face à un adversaire mal équipé et peu entraîné, les Alliés réussissent une des plus remarquables opérations combinées depuis 1945.

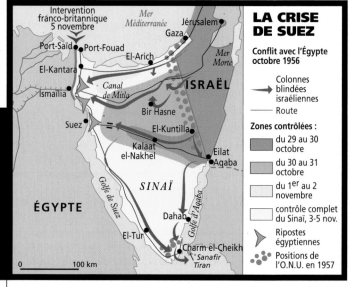

LA CRISE DE SUEZ

Conflit avec l'Égypte octobre 1956

→ Colonnes blindées israéliennes
— Route

Zones contrôlées :
du 29 au 30 octobre
du 30 au 31 octobre
du 1er au 2 novembre
contrôle complet du Sinaï, 3-5 nov.
▷ Ripostes égyptiennes
•••• Positions de l'O.N.U. en 1957

Mais, très vite, face à la pression de Moscou et de Washington, les franco-anglais doivent mettre fin à leur entreprise.

Conçue en coopération avec Israël, l'opération est un succès militaire qui se transforme ainsi en déroute politique pour ses protagonistes. La crise de Suez présente un caractère exemplaire et très singulier. S'y dénouent en effet toutes les tensions issues du monde ancien, celui de la colonisation et des puissances européennes dominantes, tandis que s'y nouent les tensions des adversaires qui domineront la guerre froide. Les États-Unis et l'Union soviétique se sont affirmés comme les nouvelles puissances dominantes, en une connivence objective. L'ordre ancien est révolu. Les empires d'antan sont ravalés et éconduits comme de méchants perturbateurs. C'est la consécration d'une passation de puissance au Proche-Orient.

Le nucléaire a été « convoqué », certes en termes très mesurés. Le fameux télégramme du maréchal Boulganine adressé à Londres et Paris agite une menace assez vague pour qu'il soit possible d'en esquiver le sens. À condition d'obtenir le soutien de Washington… qui se garde de l'apporter. Au contraire, la pression financière américaine sur la livre constitue un indicateur de l'opposition américaine. C'est une guerre régionale, la seconde entre Israël et son principal adversaire arabe, l'Égypte. L'État hébreu, tirant remarquablement son épingle du jeu, poursuit la lutte, pour ses propres intérêts. Tel-Aviv prend ses distances à l'égard de protecteurs européens ambigus pour jouer résolument un jeu américain. Un autre équilibre d'influence et de puissance vient de s'établir qui fonctionne encore aujourd'hui.

Pour le stratège, c'est aussi un rappel : la victoire militaire n'est rien si elle ne parvient pas à s'exprimer politiquement. Rappel à l'ordre des niveaux de puissance. Paris tire ainsi la leçon de Suez : après douze ans de tergiversations, la IVᵉ République, avant de Gaulle, donne l'ordre de réaliser l'arme nucléaire française dans les délais les plus brefs. ■

En 1875, le gouvernement de Londres racheta les actions de la Compagnie du canal de Suez appartenant au khédive égyptien et en devint ainsi l'actionnaire principal. La défense du canal était dès lors assumée par des troupes britanniques.

Trois guerres israélo-arabes

Un cessez-le-feu n'est pas la paix. Jamais cette évidence n'a pris une signification aussi forte que sur la terre de Palestine et ses périphéries. Ce conflit localisé, à force de ne recevoir aucune solution, finit par se mondialiser. Les pays développés, fragiles du point de vue de leurs approvisionnements en énergie, subissent une nouvelle forme de terrorisme, issu des mouvements palestiniens.

Plaie non cicatrisée, le problème des réfugiés palestiniens rappelle, dès les années 50, de manière lancinante que rien n'est résolu. Le conflit se poursuit donc, bien que dans un contexte doublement transformé.

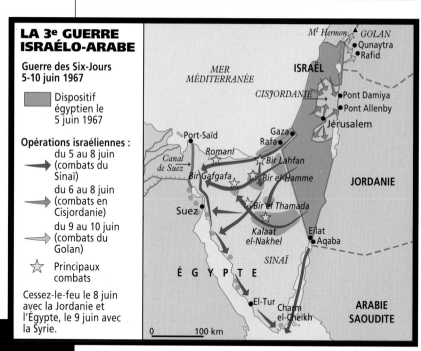

LA 3e GUERRE ISRAÉLO-ARABE

**Guerre des Six-Jours
5-10 juin 1967**

Dispositif
égyptien le
5 juin 1967

Opérations israéliennes :
du 5 au 8 juin
(combats du
Sinaï)

du 6 au 8 juin
(combats en
Cisjordanie)

du 9 au 10 juin
(combats du
Golan)

☆ Principaux
combats

Cessez-le-feu le 8 juin
avec la Jordanie et
l'Égypte, le 9 juin avec
la Syrie.

0   100 km

Mᵗ Hermon ▲ GOLAN
● Qunaytra
● Rafid

ISRAËL

MER
MÉDITERRANÉE

CISJORDANIE ● Pont Damiya
● Pont Allenby

Jérusalem ●

Port-Saïd ●
Romani ☆ Gaza ●
Rafa ●

*Canal
de Suez* → ☆ *Bir Lahfan*
Bir Gafgafa ☆ ☆ *Bir el-Hamme*   JORDANIE

Suez ● ☆ *Bir el Thamada*

*Kalaat
el-Nakhel* Eïlat ●
● Aqaba

SINAÏ
É G Y P T E

El-Tur ● Charm   ARABIE
el-Cheikh ●   SAOUDITE

▲ La guerre
des Six-Jours
redessine
complètement
la carte du
Proche-Orient.

À la suite
de la guerre
des Six-Jours
(5 au 10 juin
1967, contre
l'Égypte,
la Jordanie
et la Syrie),
Israël occupe
à nouveau le Sinaï
jusqu'au canal
de Suez, toute
la Cisjordanie
et la partie arabe
de Jérusalem,
ainsi que
les hauteurs
du plateau
du Golan.

Au plan mondial, il est saisi dans le cadre général de la guerre froide qui, progressivement, fait de l'État hébreu l'allié principal des États-Unis. Tandis qu'une partie des pays arabes s'engagent, non sans hésitation, dans l'alliance soviétique, les régimes les plus conservateurs donnent leur préférence à un soutien conditionnel et toujours âprement négocié à Washington. C'est aussi le cas de l'Iran, remis dans le «bon» camp par l'élimination du Dr Mossadegh et la restauration des Pahlevi. Cette déchirure du monde arabo-persique s'explique par une seconde transformation, régionale. Le nationalisme arabe connaît alors une nouvelle orientation en raison du développement d'idéologies laïques, incarnées par le «baathisme» (courant politique d'inspiration socialiste et nationaliste) qui touche la Syrie, l'Iraq et l'Égypte et qui affecte les jeunes cadres des armées nouvellement constituées. Les dynasties traditionnelles sont renversées par des colonels au verbe haut qui mobilisent les foules et jouent à la fois du thème de l'émancipation anticolonialiste et de la revanche arabe contre les Juifs.

Le colonel Nasser déclenche la crise de Suez en 1956, provoquant une triple riposte anglo-franco-israélienne. Militairement écrasé, il parvient à tirer son épingle du jeu et transforme la défaite en victoire politique. Le 15 novembre, sur injonction des États-Unis et de l'Union soviétique, agissant de concert, l'ONU déploie une force de police occupant le Sinaï et rétablissant la ligne de cessez-le-feu de 1949. Rien n'est résolu pour autant : les deux camps ne cesseront de se renforcer pour la prochaine épreuve de force.

En mai 1967, les troupes égyptiennes réoccupent Charm el-Cheikh. C'est alors que, pratiquant une stratégie préventive, les Israéliens lancent, du 5 au 11 juin, une offensive massive sur

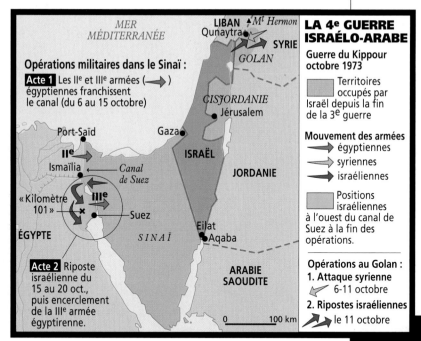

LA 4e GUERRE ISRAÉLO-ARABE

Guerre du Kippour octobre 1973

MER MÉDITERRANÉE — LIBAN — M¹ Hermon — Qunaytra — SYRIE — GOLAN — CISJORDANIE — Jérusalem — ISRAËL — JORDANIE — Gaza — Eilat — Aqaba — ARABIE SAOUDITE — SINAÏ — ÉGYPTE — Suez — « Kilomètre 101 » — Canal de Suez — Ismaïlia — Port-Saïd

Opérations militaires dans le Sinaï :
Acte 1 Les IIe et IIIe armées (→) égyptiennes franchissent le canal (du 6 au 15 octobre)

Acte 2 Riposte israélienne du 15 au 20 oct., puis encerclement de la IIIe armée égyptienne.

Territoires occupés par Israël depuis la fin de la 3e guerre

Mouvement des armées
→ égyptiennes
→ syriennes
→ israéliennes

Positions israéliennes à l'ouest du canal de Suez à la fin des opérations.

Opérations au Golan :
1. Attaque syrienne 6-11 octobre
2. Ripostes israéliennes le 11 octobre

0 — 100 km

tous les fronts contre l'Égypte, la Syrie et la Jordanie. Ils s'emparent de la Cisjordanie, occupent la bande de Gaza, le Sinaï, le Golan et l'ensemble de Jérusalem. Les Nations unies demandent, en vain, le retrait israélien des « territoires occupés » et la reconnaissance d'Israël par les pays arabes. Sur les décombres de cette défaite arabe, les mouvements palestiniens inaugurent leurs grandes apparitions politiques. La première est un désastre : en septembre 1970, le roi Hussein de Jordanie noie dans le sang (Septembre noir) la tentative de prise de contrôle de son pays par les dirigeants palestiniens. Le Fatah de Yasser Arafat émerge à grand-peine d'une nébuleuse de petites formations, témoins de la faiblesse politique du mouvement palestinien. Rapidement, par des actions spectaculaires, souvent de nature terroriste, le mouvement palestinien se fait connaître dans le monde entier.

Le président égyptien Anouar el-Sadate favorise la reconstitution de l'armée pour tenter une nouvelle percée militaire. Le 6 octobre 1973, prenant par surprise l'armée israélienne, la Syrie et l'Égypte déclenchent l'offensive, l'une sur le Golan et l'autre sur le canal de Suez. La victoire semble changer de camp. C'est vite dit. Golda Meir force alors les États-Unis à accélérer leurs livraisons d'armes. Le 17 octobre, la décision de l'OPEP de réduire sa production et son exportation de pétrole vers l'Occident et d'augmenter ses tarifs complique le jeu. Israël et l'Égypte acceptent cependant le cessez-le-feu exigé par les États-Unis, l'URSS et l'ONU. Le 25 octobre, le Conseil de sécurité des Nations unies envoie une force de 7 000 Casques bleus s'interposer entre les belligérants. La guerre de 1973 signifie, sur le long terme, que le conflit israélo-arabe concerne désormais le monde entier, vulnérable tant à l'arme du terrorisme qu'à l'arme pétrolière. ∎

▲ La guerre du Kippour a pour effet durable de mettre le conflit israélo-palestinien au cœur des relations internationales.

La guerre du Kippour se termine sur un cessez-le-feu en novembre 1973. Les troupes de Tsahal évacuent la zone du canal de Suez et des forces d'interposition de l'ONU prennent place dans le Sinaï et au pied du Golan.

Du Proche-
au Moyen-Orient :
l'engrenage des conflits

Proche- ou Moyen-Orient ? Des perceptions géopolitiques on disputera longtemps. Reste que la violence des conflits, l'importance des enjeux, la diffusion mondiale de leurs répercussions font de cette zone le foyer majeur de l'instabilité mondiale où, de plus en plus, s'impliquent les puissances moyennes et grandes du siècle finissant.

● Liban-Palestine-Israël-Syrie
Point de répit dans ce Proche-Orient. La guerre du Kippour se clôt par le spectaculaire discours du président égyptien Anouar el-Sadate devant la Knesset (1977), suivi, à Camp David, d'une poignée de main avec le Premier ministre israélien Menahem Begin. Le contentieux égypto-israélien de la guerre des Six-Jours est vidé, mais le règlement global échoue. Le « front du refus » met Sadate à l'index des nations arabes. Le président égyptien est assassiné en 1981. Depuis 1975, une autre poudrière a éclaté au Liban. Sur ce petit territoire, dont les frontières ont été artificiellement tracées, la diversité des acteurs, la variété des intérêts conduisent à d'innombrables constructions et retournements d'alliances. Le Liban est accablé par le problème des réfugiés palestiniens, présents sur son sol depuis 1948. De plus en plus nombreux, industrieux et politiquement actifs, ces derniers modifient naturellement à leur profit le subtil équilibre traditionnel entre chrétiens et musulmans du Liban. Le renforcement des capacités militaires de l'OLP (Organisation de libération de la Palestine) fait craindre une mainmise palestinienne sur au moins une partie du pays.

En mars 1989, le général chrétien Michel Aoun, armé par l'Iraq, mène l'offensive contre les troupes syriennes au Liban.
Les parlementaires libanais se réunissent en octobre à Taef (Arabie saoudite) pour réévaluer le poids politique des musulmans libanais.
En octobre 1990, le général Aoun est défait.

▶ Dix années durant, le Liban devient l'abcès de fixation des antagonismes entre la Syrie, Israël et les Palestiniens.

LE LIBAN
(EN SEPTEMBRE 1983)

Troupes syriennes
Troupes israéliennes
Zone tenue par les « Forces libanaises »
Zone évacuée par les Israéliens depuis l'invasion de juin 1982

Frontières
Principales routes

D'après le *Monde* du 6 septembre 1983.

SYRIE — Lac de Homs
MER MÉDITERRANÉE
Tripoli
AKKAR
Hermel
Zghorta
Batroun
3 086 m
Oronte
MONT LIBAN
Mt Sannine
2 628 m
Djouniyé
Baalbek
Beyrouth
Zahlé
PLAINE DE LA BÉQAA
ANTI-LIBAN
Chtaura
Damour
CHOUF
Sayda (Sidon)
Awali
Djezzin
Nabatie
Hasbani
Mt Hermon
2 760 m
Damas
Hasbaiya
Sour (Tyr)
Ch. de Beaufort
Mardjayun
SYRIE
Naqoura
Lac Houleh
Qunaytra
ISRAËL
0   50 km

Israéliens et Syriens, voisins puissants et inquiets, poussant leurs intérêts contraires, contribuent à l'éclatement d'une guerre qui n'est ni vraiment civile ni vraiment religieuse, mais qui correspond à une volonté de rééquilibrage brutal de la situation.

Les militaires syriens sont présents au Liban depuis que le président Sarkis les a appelés officiellement en 1973 pour séparer les phalangistes chrétiens et les combattants palestiniens. Menahem Begin voit dans cette quasi-implosion l'occasion de passer à l'action. Il commande alors, en juin 1982, l'occupation par Tsahal (armée israélienne) du Sud-Liban. L'opération «Paix en Galilée» peut être tenue pour une nouvelle guerre israélo-arabe. Infligeant à l'armée syrienne de lourdes pertes dans la vallée de la Bekaa, les troupes israéliennes, commandées par Ariel Sharon, ont pour objectif principal la liquidation des forces palestiniennes. Aussi n'arrêtent-elles pas les phalangistes chrétiens lorsque ceux-ci massacrent de nombreux civils palestiniens à Beyrouth. Une force internationale intervient en 1983 : Américains, Français et Italiens s'installent avant de repartir rapidement sous le choc de commandos suicide. Une sorte de bras de fer oppose notamment Damas à Paris. Pour faire plier les Occidentaux, leurs adversaires (largement soutenus par la Syrie) recourent à des prises d'otages et à des attentats, dont la France est la première victime. La confusion parvient à son comble lorsque ces actions se mêlent au terrorisme pratiqué également par l'Iran de Khomeyni.

La stabilisation n'intervient que tardivement, laissant un Liban exsangue, durablement sous domination syrienne. Les troupes israéliennes occupent le Sud-Liban pour créer une sorte de glacis protecteur. Cette nouvelle ligne de front constituera une zone de guérilla permanente où petit à petit, grâce au soutien iranien, l'organisation islamiste Hezbollah prendra l'ascendant.

Rien de plus illusoire que la thèse qui voudrait que le conflit se régionalise progressivement à mesure qu'il se réduit à un affrontement israélo-palestinien. Les anciens cordons sanitaires ne fonctionnent plus.

● Aghanistan-Iran-Iraq

En cette zone plus profonde de l'Orient se manifeste également une dialectique dévastatrice entre le régional et le mondial.

Rien de plus significatif que l'imbrication de ces calendriers : les Soviétiques envahissent l'Afghanistan fin 1979. En 1980, l'Iraq attaque l'Iran, où la révolution chiite dirigée par l'ayatollah Khomeyni a fortement désorganisé la puissante armée du Shah. Cette guerre effroyablement meurtrière prend fin en 1988. Quelques mois plus tard, les Soviétiques auront évacué l'Afghanistan, où la guerre des ethnies et des clans fait rage, ne connaissant que des pauses très brèves. L'instabilité afghane comporte un prolongement majeur : le Pakistan, qui, fort de ses 140 millions d'habitants, entend bien faire de l'Afghanistan sa profondeur stratégique.

Accalmie ? Certes pas. Car dès l'été 1990, l'Iraq s'empare du Koweït : une seconde guerre du Golfe est lancée, provoquant une très puissante intervention des États-Unis, qui affirment ainsi une supériorité sans rivale dans la région.

Inquiet des conséquences de la révolution khomeyniste sur son propre régime, le président irakien Saddam Hussein déclenche les hostilités contre son voisin iranien en septembre 1980. Huit ans plus tard, le conflit aura fait près d'un million de morts et deux millions de blessés, aux deux tiers iraniens.

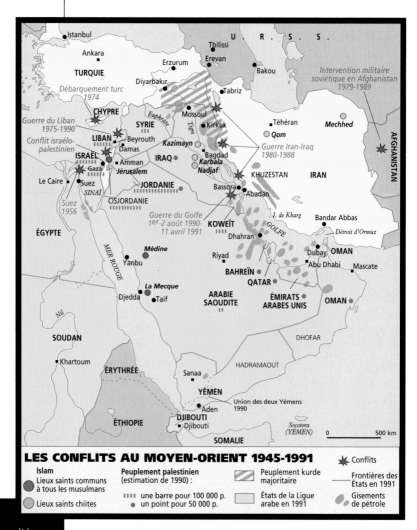

LES CONFLITS AU MOYEN-ORIENT 1945-1991

✳ Conflits

Islam
● Lieux saints communs à tous les musulmans
○ Lieux saints chiites

Peuplement palestinien (estimation de 1990) :
▮▮▮▮ une barre pour 100 000 p.
● un point pour 50 000 p.

▨ Peuplement kurde majoritaire
▭ États de la Ligue arabe en 1991

— Frontières des États en 1991
◐ Gisements de pétrole

▲ La gravité de la situation, l'extrémisme de la violence matérielle et spirituelle débordent vers la zone occidentale.

Que dire, sinon que ces peuples n'ont pas encore retrouvé la maîtrise de leur histoire et avec elle la pleine conscience de leur identité. À d'antiques empires prestigieux ont succédé des constructions artificielles issues du démembrement ottoman par les puissances occidentales, sur fond de prospection pétrolière. D'origine coloniale, les frontières, de partout, sont contestées. Seule l'influence américaine permet de préserver le statu quo dans les pétromonarchies de plus en plus fragiles.

Dans l'arc des crises et des guerres de la seconde moitié du siècle, le Proche- et le Moyen-Orient constituent une zone majeure de tensions qui tend à attirer vers elle la géopolitique mondiale. ■

Insaisissable Afghanistan

Sans frontières et sans État, l'Afghanistan semble voué à fonctionner comme un éternel trou noir où s'abîment, l'une après l'autre, les grandes puissances du moment.

Affrontant leurs poussées impérialistes en Asie centrale, Britanniques et Russes s'y étaient cassé les dents à la fin du XIXe siècle. «On ne prend pas Kaboul», écrira le général Callwell, et l'ultra-impérialiste Joseph Chamberlain déclarera pour sa part que «l'ennemi n'est pas vulnérable», au bout de trois guerres afghanes et de deux renversements d'émirs. Ainsi les pseudo-frontières afghanes qui morcellent, après le protocole de 1885, l'ethnie pachtoune forment-elles une sorte de zone tampon entre les influences russe et anglaise en Inde et en Perse. Le contrôle des «passes» (Zulficar, Khyber) joue un rôle prépondérant, faute de pouvoir contrôler des territoires physiquement et humainement rebelles.

Moins d'un siècle plus tard, l'Afghanistan, devenu nouvelle zone d'affrontement au Moyen-Orient, connaît la guerre pendant vingt ans sous l'impulsion directe ou indirecte des deux Grands et rend compte, par le biais de la montée islamiste, des rivalités Est-Ouest. En 1922, une première Constitution avait jeté les bases d'un État qui, en développant un pouvoir militaire, cherchait a prendre l'ascendant sur les tribus. Ces efforts semblaient confirmés en 1964 par un nouveau conseil des tribus, («loya jirga»). Ce système encore fragile va être remis en cause, d'abord en 1973 avec le renversement de la monarchie, puis en 1978 quand les communistes arrivent au pouvoir grâce à un coup d'État soutenu par Moscou. Très vite, ceux-ci se heurtent à une rébellion «contre le pouvoir athée et communiste» (mouvement des moudjahidin). Invoquant son traité d'amitié avec le gouvernement de Kaboul, l'Union soviétique envahit l'Afghanistan en 1979 pour sauver le régime menacé. Par-delà le prétexte de «solidarité prolétarienne», c'est pour des raisons d'ordre stratégique que l'URSS s'engage dans la «sale guerre» : l'Afghanistan est à la fois une avancée communiste au Moyen-Orient et une voie d'accès vers les mers chaudes et les ressources pétrolières. L'intervention de l'Armée rouge est mal accueillie par les peuples et les clans d'un Afghanistan constamment rebelle à toute autorité centralisatrice. Passé le choc de l'invasion, l'insurrection gagne la plupart des provinces. Grâce aux aides américaine et pakistanaise, la résistance afghane, disposant d'armes semi-lourdes, résiste efficacement à l'armée soviétique, dès lors contrainte de se limiter à la protection de Kaboul et de rares villes importantes. Attirant de nombreux militants islamistes, l'Afghanistan, richement doté en armes américaines, devient un vaste camp d'entraînement pour des organisations terroristes dont les objectifs ne coïncident certes pas avec ceux du «monde libre» qui les soutient.

L'arrivée au pouvoir de Mikhaïl Gorbatchev marque un tournant décisif dans le conflit. En 1986, il réactualise le «plan en cinq points» de Brejnev pour garantir la sécurité du Golfe et donne les signes de sa volonté de désengagement militaire. Il invite

Tout au long du XIXe siècle, ce qu'on appela le «grand jeu» afghan opposa Britanniques et Russes pour le contrôle de ce pays. En 1907, Londres réussit à imposer un demi-protectorat sur l'ensemble de l'Afghanistan.

En 1919, l'émir Amanoulah obtient l'indépendance de son pays. Proclamé roi en 1923, il cherche à imposer une modernisation sur le modèle de la Turquie kémaliste. Une nouvelle monarchie gouverne le pays de 1933 à 1974 et tente de faire vivre un régime de type parlementaire.

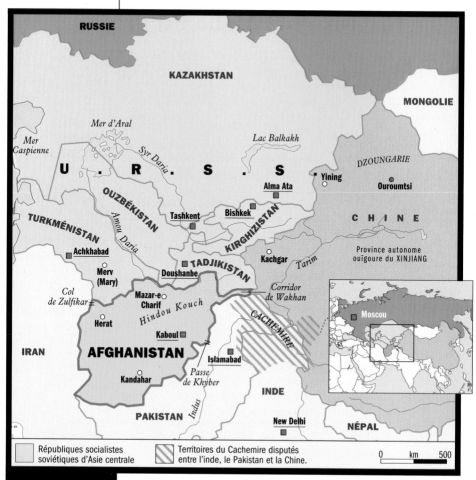

Républiques socialistes soviétiques d'Asie centrale

Territoires du Cachemire disputés entre l'Inde, le Pakistan et la Chine.

0   km   500

▲ Plaque tournante entre le Proche-Orient, l'Asie centrale et le sous-continent indien, l'Afghanistan reste un territoire rebelle.

Mohammed Najibullah, qui a remplacé Babrak Karmal à la tête du Parti démocratique du peuple afghan (communiste), à entamer une politique de réconciliation nationale. En janvier 1987, Najibullah décrète une amnistie en faveur des « rebelles » et suspend les opérations militaires. Le 14 avril 1988, l'Afghanistan et le Pakistan signent l'accord de paix (dont les États-Unis et l'Union soviétique sont garants) à Genève. Dès le 15 mai, les troupes soviétiques se retirent sans gloire, ce qui provoque les griefs de certains nationalistes russes à l'égard de Gorbatchev, accusé de saper le prestige international de l'URSS.

Le 15 février 1989, l'Afghanistan, totalement libre, retrouve ses dissensions internes : le gouvernement provisoire de Kaboul doit toujours affronter un certain nombre de groupes de la résistance afghane, notamment ceux qui se réclament d'un intégrisme sunnite, sur fond de compétition entre ethnies tadjike (en majorité sunnite), hazara (chiites) et pachtoune (sunnites, majoritaires dans le pays). Le soutien que continue à leur apporter le Pakistan, en dépit des accords de Genève, maintient le pays dans une situation de conflit endémique. L'Afghanistan, terreau d'instabilité, est travaillé par tous les extrémismes et les projets perturbateurs. ∎

Afrique du Sud :
ségrégation et grande stratégie

Inacceptable pour les démocraties occidentales, condamné par les Nations unies, le système de l'apartheid parvient cependant à se maintenir durant toute la guerre froide. La fin de l'affrontement est-ouest favorise puis impose la normalisation d'un système jugé aberrant. Pour autant, en Afrique, la position géostratégique de l'Afrique du Sud reste cruciale.

Regorgeant de richesses naturelles qui assurent le produit intérieur brut le plus élevé de tout le continent, Pretoria a habilement joué de la crainte d'une poussée soviétique dans une zone présentée comme la clé du système géostratégique mondial. La route maritime du Cap est devenue essentielle entre 1967 et 1973. En cas de crise, Suez peut être fermé. De toute manière, le canal n'est pas assez profond pour le passage des énormes tankers qui, désormais, approvisionnent le monde industrialisé. La jugulaire géostratégique de l'Alliance atlantique passe donc au large du Cap, du moins veut-on le croire. Cette perception est puissamment renforcée par l'activisme des Soviétiques en Afrique à la fin des années 70. On les trouve présents en Éthiopie et surtout, par troupes cubaines interposées, en Angola et au Mozambique, à peine terminée la décolonisation portugaise. L'invasion de l'Afghanistan achèvera de convaincre les États-Unis que, décidément, on ne peut accepter la déstabilisation du régime d'Afrique du Sud que le président Carter avait initialement condamné. En dépit de l'embargo sur les armes et les matières stratégiques, l'armée sud-africaine n'hésitera pas à agir loin de ses frontières pour réduire la menace cubaine en Angola. Afin de parer toute éventualité militaire, secrètement, Pretoria s'est aussi doté de l'arme nucléaire, qui ne sera révélée et abandonnée officiellement qu'en 1994, lors de la passation du pouvoir au président Mandela. À mesure que se précise la fin de la guerre froide, les États occidentaux accentuent leur pression sur Pretoria, en multipliant les sanctions économiques, pour normaliser la situation.

Amorcé dès le début des années 1980 par le président P.W. «Pik» Botha, le processus de déségrégation est le fruit d'une subtile coopération politique entre le nouveau président Frederik De Klerk et Nelson Mandela, leader de l'ANC, devenu un symbole au cours de son interminable emprisonnement. Ensemble et chacun de son côté, ils doivent affirmer leur autorité face à des extrémistes favorablement disposés à retrouver les voies d'une violence armée, péniblement contenue. M. Mandela, jouant avec une extrême habileté de la scène internationale, parvient à enrayer les affrontements entre Africains des bantoustans et à contenir son principal rival noir, l'Inkatha, dirigée par Mangosuthu Buthelezi, qui conserve les traditions politiques et guerrières zouloues.

Tandis que la stabilisation de 1995 se confirme, les risques de dérapage demeurent encore considérables. Le spectre de l'embrasement général n'est pas encore conjuré.

En 1960, l'Union sud-africaine se transforme en République totalement autonome vis-à-vis de la Grande-Bretagne. L'année suivante, l'Afrique du Sud se retire du Commonwealth.

En 1984, l'évêque anglican noir Desmond Tutu reçoit le prix Nobel de la paix. En 1986, les États-Unis et plusieurs pays occidentaux prennent des sanctions économiques contre Pretoria. En novembre 1990, Nelson Mandela est libéré.

▶ La grille d'interprétation des conflits en Afrique australe de 1975 à 1991 passe par la réalité de la guerre froide.

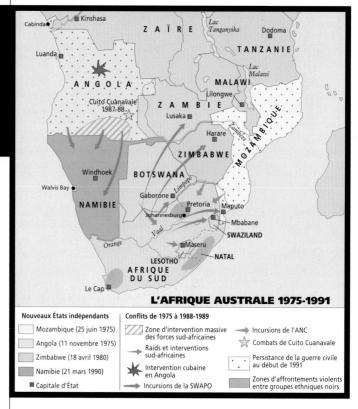

L'AFRIQUE AUSTRALE 1975-1991

Nouveaux États indépendants
- Mozambique (25 juin 1975)
- Angola (11 novembre 1975)
- Zimbabwe (18 avril 1980)
- Namibie (21 mars 1990)
- ■ Capitale d'État

Conflits de 1975 à 1988-1989
- Zone d'intervention massive des forces sud-africaines
- Raids et interventions sud-africaines
- Intervention cubaine en Angola
- Incursions de la SWAPO
- Incursions de l'ANC
- ☆ Combats de Cuito Cuanavale
- Persistance de la guerre civile au début de 1991
- Zones d'affrontements violents entre groupes ethniques noirs

Toutefois, sur un continent constamment déchiré, l'Afrique du Sud apparaît comme une force de cohérence et de stabilité, capable de peser sur l'évolution économique et diplomatique, apte à inspirer et diriger l'OEA (Organisation des États africains). Pouvant compter sur des frontières assurées et des principes politiques universellement acceptés, l'Afrique du Sud a pour tâche immédiate de surveiller l'évolution de voisins au sort encore précaire (Angola, Namibie, Zimbabwe). ■

L'Europe en marche : construction et division (1950-1990)

Définie par une représentation collective d'une partie du monde, l'Europe apparaît comme un concept géopolitique changeant.

À partir de la fin de la Seconde Guerre mondiale, les projets d'unification européenne s'inscrivent dans le cadre d'une rupture profonde. Comme le constate précocement Winston

L'EUROPE DE 1958 À 1990

——— Frontières des États en 1990   ● Capitales des États en 1990   ◯ Sièges des organes de la Communauté en 1990

CEE
Communauté économique européenne
Formation de la Communauté

▨ les Six, 1958

▧ les Neuf, 1973

▥ les Dix, 1981

▦ les Douze, 1986

▢ Élargissement de la Communauté par l'intégration de l'ancienne RDA en 1990

——— Limites de la Communauté en 1990

AELE
Association européenne de libre-échange
créée en 1960

▨ Pays membres de l'AELE en 1990

Comecon
Conseil d'assistance économique mutuelle
créé en 1949

▨ Pays membres du Comecon en 1990
+ Cuba, Mongolie, Viêtnam
retrait de l'Albanie, 1961
retrait de la RDA, 1990

Churchill le 12 mai 1945, un « rideau de fer » divise durablement le continent en deux blocs, l'Ouest et l'Est.

À l'Ouest, un nouveau mouvement d'unification est lancé, aboutissant à la création d'un système institutionnel original, celui des Communautés européennes. Rien de tel à l'est, où les républiques socialistes deviennent des États satellites de l'Union soviétique. Les organisations qu'elles intègrent ne sont que l'expression de la politique d'influence de l'URSS. Il s'agit notamment, en matière

▲ La division de l'Europe en deux zones antagonistes favorise le processus d'intégration à l'ouest.

économique, du CAEM – Conseil d'assistance économique mutuelle créé le 25 janvier 1949 – et en matière militaire, du pacte de Varsovie, signé le 14 mai 1955. La résolution brutale des différentes crises – Berlin (1948, 1953, 1961), Budapest (1956), Prague (1968), Gdańsk (1970, 1980) – révèle la rigidité du système bipolaire : il est impossible, pour les peuples européens du bloc soviétique, de prétendre changer de camp.

À l'Ouest, outre l'aide économique proposée par les États-Unis, dans le cadre du plan Marshall, l'Europe bénéficie, en vertu du traité de l'Atlantique Nord signé le 4 avril 1949, d'une garantie d'assistance militaire de la part de Washington. Motivés par une volonté de paix, de sécurité et de retour à la puissance, les dirigeants européens instaurent la Communauté européenne du charbon et de l'acier (CECA) le 18 avril 1951, puis la Communauté économique européenne le 25 mars 1957, ou «marché commun» qu'accompagne l'important accord EURATOM (Communauté européenne de l'énergie atomique). Initialement composée de six membres, la Communauté, passée à douze membres au 1er janvier 1986, vise à établir «une union sans cesse plus étroite entre les peuples européens».

Processus progressif, fondé sur le consensus arraché au terme de «marathons» de tractations technocratiques, notamment dans le domaine agricole, la construction européenne paraît lente et tortueuse. Parfois mal comprise des opinions nationales et des professions, elle fait de Bruxelles la cible de toutes les manifestations de grogne et d'angoisse à l'égard d'un avenir qui semble échapper aux peuples. Si le progrès dans le domaine économique paraît irrésistible, les blocages restent considérables dans des secteurs dits de «souveraineté» tels que la diplomatie et la défense. L'échec de la CED (Communauté européenne de défense, visant à la constitution d'une armée européenne) en 1952-1954 laisse la place à l'UEO (Union de l'Europe occidentale), dont l'action s'efface totalement derrière celle de l'OTAN. ∎

▶ Robert Schuman et Jean Monnet, en 1950. Avec l'Allemand Konrad Adenauer et l'Italien Alcide De Gasperi, ils sont considérés comme les pères de l'unification européenne.

1990-2000

Fin, retour ou transformation de l'histoire ?

En 1991, le président George Bush père, dans l'euphorie de la victoire du Golfe, annonce l'instauration d'un nouvel ordre mondial, fait de paix et d'harmonie. Deux ans plus tard, la poignée de main historique entre Arafat et Rabin semble confirmer ce diagnostic. Las ! L'effondrement de l'URSS, en même temps qu'il marque la fin de la guerre froide, inaugure une autre logique : celle du réveil des nationalismes, dont les guerres en ex-Yougoslavie constituent la tragique illustration.

Le monde en 1990

La fin de la guerre froide annonce la disparition d'un monde bipolaire et la montée des risques régionaux et de conflits localisés d'un nouveau type.

Novembre 1989 : la guerre froide est terminée. Le Mur est tombé. « Le monde est enfin libre », peut s'exclamer Voice of America, radio qui, quarante années durant, avait diffusé par-delà les frontières la ligne politique des États-Unis. Ce monde se trouve affranchi pour les uns du carcan bipolaire, pour les autres de la menace communiste. L'angoisse de la guerre nucléaire apocalyptique se dissipe.

N'est-il pas temps de jeter les bases d'un NWO (New World Order, « nouvel ordre du monde », selon l'expression de George Bush père) ? Sans excessive forfanterie immédiate, les États-Unis peuvent prétendre avoir gagné la guerre froide et partagent avec leurs alliés de l'OTAN l'euphorie d'une victoire quelque peu énigmatique, faute de bataille réelle.

Le temps de l'ONU semble revenu. Certains évoquent la « fin de l'histoire », d'autres annoncent l'avènement d'une paix durable prodigue de « dividendes » économiques.

Le soulagement européen contraste avec la situation du reste du monde, où les choses ne changent pas vraiment. Alors que les deux Allemagnes trouvent les voies de la réunification, les tensions ne quittent guère l'Asie. La péninsule coréenne reste divisée en deux fractions antagonistes. Pyongyang persiste dans un communisme étonnamment ossifié. Et l'idéologie communiste sert encore de référence au gouvernement de Pékin, soucieux d'une évolution prudente.

> **Fin de l'histoire :** théorie en vogue en Occident dans les années 90, au centre de l'ouvrage du politologue américain Francis Fukuyama, « la Fin de l'histoire et le dernier homme » (1992), et selon laquelle l'évolution globale de l'histoire contemporaine mènerait à la généralisation du système de la démocratie libérale de marché. Le reste du monde n'a jamais songé que l'histoire eût une fin !

▶ Le monde sort de la bipolarisation par la géo-économie. Aux alliances militaires succèdent des aires d'échanges commerciaux et de coopération économiques. Mais gare aux conflits !

Choc des civilisations : théorie avancée dans un article (1996) par le politologue américain Samuel Huntington et selon laquelle les relations internationales s'expliqueraient d'abord par les oppositions entre neuf grands modèles sociétaux (monde occidental, monde arabo-islamique, monde orthodoxe, etc.). S'est-elle vérifiée le 11 septembre 2001 ?

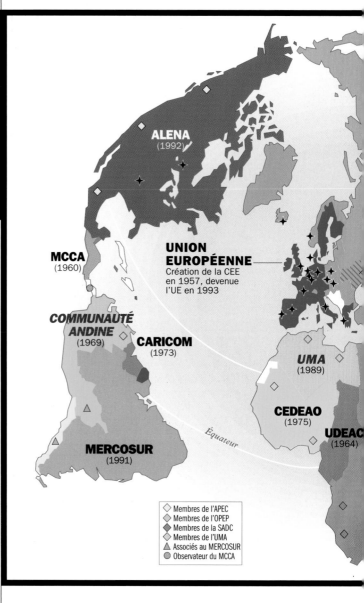

Regardant Pékin, New Delhi s'inquiète de l'affaiblissement soviétique, soutien constant de l'Inde depuis 1960, d'autant que la crise du Cachemire n'en finit pas d'entretenir, sinon de justifier, l'affrontement avec un Pakistan activement soutenu par la Chine. Mais c'est sans doute la région du golfe Persique et le Proche-Orient qui manifestent avec le plus d'éclat la continuité de l'état de crise endémique.

Au moment même (août 1990) où le président G. Bush (père) proclame la fin de la guerre froide, l'Iraq envahit le Koweït pour en prononcer l'annexion. C'est l'occasion de former, sous l'égide des Nations unies, une des plus vastes coalitions jamais réalisées. Le soutien populaire du monde arabe à un Saddam Hussein qui lance sur Israël ses missiles balistiques montre combien en cette

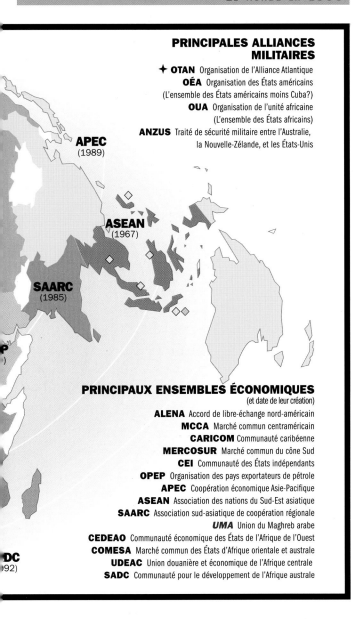

PRINCIPALES ALLIANCES MILITAIRES

✦ **OTAN** Organisation de l'Alliance Atlantique
OÉA Organisation des États américains
(L'ensemble des États américains moins Cuba?)
OUA Organisation de l'unité africaine
(L'ensemble des États africains)
ANZUS Traité de sécurité militaire entre l'Australie,
la Nouvelle-Zélande, et les États-Unis

APEC
(1989)

ASEAN
(1967)

SAARC
(1985)

PRINCIPAUX ENSEMBLES ÉCONOMIQUES
(et date de leur création)

ALENA Accord de libre-échange nord-américain
MCCA Marché commun centraméricain
CARICOM Communauté caribéenne
MERCOSUR Marché commun du cône Sud
CEI Communauté des États indépendants
OPEP Organisation des pays exportateurs de pétrole
APEC Coopération économique Asie-Pacifique
ASEAN Association des nations du Sud-Est asiatique
SAARC Association sud-asiatique de coopération régionale
UMA Union du Maghreb arabe
CEDEAO Communauté économique des États de l'Afrique de l'Ouest
COMESA Marché commun des États d'Afrique orientale et australe
UDEAC Union douanière et économique de l'Afrique centrale
SADC Communauté pour le développement de l'Afrique australe

partie du monde les appétits de puissance et l'importance des enjeux rendent incertaines les voies de la paix et aisément praticables les sentiers de la guerre.

Par ailleurs, nombre d'observateurs relèvent la dégradation constante de la situation de la république fédérale de Yougoslavie et mettent en garde contre les risques d'une explosion de violence incontrôlable. La guerre semble sur le point de faire retour en ce lieu si tragiquement symbolique qui a pour nom Sarajevo.

Ironiquement, 1990 annonce au monde, délivré de la menace d'extermination nucléaire généralisée, qu'il est redevenu libre pour tous les risques régionaux et toutes les formes de conflits localisés. Les chemins de la guerre se sont renouvelés. ■

La dislocation de l'URSS

Les bonnes intentions ne font que rarement les bonnes politiques. Les grands réformateurs travaillent toujours au bord du gouffre. Décidé à en terminer avec la guerre froide et à restaurer avec la liberté politique la rationalité économique, Mikhaïl Gorbatchev a enclenché le processus d'effondrement total de l'empire soviétique socialo-nucléaire.

En mars 1991, Gorbatchev organisa un référendum sur le « maintien d'une union rénovée » et obtient 76 % de « oui ». Cependant, l'Arménie, la Géorgie, la Moldavie et les pays Baltes refusèrent d'y participer, tandis que l'Ukraine occidentale votait massivement pour l'indépendance.

● Tensions et conflits

Élu le 11 mars 1985 au poste de secrétaire général du PCUS (Parti communiste de l'Union soviétique), Mikhaïl Gorbatchev accélère le processus de réforme du système soviétique que ses prédécesseurs avaient engagé, sans jamais aboutir.

Nettement déterminée, l'action vise à sauver le régime, ses bases et ses principes par le développement d'un programme de restructuration de l'économie nationale (perestroïka) et de transparence dans les affaires politiques et culturelles (glasnost). Il y va également de la position de l'URSS sur la scène internationale. Gorbatchev, entouré de diplomates brillants, notamment Edouard Chevardnadze (devenu depuis président de la république de Géorgie), multiplie les initiatives afin de mettre fin à la guerre froide en des termes acceptables pour l'Union soviétique, déjà durement éprouvée en Afghanistan.

Au plan économique, les mécanismes de gestion font l'objet d'une vive contestation. Les flux fiscaux, consistant en des prélèvements des régions plus riches de l'Ouest au profit des zones les plus pauvres, sont remis en cause. Dans le domaine politique, il est question de modifier le statut des cadres du Parti communiste pour lui conférer une véritable légitimité. Les changements envisagés provoquent, tant au centre que dans les républiques périphériques, tensions et conflits.

À Moscou, Boris Eltsine engage une lutte pour le pouvoir contre Mikhaïl Gorbatchev. Élu président du Soviet suprême de Russie, il proclame le 12 juin 1990 la souveraineté de la Fédération, contribuant ainsi à affaiblir l'Union. De même, les Soviets suprêmes des républiques socialistes soviétiques contestent-ils le Parti communiste et le pouvoir central. L'aspiration à l'indépendance nationale agite toutes les républiques fédérées, des États baltes jusqu'à la Transcaucasie.

La dislocation de l'URSS apparut aussi comme une source majeure de risques de prolifération nucléaire. En mai 1922, le Kazakhstan accepta de démanteler son arsenal nucléaire, suivi deux ans plus tard par l'Ukraine.

● La réaction conservatrice

Soucieux de parvenir à un accord rapide sur le nouveau traité d'Union, Gorbatchev accorde de nombreuses concessions aux républiques périphériques. Enfin négocié, le traité devait être soumis à signature le 20 août quand, le 18 août 1991, une poignée de conservateurs soviétiques organisent un putsch rapidement avorté, précipitant l'effondrement de l'empire. De fait, le 8 décembre 1991, Boris Eltsine conclut à Minsk avec les présidents d'Ukraine et de Biélorussie la création de la Communauté

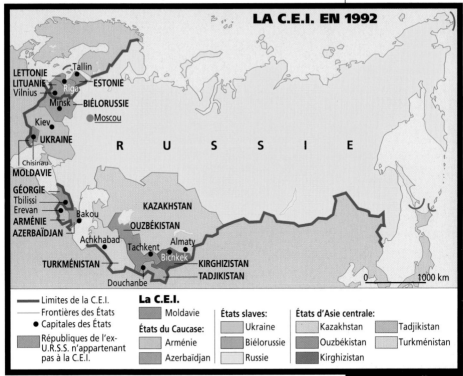

LA C.E.I. EN 1992

Limites de la C.E.I.
Frontières des États
● Capitales des États
Républiques de l'ex-U.R.S.S. n'appartenant pas à la C.E.I.

La C.E.I.

Moldavie

États du Caucase:
Arménie
Azerbaïdjan

États slaves:
Ukraine
Biélorussie
Russie

États d'Asie centrale:
Kazakhstan   Tadjikistan
Ouzbékistan   Turkménistan
Kirghizistan

▲ La Communauté des États indépendants voit le jour à Minsk, le 8 décembre 1991.

des États indépendants (CEI). Le 21 décembre, à Alma-Ata, celle-ci est élargie aux cinq républiques d'Asie centrale, à l'Arménie et à l'Azerbaïdjan. Dès lors, c'en est fait de l'URSS. On discutera longtemps sur l'échec de cette réforme de l'intérieur qu'a tentée Gorbatchev. Immédiatement, elle a fait réfléchir les dirigeants communistes chinois, qui prendront garde à ne pas se laisser emporter par un processus de réforme si audacieux qu'il provoquerait des enchaînements incontrôlables. ▪

Caucase : mosaïque de peuples et flux pétroliers

Exceptionnellement tourmenté, le relief de la grande chaîne de montagnes caucasienne, enchâssée entre mer Noire et mer Caspienne, a servi de zone refuge pour de nombreux peuples. L'enclavement a en effet favorisé la conservation de langues et de cultures anciennes, formant ainsi un ensemble d'une extrême diversité. Soucieux de la préservation de leur identité, ces peuples ont réagi avec inquiétude aux transformations engendrées par la disparition de l'Union soviétique et aux espérances parfois excessives suscitées par la manne pétrolière.

Légende :
- ★ Conflits en cours
- Ⓜ Conflits gelés
- ★ Présence militaire russe
- ══ Oléoducs existants
- ▪▪▪▪ Oléoducs en projet ou en chantier

0   100 km

▲ Les projets de tracés des pipelines sont le résultat d'espérance de gisements. Ils ont suffi à déclencher de multiples conflits.

Au nord du Caucase, la Ciscaucasie regroupe six territoires autonomes, dont la Tchétchénie. Au sud, la Transcaucasie embrasse la Géorgie, l'Azerbaïdjan et l'Arménie.

● **Un découpage complexe**

Soviétisé entre 1920 et 1921, le Caucase fait l'objet d'un découpage complexe et arbitraire des frontières. Le centre russe, menant une politique de division des peuples pour mieux régner dans la zone, attribue différents statuts aux populations concernées. Ainsi, les Arméniens du Haut-Karabagh, les Abkhazes, les Ossètes du Sud et les Tchétchènes forment-ils des régions ou républiques autonomes respectivement intégrées aux républiques socialistes soviétiques d'Azerbaïdjan, de Géorgie et de Russie, elles-mêmes constitutives de l'Union soviétique. Dès lors, leurs revendications à une plus grande autonomie ou à des changements de statut ou de frontières seront en partie ignorées ou réprimées.

● **Des « États de fait »**

En 1985, la politique gorbatchévienne de perestroïka et de glasnost est considérée comme une opportunité. À partir de 1987, les Arméniens, les Abkhazes, les Ossètes et les Tchétchènes formulent de nouvelles revendications, provoquant de vifs conflits. En 1991, seules les républiques de Russie, de Géorgie et d'Azerbaïdjan accèdent alors à l'indépendance. Confrontés à de nouveaux États, les responsables des républiques et régions autonomes la réclament eux aussi. Ils sont motivés à la fois par le sentiment d'une discrimination à leur égard, par la perspective d'une redistribution du pouvoir

FÉDÉRATION DE RUSSIE

ADYGHÉE

KARATCHAEVO-
TCHERKESSIE

KABARDINO-
BALKARIE

TCHÉTCHÉNIE

ABKHAZIE

Chaîne du Grand Caucase

Elbrouz
5 642 m

OSSÉTIE
DU NORD

INGOUCHIE

DAGHESTAN
av

MER CASPIENNE

GÉORGIE

OSSÉTIE
DU SUD

Kazbek
5 047 m

MER NOIRE

ADJARIE

Bazarduzu
4 480 m

Chaîne du Petit Caucase

ARMÉNIE

▲ Aragatz
4 090 m

AZERBAÏDJAN

HAUT-
KARABAKH

Bakou

TURQUIE

Ararat ▲
5 123 m

NAKHITCHEVAN
(AZERB.)

0   100 km

IRAN

Situation ethno-linguistique
(Principaux groupes)

Famille caucasienne
SUD Géorgiens, Adjars
NORD-OUEST Tcherkesses, dont Adyghéens, Kabardes, Abkhazes
NORD-CENTRE Ingouches, Tchétchènes
NORD-EST Daghestanais, dont Avars [av], Darghines [d],
Laks [la], Lesghiens [le], Tabassarans [t], etc.

Famille indo-européenne
SLAVES Russes
GROUPE IRANIEN Ossètes [o], Kurdes [ku], Taléchis [ta]
Tates [T]
ARMÉNIENS [ar]

Zones peu peuplées

Famille altaïque
GROUPE TURC (Turcs, Azéris [az], Koumyks [ko],
Karatchaïs, Balkars, Nogaïs [n]),
GROUPE MONGOL (Kalmouks)

◀ Zone de refuge et de résistance, le bastion caucasien oppose sa diversité politique et sa complexité culturelle à tous les projets fédérateurs.

et de la richesse, ainsi que par le soutien indirect de puissances régionales. De violents combats se développent alors, à l'issue desquels les groupes sécessionnistes, malgré leur infériorité numérique, obtiennent une victoire militaire et constituent de véritables «États de fait». Si des accords de cessez-le-feu sont signés entre 1992 et 1994, en revanche, le règlement politique des différends demeure indéterminé.

Depuis, la question de l'acheminement du pétrole et du gaz de la région vers l'Occident transforme l'enjeu des conflits. Initialement culturel et politique, celui-ci devient aujourd'hui davantage économique. ■

En 1917, les Tchétchènes s'opposèrent au nouveau pouvoir rouge comme aux troupes blanches. Soumis par Moscou en 1924, une partie d'entre eux se rallièrent aux Allemands en 1942-1943. L'année suivante, Staline ordonna une déportation massive de la population vers l'Asie centrale.

• Quelques chiffres :

	Superficie	*Population* (1999)
Caucase	*440 000 km²*	*21 millions*
Arménie	*29 800 km²*	*3,5 millions*
Azerbaïdjan	*86 100 km²*	*7,8 millions*
Haut-Karabagh	*4 400 km²*	*195 000*
Géorgie	*69 700 km²*	*5 millions*
Abkhazie	*8 600 km²*	*540 000*
Ossétie du Sud	*3 900 km²*	*100 000*
Russie	*17 075 400 km²*	*146,6 millions*
Tchétchénie	*13 000 km²*	*900 000*

Vie et mort du « processus d'Oslo »

Le processus d'Oslo désigne les négociations secrètes qui se sont tenues entre Israéliens et Palestiniens dans la capitale norvégienne de mars à août 1993 et qui, en se sont soldant par l'accord de Washington du 13 septembre 1993, ont ouvert la voie au processus de paix en fixant un calendrier précis.

Fondée en 1964, l'Organisation pour la libération de la Palestine (OLP) est dirigée par Yasser Arafat, leader du Fath, depuis 1969. Basée en Jordanie, puis au Liban, puis à Tunis jusqu'à son retour en 1993 en Palestine, l'OLP a éliminé de sa charte en 1996 les articles niant l'existence d'Israël.

▶ Une assemblée de copropriétaires armés jusqu'aux dents, le doigt sur la détente. Cela s'appelle parfois un processus de paix.

Enfin ! Cinq guerres israélo-arabes, une insurrection palestinienne (intifada), une accumulation de contentieux, de frustrations, de haines transmises depuis 1948. Une solution semble avoir été apportée, un accord trouvé. La poignée de main entre les adversaires sous le regard du grand médiateur américain paraît plus solide que tant d'autres auparavant.

Derrière les apparences, on découvre une négociation patiente et secrète à laquelle la Norvège a servi de refuge. Pour la première fois depuis 1948, Israéliens et Palestiniens, s'accordant une reconnaissance politique mutuelle, peuvent se parler officiellement. Le pas franchi est considérable.

Mais la reconnaissance de l'État d'Israël par Yasser Arafat fait l'objet d'une violente contestation par les groupes extrémistes comme le Hamas, qui se réclament du fondamentalisme islamique. De l'autre côté, une large part de l'opinion israélienne n'accepte pas la reconnaissance de la personnalité politique de l'OLP jusqu'alors considérée comme une organisation terroriste. S'il n'est officiellement pas question d'État palestinien, le régime d'autonomie administrative, l'installation de Yasser Arafat, l'aide économique des pays européens à «l'Autorité palestinienne» concourent à favoriser l'émergence d'une entité étatique de fait.

La question des colonies de peuplement juives enclavées dans les territoires palestiniens et le statut de Jérusalem continuent à créer de très graves difficultés. Chaque pouce de terrain fait l'objet d'âpres tractations sur ce petit territoire habité par l'histoire et les croyances religieuses, en proie au surpeuplement et où le contrôle

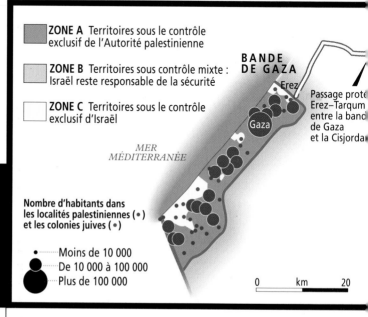

ZONE A Territoires sous le contrôle exclusif de l'Autorité palestinienne

ZONE B Territoires sous contrôle mixte : Israël reste responsable de la sécurité

ZONE C Territoires sous le contrôle exclusif d'Israël

BANDE DE GAZA

Erez

Passage proté Erez-Tarqum entre la band de Gaza et la Cisjorda

Gaza

MER MÉDITERRANÉE

Nombre d'habitants dans les localités palestiniennes (•) et les colonies juives (•)

Moins de 10 000
De 10 000 à 100 000
Plus de 100 000

0   km   20

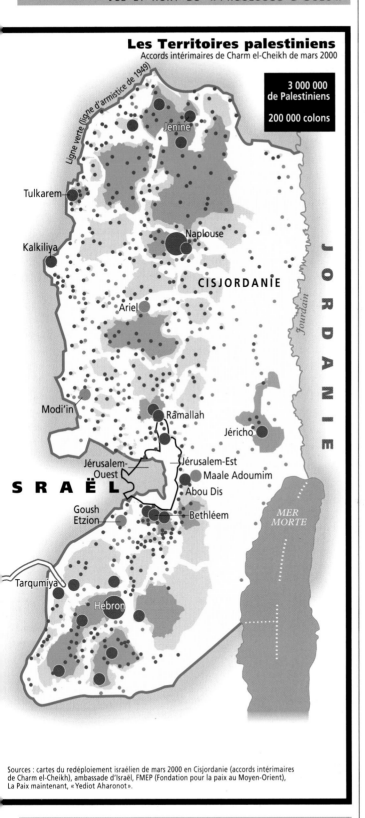

Les Territoires palestiniens
Accords intérimaires de Charm el-Cheikh de mars 2000

3 000 000
de Palestiniens

200 000 colons

Ligne verte (ligne d'armistice de 1949)

Jénine

Tulkarem

Kalkiliya

Naplouse

CISJORDANIE

J O R D A N I E

Ariel

Jourdain

Modi'in

Ramallah

Jéricho

Jérusalem-
Ouest

Jérusalem-Est

Maale Adoumim

SRAËL

Abou Dis

Goush
Etzion

Bethléem

MER
MORTE

Tarqumiya

Hébron

Sources : cartes du redéploiement israélien de mars 2000 en Cisjordanie (accords intérimaires
de Charm el-Cheikh), ambassade d'Israël, FMEP (Fondation pour la paix au Moyen-Orient),
La Paix maintenant, « Yediot Aharonot ».

L'accord israélo-palestinien de septembre 1993 fut lancé par la conférence de Madrid d'octobre 1991, à l'initiative du secrétaire d'État américain James Baker, désireux de profiter de la dynamique de la guerre du Golfe pour mettre sur pied un processus de paix au Proche-Orient.

des ressources naturelles comme l'eau constitue un enjeu majeur. Si le traité, parfois nommé « de Washington », semble créer deux entités assez nettement séparées, en dehors de la bande de Gaza, les colonies de peuplement israéliennes (environ 170 000 personnes) reconstituent à une micro-échelle le phénomène de « peau de léopard ». Pour leur permettre de disposer d'une liaison sûre, un nouveau réseau de routes stratégiques hérissées de barbelés et de systèmes de surveillance électronique relie les colonies et enclave les territoires palestiniens. Sur les routes ordinaires, barrages et postes de contrôle rendent la circulation très difficile pour les travailleurs palestiniens.

En dépit de ces graves difficultés, la mise en œuvre du processus d'Oslo se poursuit, toujours aussi tortueuse et procédurière. L'accord de Taba (Égypte, septembre 1996) définit les modalités de contrôle administratif de l'Autorité palestinienne sur les villes et villages réputés « arabes ».

Le coup d'arrêt intervient tragiquement. En novembre 1996, Yitzhak Rabin est assassiné par un extrémiste juif, comme l'avait été Sadate, quinze ans auparavant, par des extrémistes de l'autre camp. Dès 1997, le retour au pouvoir du Likoud (droite) dirigé par Benyamin Netanyahou s'accompagne d'un regain de colonisations israéliennes (souvent d'origine russe), dans un climat de violence croissante. Le « processus d'Oslo » a vécu. ∎

Chantier européen : l'Union, enfin !

L a fin de la guerre froide et de la doctrine Brejnev (prééminence de l'URSS sur les républiques socialistes), la disparition du mur de Berlin ainsi que la chute des régimes communistes à l'est modifient fondamentalement l'ordre géopolitique en Europe.

La chute du mur de Berlin en 1989 entraîne le renforcement de l'Organisation pour la sécurité et la coopération en Europe (OSCE), qui regroupe 53 États européens, et le renforcement de la CEE (traités de Maastricht puis d'Amsterdam).

La structure militaire du pacte de Varsovie est démantelée le 25 février 1991 et le CAEM (Conseil d'assistance économique mutuelle), dissous le 28 juin 1991. Désormais délivrés de la domination soviétique, les pays d'Europe centrale et orientale (PECO) expriment rapidement leur volonté d'adhérer à l'Union européenne, symbole de liberté et de prospérité, ainsi qu'à l'Alliance atlantique, garantie de sécurité militaire.

Par la signature du traité de Maastricht le 7 février 1992, la Communauté européenne – devenue Union européenne – s'engage en même temps dans un processus d'approfondissement de l'intégration. L'union économique et monétaire sera parachevée par la mise en circulation d'une monnaie unique, l'euro, au 1er janvier 2002. Une politique étrangère et de sécurité commune (PESC) est également institutionnalisée, permettant potentiellement à l'Europe d'émerger comme un acteur politique sur la scène internationale. À cette fin, l'UEO (Union de l'Europe occidentale), réactivée, définit en juin 1992 au sommet de Petersberg le cata-

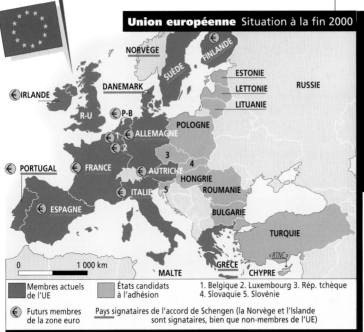

Union européenne Situation à la fin 2000

NORVÈGE
SUÈDE
FINLANDE
ESTONIE
LETTONIE
LITUANIE
RUSSIE
IRLANDE
DANEMARK
R-U
P-B
POLOGNE
ALLEMAGNE
1
2
3
4
PORTUGAL
FRANCE
AUTRICHE
HONGRIE
ITALIE
5
ROUMANIE
ESPAGNE
BULGARIE
TURQUIE
«RTNC»
0   1 000 km
MALTE
GRÈCE
CHYPRE

Membres actuels de l'UE	États candidats à l'adhésion	1. Belgique 2. Luxembourg 3. Rép. tchèque 4. Slovaquie 5. Slovénie
€ Futurs membres de la zone euro	Pays signataires de l'accord de Schengen (la Norvège et l'Islande sont signataires, bien que non-membres de l'UE)	

◀ En dépit des innombrables problèmes, l'attraction de l'Europe occidentale magnétise les pays de la zone orientale.

logue de missions auxquelles ses forces armées doivent pouvoir faire face. Enfin, une coopération limitée est instaurée en matière de police et de justice afin de répondre aux défis posés par la libre circulation des ressortissants européens.

En juin 1993, les participants du Conseil européen de Copenhague définissent les conditions politiques et économiques des élargissements de l'Union. Une stratégie de pré-adhésion est établie et la candidature de six PECO est acceptée en décembre 1997. Six autres pays seront intégrés dans le cadre d'une seconde vague d'adhésion. Enfin, en décembre 1999, le Conseil européen d'Helsinki inscrit la Turquie sur la liste des États candidats. Face à la perspective d'un élargissement de l'Union à 13 nouveaux États, une réforme des institutions européennes est adoptée en décembre 2000 lors du sommet de Nice.

Après une phase d'hésitation entre nord et sud, le centre de gravité de l'Europe se déplace désormais vers l'est, modifiant à nouveau le balancier des équilibres géopolitiques d'un continent capable de tout, hormis la simplicité.

● Quelques chiffres :

Europe des 15 :   370 millions d'habitants
Europe des 28 :   535 millions d'habitants
Parmi les États candidats à l'adhésion, seules la Pologne et la Turquie – peuplées respectivement de 39 millions et de 67 millions d'habitants – peuvent être considérées comme de «grands États». Les «petits États» constitueront désormais la majorité des membres de l'Union, alors qu'ils ne représentent qu'une minorité de la population communautaire. Cette réalité démographique modifiera les équilibres politiques dans le cadre du processus décisionnel au sein du Conseil. ■

Les populations et les PIB de l'Union européenne, des États-Unis et du Japon sont respectivement de 376 millions d'habitants et 8300 milliards de dollars, 279 millions et 8200 milliards, 127 millions et 3900 milliards.

Balkans : diplomatie préventive et guerres annoncées

Balkanisation : notion signifiant le morcellement des pays en petites unités fondées sur la religion, l'ethnie et l'histoire, généralement ingouvernables. Inspirée par la réalité des Balkans au XIXᵉ siècle et au début du XXᵉ, elle décrivait depuis la réalités des nouveaux pays africains, avant de s'appliquer à nouveau à sa région d'origine.

À l'issue de la guerre froide, deux forces s'exercent sur les Balkans et leurs périphéries. La première, pacifiante, usant de diplomatie préventive, tend à agréger ces territoires à l'aire de sécurité euro-atlantique et à préparer leur insertion dans la sphère de prospérité de l'Union européenne. La seconde, belliciste, exaspère les antagonismes ethniques jusqu'alors contenus par l'empire soviétique et les appareils communistes. Attisant les irrédentismes, elle récuse tout pluralisme d'appartenance nationale ou confessionnelle au nom d'une angoisse identitaire, souvent empreinte de sincérité. Ce sont deux façons d'être européen qui entament une confrontation durable.

En sa partie centrale, l'Europe se stabilise. L'œil du cyclone traditionnel connaît l'apaisement : sur la transversale Varsovie-Budapest-Bucarest, des règlements frontaliers durables interviennent dans le cadre des «tables rondes de stabilité». La Slovaquie et la République tchèque se séparent à l'amiable. Grâce au forum de discussion que constitue l'Organisation pour la sécurité et la coopération en Europe (OSCE, étendue jusqu'à l'Oural et au Caucase), au soutien économique de la Communauté puis de l'Union européenne ainsi qu'à la bienveillante pression de l'OTAN, les litiges se règlent sans heurts. La diplomatie préventive fonctionne, nourrissant des espoirs excessifs. Car le front des perturbations conflictuelles se déplace vers le sud-est.

La construction du maréchal Tito, mort en 1980, ne lui survit que de quelques années. Les forces centrifuges de la structure fédérale deviennent de plus en plus puissantes à mesure que se relâchent les contraintes extérieures. La liberté retrouvée de l'Europe, la disparition du pacte de Varsovie signifient pour les nationalités contraintes de la RFY (République fédérale de Yougoslavie) l'occasion d'exprimer leur entité propre.

La volonté d'indépendance de fortes personnalités nationales, telle que la Croatie, bridée et brimée, explose. Et chacun, en sa faiblesse, cherche à trouver les appuis extérieurs pour satisfaire des intérêts égoïstes sans vision générale.

Une fois déclenchée, en 1991, la guerre se développe sous des formes hideuses, délibérément déchaînées. L'Europe n'en croit pas ses yeux, mais, irrésolue et militairement peu puissante, elle n'en finit pas de trouver des remèdes au tragique. Peu de guerres auront été à ce point prévues par les experts ; rarement les gouvernants auront paru aussi sourds à leurs avertissements. Tel un ultime empire, la fédération yougoslave explose sous l'effet d'anciens nationalismes fortement contenus et jamais apaisés, mais plus encore en raison de l'action dévastatrice des anciens dirigeants communistes qui, pour se trouver une nouvelle raison d'occuper le pouvoir, attisent les peurs locales, déchaînent des milices recrutant dans la lie de la société civile. Les appareils communistes, privés de toute légitimité idéologique, cherchent à se reconvertir. Ils le font sur une base nationaliste, foncièrement rétrograde, qui en appelle à une histoire

PRINCIPALES ZONES DE TENSION DANS L'EUROPE DU SUD-EST

Principales zones de tension

Zones de combats

Frontières des États en 1998

Capitales d'État

0   200 km

* République turque du nord de Chypre

fantasmatique qui manipule la notion de frontière. « Grande Serbie » ici, « Grande Albanie » là-bas servent d'emblèmes à des manipulations dont les populations désemparées font rapidement les frais. Ainsi, les Balkans, mosaïque ethnique et ventre mou de l'Europe, retrouvent-ils leur capacité de perturbation traditionnelle. L'un des risques et non des moindres fut de faire éclater le pivot de la Communauté européenne, à savoir le couple franco-allemand. Déjà ébranlée par la réunification soudaine des deux Allemagnes, Paris considère d'un mauvais œil la hâte de Bonn à favoriser les mouvements centrifuges par reconnaissance précoce de la Slovénie, de la Croatie et de la Macédoine. La remise en question des frontières établies risque fort d'enclencher une déstabilisation générale en Europe centrale et orientale. Entrent en collision des conceptions et des représentations géopolitiques très différentes de l'ordre européen que manifestent le tiraillement entre la volonté du maintien des frontières, le refus des déplacements forcés et… la réalité, sur laquelle les Européens de l'Ouest manquent de prise.

▲ La chute du communisme réactive dans l'Europe du Sud-Est les tensions traditionnelles entre cultures et ethnies.

Ainsi l'indépendance macédonienne provoque-t-elle une réaction diplomatique violente de la Grèce, assortie de sanctions économiques. Cette petite construction ne survit que grâce à l'établissement immédiat d'une force de maintien de la paix américaine qui marque le territoire. Les relations entre Grèce et Turquie, loin de s'améliorer, connaissent une nouvelle phase de tensions d'où à tout moment pourrait surgir un nouveau conflit. La Turquie, travaillée en profondeur par l'islamisme, nourrit de grandes ambitions en raison de l'affaiblissement russe dans le Caucase et en Asie centrale. Mais les moyens lui font défaut.

Ce regain d'instabilité des Balkans renforce le besoin européen d'une Alliance atlantique forte garantie par l'engagement des États-Unis. ∎

Bosnie :
l'Europe des massacres

Autour d'un lieu hautement symbolique, Sarajevo, l'Europe se retrouve face à sa complexité. Par-delà les événements terribles, parfois atroces, se pose la question des principes sur lesquels fonder les frontières de l'Europe balkanique, alors même que se construit une Union transfrontalière. Le respect du droit des minorités parfois virulentes risque de s'opposer à la souveraineté territoriale traditionnelle garante d'un minimum de stabilité. L'idéal de tolérance et de cohabitation pluriethnique et multiculturelle n'a pas encore eu le temps de faire son chemin parmi les peuples de l'Europe orientale que la partie occidentale considère avec une compatissante inquiétude.

Il faut attendre l'automne 1991 (25 septembre) pour que le Conseil de sécurité se saisisse de la situation en déclarant un embargo sur les armes. En février 1992, le Conseil vote l'envoi d'une force de sécurité, la FORPRONU, pour faire respecter le cessez-le-feu en Slovénie et en Croatie. Somme toute, l'intervention des Nations unies pourrait être tenue pour efficace si presque aussitôt la guerre n'éclatait en Bosnie-Herzégovine. De toutes les provinces de la RFY (République fédérale de Yougoslavie), elle est bien celle où l'imbrication des ethnies et des religions est la plus forte. Déclenchée par la proclamation unilatérale d'autonomie de la Krajina serbe, la guerre fait rage pendant près de quatre ans, mettant au défi et l'ONU et les puissances occidentales d'imposer une solution moralement acceptable et politiquement tenable.

● La guerre humanitaire

Les Européens de l'Ouest découvrent la guerre humanitaire, sa grandeur et ses risques. Les responsabilités ne sont pas moins

La Bosnie-Herzégovine fut successivement occupée par les Romains, les Slaves, les Hongrois, avant d'être annexée par les Turcs en 1386. Le congrès de Berlin de 1878 laisse les provinces sous suzeraineté ottomane tout en les plaçant sous administration de l'Autriche, qui les annexe en 1908.

lourdes que dans les guerres classiques dès lors que la mission consiste à protéger des populations mal connues contre des milices de tueurs qui, eux, connaissent et le terrain et la langue et les hommes. Les «safe heavens», ou zones de sécurité : Tuzla, Goradze, Bihac, etc., sont censées protéger les populations. Faute de moyens militaires et de directives politiques déterminées, certaines de ces enclaves (Srebrenica) vont se transformer en abattoirs humains dès lors qu'il n'est pas militairement possible d'en assurer la protection.

Les généraux européens, principalement anglais et français, font ainsi l'expérience d'une nouvelle forme de guerre. Il leur faut protéger des populations contre des milices de tueurs qui sont «chez eux», connaissent la langue et le terrain, préserver leurs propres troupes, rester dans les limites de leurs missions, coopérer avec les innombrables organisations humanitaires non gouvernementales, communiquer avec les milliers de journalistes présents. Or leur marge de manœuvre reste très étroite. En effet, le représentant du secrétaire général des Nations unies sur le terrain, M. Akashi, fait respecter avec intransigeance le principe de non-intervention au profit d'un des belligérants. Or l'ONU manque de moyens de communication modernes. Par conséquent, les décisions prises à New York sont constamment inappropriées face à l'évolution rapide de la situation en Bosnie.

Finalement, l'accumulation des atrocités et des provocations (frappes sur le marché de Sarajevo), l'exaspération face à l'humiliation des forces onusiennes retenues en otage provoquent un sursaut occidental. La création du Groupe de contact matérialise l'existence d'une volonté politique nouvelle. Les frappes de l'OTAN deviennent militairement significatives. Les forces françaises reçoivent l'ordre de riposter avec des moyens lourds. Trop tard, penseront bien des observateurs.

● Règlement diplomatique

Initialement, les plans de partage Vance-Owen (du nom des ministres des Affaires étrangères américain et britannique) renouent avec cette étrange tradition, chère aux diplomates, du découpage terri-

LE PARTAGE DE LA BOSNIE

L'apogée serbe
novembre 1994

Zones contrôlées par les Serbes

0   50 km

À la veille des négociations
novembre 1995

Zones contrôlées par les Croates et les Musulmans

Le plan de paix
décembre 1995

République serbe de Bosnie-Herzégovine

Slavonie orientale, restituée à la Croatie avant novembre 1997

Au début des années 1990, la Bosnie-Herzégovine est peuplée par trois communautés principales : la communauté musulmane (45 % de la population totale), la communauté serbe (30 %) et la communauté croate (17 %).

torial, en « peau de léopard ». Ils ne connaîtront pas plus de succès que leurs prédécesseurs en Palestine ou au Vietnam.

L'offensive croate de l'été 1995 qui aboutit à la fuite de 200 000 Serbes de Krajina, clarifie brutalement la situation. Le diplomate américain Richard Holbrooke, disciple de Kissinger en version bulldozer, enferme les parties dans d'inconfortables baraques dans les fin fonds de l'Ohio et arrache un accord qui fait l'affaire des gouvernements croate et serbe. Car il existe un jeu trouble de Slobodan Milosevic pour garder le pouvoir à Belgrade, quitte à lâcher les Serbes de Bosnie et la Republica Srebsca de Pale de l'encombrant Radovan Karadzic qu'il tient pour un rival politique.

L'accord, très complexe – il prévoit pas moins de trois corridors –, est finalement ratifié à Paris. La Bosnie reste unifiée et comporte deux territoires fédérés : la République serbe de Bosnie et la Fédération croato-bosniaque. L'IFOR sous commandement de l'OTAN reçoit mission de faire appliquer et respecter l'accord.

Rien n'est profondément résolu : le foyer de violence se déplace, grâce à des réseaux de solidarité idéologique parmi lesquels l'islamisme radical trace sa route. Depuis la fin de la guerre d'Afghanistan (1979-1988), une sorte de mercenariat idéologique conduit quelques milliers de combattants à errer au gré des guerres dans les zones grises de l'arc des crises et parfois au-delà jusqu'en Bosnie. ■

ACTEURS ET ENJEUX

Mobiles

Introduction

De même qu'il existe deux grands types d'acteurs – conservateurs et perturbateurs –, on distingue sans peine deux catégories de mobiles, matériels et spirituels. « Que faire ? » se demandait Lénine. Toutefois une telle question suppose un préalable : l'existence d'une finalité de l'action qui se résume par la formule : « Pourquoi nous combattons ? »

Dans la théorie politique classique de tradition britannique (Hobbes et Locke), la finalité de toute société politique est double : conservation et recherche de la prospérité. La première est polarisée négativement : se protéger, préserver des acquis, se prémunir contre la prédation d'une autre entité. La seconde développe des buts positifs : recherche d'une amélioration ou de l'accroissement. Elle correspond à une frustration ou bien encore à l'expansion d'un excès de puissance. Plus tard, ouvrant la voie à une tradition féconde, Rousseau verra dans la propriété et dans l'inégalité entre les hommes le moteur de la grande machine conflictuelle. Ces mobiles sont souvent traduits en représentations géopolitiques. Un classement plus fin permet de considérer différents mobiles:
– Les mobiles du premier ordre.
Survivre : c'est la relation primordiale du groupe humain à la nature, à l'écosystème ; rapport qui sous une forme plus élaborée correspond aux relations entre sociétés politiquement constituées formant un « géosystème » (notion que j'ai proposée et développée dans mon livre *la Réserve et l'attente*, Economica, 2000).
Le collectif guerrier naît de l'organisation minimale pour la survie dans la nature. Il s'organise contre d'autres groupes en vue de la préservation de l'espace jugé nécessaire dans l'écosystème. Le besoin de la terre et l'eau pour produire et subsister constituent encore un mobile élémentaire premier, absolument déterminant pour au moins un tiers de l'humanité située dans l'arc de pauvreté et de retard au développement qui ceinture les pays fortement industrialisés.
– Les mobiles du second ordre.
Ils concernent la recherche de la prospérité et de son accroissement. Ce domaine est certainement le plus fluctuant. S'y rencontrent, inextricablement mêlées, la poussée naturelle de la puissance acquise, la cupidité des organisations privées et celle des individus. Dictateurs, tyrans et autres démagogues se sont fait une spécialité de manipuler les opinions, les foules, les masses au service de leurs intérêts et de la conservation d'un

pouvoir. Ils créent ainsi des intérêts factices pour donner à leurs concitoyens une raison d'être égoïstes.

– Les mobiles d'ordre ultime ou supérieur.

Ils correspondent à l'idéologie : éthique, religion, systèmes de valeur présentés comme universels, parfois par simple auto-proclamation. Les «vanités» humaines jouent leur rôle : prestige, rang, gloire restent partout dans le monde de puissants mobiles qui expliquent, entre autres, l'acquisition des armes nucléaires.

Intervient alors la question de savoir si l'idéologie ne camoufle pas des mobiles «bassement» matériels, si, comme l'avait suggéré le marxisme, l'infrastructure ne détermine pas la super-structure pour s'avancer masquée.

Enfin, on doit considérer que dans le géosystème complexe formé par les différents acteurs dont les mobiles diffèrent, ces ordres se trouveront forcément croisés.

La distinction analytique de ces éléments hétérogènes, la com-préhension synthétique de leurs interactions constituent l'une des principales activités de la pensée stratégique. ■

La démographie, une arme de guerre

Dans ses *Essais de polémologie*, Gaston Bouthoul présente la démographie comme un des «baromètres» fondamentaux permettant de détecter l'approche des guerres. La structure démographique – densité de population, masse, composition par âge et par sexe, taux d'accroissement – est en effet considérée comme un des paramètres conditionnant la violence collective. La guerre ayant une fonction de « relaxation » démographique, la surpopulation serait un facteur belligène…

Cause de guerre, la démographie est également considérée comme source d'efficacité. Le sentiment d'adéquation entre le nombre et la puissance reste encore largement répandu. La puissance d'un État se voit fréquemment associée à l'importance de sa population. À la fin des années 1960, dans un monde occidental vieillissant, se développe la crainte des conséquences du déséquilibre face à la croissance rapide du tiers-monde. L'émigration commence à être perçue comme une invasion larvée.

Dans un monde composé de 6,2 milliards d'individus, les disparités entre continents, régions et États sont fortes. Les plus grands foyers de peuplement sont surtout localisés en Asie orientale et méridionale, en Europe, dans le nord-ouest des États-Unis, au sud-est du Brésil, sur la côte ouest de l'Afrique et au Moyen-Orient. À l'échelle des continents, c'est en particulier l'Asie, où vit plus de 60 % de la population mondiale, qui nourrit l'inquiétude. La Chine, l'Inde, l'Indonésie, le Pakistan, le Bangladesh figurent parmi les pays les plus peuplés. Le poids démographique du monde musulman est également évoqué. Toutefois, si l'hypothèse d'une guerre opposant deux États, tels que l'Inde et le Pakistan à propos du Cachemire, ne peut être exclue, les conflits intra-étatiques semblent davantage caractériser les formes contemporaines de guerres. Face au développement des conflits internes aux États, la démographie continue à exercer une influence sur la propension à la violence. Elle devient notamment une arme utilisée par l'État pour modifier, par la voie des mouvements migratoires, le rapport de forces entre groupes ethniques sur un territoire donné. L'évolution du rapport démographique entre Hans et Ouïgours dans la région séparatiste du Xin Jiang, en Chine, est, de ce point de vue, révélatrice. Dans ces cas de figure, la

La transition démographique décrit le passage d'une situation où la fécondité et la mortalité sont fortes, et l'accroissement de population faible (monde jusqu'au XVIIe siècle), à une deuxième phase marquée par une baisse de la mortalité, ce qui entraîne une forte augmentation de la population (tiers-monde), puis à une troisième phase où la fécondité baisse jusqu'au niveau du renouvellement des générations, voire moins (monde développé).

2000 : 6

CANADA

ÉTATS-UNIS

AMÉRIQUE
DU NORD
306

MEXIQUE

CUBA

GUATÉMALA HONDURAS
SALVADOR NICAR.
C^R

AMÉR
LAT
51

ÉQUATEUR

PÉROU
BOLIVIE

BR

PA

CHILI

2050 : 9 m
(projection)

CANADA

ÉTATS-UNIS

AMÉRIC
DU NO
444

MEXIQUE

CUBA HAÏTI RÉP

JAM.

AMÉ

GUATEMALA HOND.
SALVADOR NICAR.
COSTA RICA PAN.

COLOMBIE

ÉQUATEUR

PÉROU

BOLIVIE

CHILI

relation entre la guerre et la variable démographique – conçue en terme non statique mais dynamique – s'exprime selon des modalités différentes. Du point de vue du groupe sécessionniste, c'est non plus la force mais la faiblesse ou l'affaiblissement démographique qui, créant une angoisse existentielle et servant d'instrument de légitimation, provoque des soulèvements et des tensions. L'asymétrie quantitative est alors compensée par le soutien des diasporas ou d'États proches du groupe faible, ainsi que par les différences de volonté et de résistance au combat. En revanche, à culture similaire, le nombre intervient. Au cours des trente dernières années, la conjonction de la croissance démographique et de l'exode rural a produit la multiplication de mégapoles dans de nombreux pays du Sud, où se développe une violence urbaine difficile à maîtriser. C'est là que se concentrent en effet les conditions favorables à l'émeute : chômage, misère, criminalité et frustration. Autant de germes pour la guerre civile. ■

En 1900, sur 1 000 personnes, on comptait 580 Asiatiques, 250 Européens, 92 Américains (nord et sud) et 68 Africains. Un siècle plus tard, les proportions passent à 609, 119, 135 et 132.

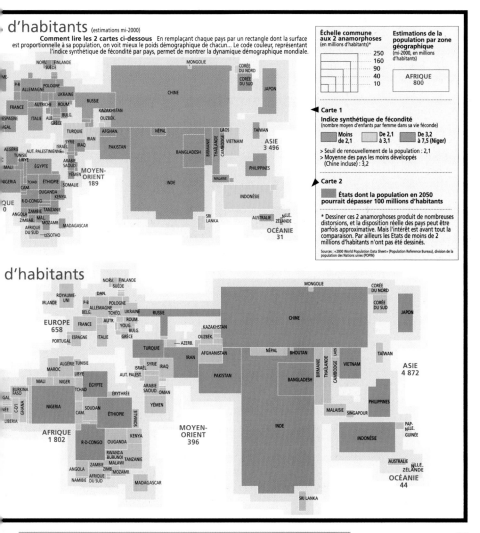

d'habitants (estimations mi-2000)

Comment lire les 2 cartes ci-dessous En remplaçant chaque pays par un rectangle dont la surface est proportionnelle à sa population, on voit mieux le poids démographique de chacun... Le code couleur, représentant l'indice synthétique de fécondité par pays, permet de montrer la dynamique démographique mondiale.

Échelle commune aux 2 anamorphoses (en millions d'habitants)
- 250
- 160
- 90
- 40
- 10

Estimations de la population par zone géographique (mi-2000, en millions d'habitants)

AFRIQUE 800

◀ **Carte 1**
Indice synthétique de fécondité (nombre moyen d'enfants par femme dans sa vie féconde)
- Moins de 2,1
- De 2,1 à 3,1
- De 3,2 à 7,5 (Niger)

> Seuil de renouvellement de la population : 2,1
> Moyenne des pays les moins développés (Chine incluse) : 3,2

▲ **Carte 2**
États dont la population en 2050 pourrait dépasser 100 millions d'habitants

* Dessiner ces 2 anamorphoses produit de nombreuses distorsions, et la disposition réelle des pays peut être parfois approximative. Mais l'intérêt est avant tout la comparaison. Par ailleurs les États de moins de 2 millions d'habitants n'ont pas été dessinés.

Sources : « 2000 World Population Data Sheet » (Population Reference Bureau), division de la population des Nations unies (POPIN)

d'habitants

Faim de terres, risques de guerres

J adis la terre était tout. Que vaut-elle aujourd'hui ? Fondement de la richesse, le capital foncier a si longtemps régné que l'on a fini par confondre l'amour du bas de laine et celui de la mère patrie. Elle accédait au rang de symbole, de valeur suprême pour laquelle on donnait son sang. Cette logique a quitté les pays hautement développés. Elle perdure dans la plus vaste partie du monde, la plus peuplée.

En règle générale, partout où la pression démographique sur la terre crée un phénomène de pénurie, relative ou absolue, objective ou subjective, l'usage de la violence armée constitue une pratique courante de maintien brutal de l'ordre.

La lutte pour la terre engendre deux catégories de conflits : civils et interétatiques. Les premiers opposent deux catégories sociales, deux modes de vie, deux groupes de travailleurs. L'éleveur et le paysan ont du mal à faire bon ménage, tout comme le nomade

▼ Pression démographique et inégalités sociales se conjuguent pour faire des «bonnes terres» un objet de convoitise.

LA TERRE DISPUTÉE

△↑△ Zones marquées par une répartition des terres très inéquitable

Révoltes agrariennes armées

Phénomènes de colonisation

Colonisation juive en Cisjordanie, et intifada palestinienne

Montagnes Rocheuses

Mojave-Gila

Atacama Nom de désert

Himalaya Nom de massif montagneux

Chiapas (MEXIQUE)

AMÉRIQUE CENTRALE

VENEZUELA

COLOMBIE

S a h a r a

Équateur

KENYA

Densité de la population

Chaque point représente 500 000 habitants

Agglomération : nombre d'habitants (en millions)
De 1 à 2,4
De 2,5 à 4,4
De 4,5 à 7,9
De 8 à 14
Plus de 14

Nordeste BRÉSIL

Colonisation de l'Amazonie par des paysans sans terre du Nordeste, et par des paysans plus aisés attirés par les subventions du gouvernement.

Atacama

Cordillère des Andes

Kalahari
Namib
NAMIBIE

AFRIQUE DU SUD

ZIMBABWE

Kyzyl
Kara K

Rub-al-Kha

face au sédentaire. Ces contrastes d'appropriation de l'espace terrestre expliquent encore d'innombrables clivages au Proche-Orient, en Asie et en Afrique.

Au niveau interétatique le conflit pour la terre accède à une dimension plus politique lorsqu'il s'exprime par des revendications territoriales que justifie plus ou moins la recherche de la frontière naturelle, de l'espace vital ou d'un glacis de sécurité. Dans les espaces pionniers, le colon s'arroge une terre qui n'est jamais vierge. Un espace très étendu est occupé par de petits groupes humains qui l'exploitent de manière extensive. Ainsi en allait-il des grandes plaines centrales américaines où débouchèrent les pionniers. Tel est encore le cas de certaines zones amazoniennes ou des vastes étendues du Xing Jiang (nord-ouest de la Chine). Le choc s'aggrave dès lors que l'espace se réduit : l'établissement de colonies de peuplement juives en Palestine procède de la même logique de l'arrivant qui s'arroge le droit de la terre. Prétention que récusent les organisations palestiniennes en célébrant chaque année depuis quarante ans la « journée de la Terre ».

● Géographie de la faim, géographie de la violence

Quand la terre se fait rare et l'homme innombrable se répète dans le monde un même scénario de luttes foncières. Les hommes exploitent des sols peu fertiles (bad-lands) qu'un rien suffit parfois à stériliser. Les équilibres naturels demeurant très fragiles dans nombre de pays de la zone intertropicale, les sols s'épuisent. Ainsi la détérioration des bad lands au Honduras, au Guatemala a été cause de révoltes réprimées avec sauvagerie. Car les meilleures terres font l'objet d'un accaparement par quelques grands féodaux qui maintiennent leur emprise par la solidité d'un réseau de relations de castes et de liens de sujétion féodale. Lorsque la tension devient trop forte, les milices mercenaires restent l'outil ordinaire d'un brutal maintien de l'ordre.

Soit sous forme traditionnelle, soit en version moderniste, avec une planète peuplée de 10 milliards d'êtres humains inégalement répartis, les conflits pour la terre resteront, pour longtemps, un objet de graves préoccupations. ■

L'Extrême-Orient russe, sous-peuplé, subit une forte pression démographique chinoise; la Mandchourie étant très peuplée, ses habitants passent de plus en plus la frontière russe.

Colonisation de la province autonome ouïgoure du Xing Jiang par les Hans, y rendant peu à peu les Ouïgours mino-ritaires chez eux.

L'Etat vietnamien empiète de plus en plus sur les terres des minorités montagnardes.

...illa naxalite ...muniste) ...les Etats du ..., de l'Orissa ...e l'Uttar ...esh (Inde).

...es transmigrations ont été ...lanifiées pour déconcentrer ...s îles de Java et Madura ...Indonésie), qui sont ...urpeuplées.

Le génocide de 1994 au Rwanda et au Burundi s'explique en partie par la lutte pour les terres. Les plateaux fertiles sont largement peuplés depuis des siècles et gérés selon un système semi-féodal, repris par le colonisateur, où domine la minorité tutsie. L'interaction des luttes politiques et géopolitiques, des oppositions ethniques, de la démographie et de la recherche des bonnes terres aboutit ainsi au désastre.

De nombreux pays d'Amérique centrale et d'Amérique latine sont concernés par la lutte pour les terres. Qu'il s'agisse des Indiens guatémaltèques qui réclament une partie des bonnes surfaces confisquées par les ladinos ou du mouvement des paysans sans terres brésiliens en lutte contre les grands propriétaires.

L'eau, à la source d'innombrables conflits

Ressource vitale, l'eau est à la fois rare et fragile, et, au début du XXIe siècle, déjà surexploitée. Si, au niveau planétaire, la quantité d'eau reste sensiblement la même, le choix des usages particuliers par rapport aux ressources globales, avec les excès que cela entraîne souvent, provoque les problèmes d'approvisionnement que l'on connaît aujourd'hui, modifie les équilibres écologiques et affecte les relations entre États.

Un quart de la population mondiale n'a toujours pas accès à une qualité d'eau satisfaisante. Aussi, plusieurs millions de personnes meurent-elles chaque année d'infections causées par de l'eau contaminée. Les problèmes relatifs à l'approvisionnement, à l'assainissement et au coût de l'eau affectent une majorité des États et de leurs populations, en particulier dans les pays pauvres et démunis en ressources hydriques.

La consommation d'eau varie d'une façon considérable entre les pays riches et les pays les plus pauvres : de moins de 6 m³ par jour et par habitant dans certaines nations africaines ou asiatiques à plus de 800 aux États-Unis.

● Plus de 200 bassins fluviaux

En un siècle, la consommation d'eau a augmenté d'environ 700 %, le secteur agricole étant de loin le premier consommateur. Cette évolution correspond à la fois à l'explosion démographique et à l'évolution des modes de consommation, en particulier de l'agriculture. La pratique de techniques agricoles inadaptées et inefficaces provoque une importante déperdition de ressources hydrauliques.

Au plan géopolitique, l'eau représente logiquement une source de conflit entre les États, voire même au sein des États. Dans ce second cas de figure, elle peut provoquer des remous politiques lors de manques d'approvisionnement ou lorsque, soudainement, les coûts augmentent. Par exemple, la flambée du prix de l'eau a entraîné une révolte paysanne dans la cordillère bolivienne au printemps 2000. Mais c'est principalement entre les États que surgissent les disputes liées au partage et à l'usage de l'eau. Il existe dans le monde plus de 200 bassins fluviaux internationaux, soit un nombre à peu près équivalent au nombre d'États

indépendants. La multiplication des frontières qu'a entraînée l'explosion du nombre d'États dans les cinquante dernières années contribue aux tensions, au même titre que l'évolution de la consommation et des usages de l'eau.

• Près de 300 traités aujourd'hui en vigueur

La question de la gestion du partage et de l'usage des eaux internationales est donc primordiale aujourd'hui et le restera dans l'avenir. Si, à l'origine, le droit international était principalement concerné par les problèmes de navigation, un effort grandissant est désormais accompli dans le domaine de la gestion des eaux, par exemple pour les droits de pêche ou pour l'exploitation hydroélectrique. Bien qu'insuffisants pour réguler l'ensemble des problèmes, près de 300 traités sont aujourd'hui en vigueur dans ce

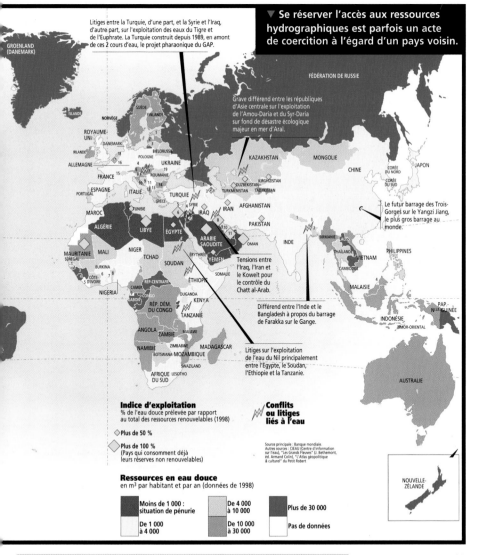

▼ Se réserver l'accès aux ressources hydrographiques est parfois un acte de coercition à l'égard d'un pays voisin.

Litiges entre la Turquie, d'une part, et la Syrie et l'Iraq, d'autre part, sur l'exploitation des eaux du Tigre et de l'Euphrate. La Turquie construit depuis 1989, en amont de ces 2 cours d'eau, le projet pharaonique du GAP.

Grave différend entre les républiques d'Asie centrale sur l'exploitation de l'Amou-Daria et du Syr-Daria sur fond de désastre écologique majeur sur mer d'Aral.

Le futur barrage des Trois-Gorges sur le Yangzi Jiang, le plus gros barrage au monde.

Tensions entre l'Iraq, l'Iran et le Koweït pour le contrôle du Chatt al-Arab.

Différend entre l'Inde et le Bangladesh à propos du barrage de Farakka sur le Gange.

Litiges sur l'exploitation de l'eau du Nil principalement entre l'Égypte, le Soudan, l'Éthiopie et la Tanzanie.

Indice d'exploitation
% de l'eau douce prélevée par rapport au total des ressources renouvelables (1998)

◇ Plus de 50 %

◇ Plus de 100 %
(Pays qui consomment déjà leurs réserves non renouvelables)

Conflits ou litiges liés à l'eau

Source principale : Banque mondiale.
Autres sources : CIEAU (Centre d'information sur l'eau), "Les Grands Fleuves" (J. Bethemont, éd. Armand Colin), "L'Atlas géopolitique & culturel" du Petit Robert

Ressources en eau douce
en m³ par habitant et par an (données de 1998)

Moins de 1 000 : situation de pénurie	De 4 000 à 10 000	Plus de 30 000
De 1 000 à 4 000	De 10 000 à 30 000	Pas de données

domaine. La convention des Nations unies de 1997 sur le « droit relatif aux utilisations des cours d'eau internationaux à des fins autres que la navigation » a permis de franchir une nouvelle étape en liant de plus près le droit sur la gestion des eaux internationales avec le droit de la mer.

Le droit international n'empêche pas l'eau d'être une source de conflit. En tant que telle, l'eau provoque d'abord des tensions, qui peuvent devenir extrêmes, lorsque deux États ou plus se disputent le partage et l'usage de celle-ci. Ces tensions sont d'autant plus élevées que les ressources sont limitées et que les pays en sont dépendants. C'est pourquoi l'eau représente un formidable outil stratégique entre pays en amont et pays en aval. Elle devient ainsi un élément clef qui définit en partie la nature des rapports de forces entre les États concernés. Dans le contexte géostratégique actuel, où l'on s'éloigne du modèle traditionnel des guerres classiques et où la dimension économique des politiques des États et la diplomatie occupent une place grandissante, l'eau peut apparaître comme un outil stratégique efficace. En tant que moyen de la politique, elle peut servir les modes de pression classiques que sont le chantage et la coercition.

Plus de 200 bassins fluviaux et lacustres dans le monde traversent des frontières internationales et plus de dix fleuves traversent au moins six pays, ce qui augmente d'autant les risques de conflits interétatiques.

● Une source potentielle de nuisance

En toute logique, cet élément est d'autant plus présent que des tensions entre les pays concernés existent aussi dans d'autres domaines. C'est pourquoi les zones où l'eau devient un agent perturbateur ou un outil de chantage diplomatique constituent des zones préalablement « chaudes », tel le Moyen-Orient. Le partage des eaux du Yarmouk et du Jourdain affecte Israël et la Palestine, la Syrie et la Jordanie, autant de pays parmi les plus pauvres du monde en ressources hydrauliques. Israël, qui s'est doté d'un système hydraulique moderne et efficace, est quand même dépendant de ses voisins pour une partie de son alimentation en eau. Ce talon d'Achille, exploité au fil des décennies par ses adversaires, fait que le problème de l'eau est toujours présent dans les calculs politiques de Tel-Aviv et lors de ses négociations diplomatiques. En revanche, Israël contrôle la distribution de l'eau de Cisjordanie dont dépendent les Palestiniens. La question de l'eau, qui affecte autant la consommation domestique que l'agriculture palestiniennes, est au cœur des négociations, et des tensions, entre Israël et la Palestine.

Non loin de là, l'utilisation des eaux de l'Euphrate est à l'origine d'un contentieux opposant la Turquie à la Syrie et à l'Irak. Ce contentieux est né avec le lancement d'un ambitieux projet hydraulique par Ankara en 1980 (comportant notamment la construction d'un immense barrage sur l'Euphrate) et la Turquie exploite cet atout majeur à diverses fins politiques, par exemple en pesant sur la Syrie pour qu'elle abandonne son soutien au parti des Travailleurs du Kurdistan (PKK).

Enfin, pour des groupes terroristes, l'eau présente une source potentielle de nuisance. Une entreprise systématique de contamination de l'eau potable pourrait effectivement avoir des effets dévastateurs sur les populations qui seraient prises pour cible, notamment dans les zones de forte densité. ■

Matières premières, matières stratégiques ?

Appât du gain et assurance des besoins vitaux, tel est le rapport que, conformément à leur double finalité (prospérer et se conserver), les États entretiennent avec certaines ressources naturelles. La valeur étant déterminée par le marché, est réputée matière stratégique celle dont la privation porterait un coup fatal à l'économie du pays ou bien encore le placerait dans l'incapacité d'assurer ses fonctions militaires. À l'ère postindustrielle où s'affirme l'information, la grande question est : fait-on encore la guerre pour l'acquisition de ces matières ?

Longtemps, la guerre a été présentée comme une lutte pour la terre, source de richesses.

Outre cette conquête territoriale, la puissance militaire vise à maintenir ouvert l'accès aux matières stratégiques qui par la même occasion peuvent être sources de profits considérables. Cette conception inspire les géopoliticiens du début du XXᵉ siècle. En 1994, la France fait encore de la sûreté de ses approvisionnements « stratégiques » l'une des justifications majeures de la préparation de ses forces armées.

Même si l'on cherche à éviter les explications par trop mécanistes, il est difficile de ne pas voir un lien constant et profond entre la guerre et le contrôle ou le partage des ressources pétrolières et gazières. Ainsi l'affaire Iraq / Koweït de 1990 : l'accès aux ressources pétrolières est une des variables explicatives de l'invasion. Pour les États-Unis, pétrole et gaz d'Asie centrale constituent un centre d'intérêt majeur, d'où la volonté de Washington de développer son influence dans la région.

Toute la question est de savoir si la force armée est le seul ou le meilleur moyen de parvenir à se placer en position favorable. Dans un monde où l'autarcie économique a cessé d'avoir un sens, le partage des ressources constitue un élément majeur de conflit et de perturbation. Tout ordre établi est perçu comme injuste par les États qui, plus à raison qu'à tort, estiment être spoliés de leurs propres ressources. De fait, ils deviennent des perturbateurs obligés d'une situation instable parce que perçue comme inéquitable.

Après la guerre du Kippour et la révolution iranienne, les pays européens et le Japon donnent le sentiment que les propriétaires du pétrole disposent d'une arme d'influence stratégique. Les chocs pétroliers ébranlent les économies européennes. Mais cette conception – qui ne s'applique pas aux États-Unis – comporte bien des démentis : dès 1981, la guerre Iran-Iraq affaiblit considérablement l'OPEP. En outre, l'embargo sur le pétrole d'un producteur permet de retourner l'arme contre lui. L'Iraq en fait les frais depuis 1991.

La consommation mondiale d'énergies primaires devrait doubler entre 2000 et 2050. La part du pétrole devrait passer de plus de 40 % à environ 20 %, celle du charbon se maintenir aux environs de 23 %, le gaz naturel se maintenir également autour de 25 %, tandis que la part du nucléaire passerait de 6 % à plus de 20 %.

▶Une vaste partie
du monde est encore
ravagée par les
guerres pour le
contrôle des richesses
minérales.

Les guerres du Congo
(pétrole) et du Sierra
Leone (diamants) de
1998-2000 s'expli-
quent partiellement
par une lutte achar-
née dans un monde
pauvre pour accapa-
rer les royalties issues
de l'exploitation des
matières stratégiques
ou précieuses. Ainsi,
les diamants font la
fortune des grandes
compagnies et des
places spécialisées du
Benelux (Anvers :
23 milliards de
dollars pour l'année
2000).

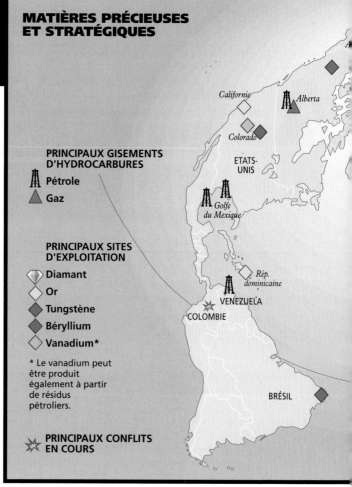

MATIÈRES PRÉCIEUSES ET STRATÉGIQUES

PRINCIPAUX GISEMENTS D'HYDROCARBURES

🛢 Pétrole

🔺 Gaz

PRINCIPAUX SITES D'EXPLOITATION

◇ Diamant

◇ Or

◆ Tungstène

◆ Béryllium

◇ Vanadium*

* Le vanadium peut
être produit
également à partir
de résidus
pétroliers.

PRINCIPAUX CONFLITS EN COURS

Californie • Alberta • Colorado • ETATS-UNIS • Golfe du Mexique • Rép. dominicaine • VENEZUELA • COLOMBIE • BRÉSIL

La réduction de la dépendance passe aussi par la diversification des sources d'approvisionnement, la déconcentration du marché et, bien sûr, le développement des énergies alternatives, la plus directement utilisable étant le nucléaire. Par ailleurs, une fois apaisée la crainte pour la sécurité des besoins vitaux, reste la recherche de la prospérité par prospection des richesses naturelles dans le monde. C'est l'affaire des compagnies privées, mais aussi d'organismes étatiques, comme le BRGM (Bureau des recherches géologiques et minières) en France. Certains métaux utilisés pour la fabrication d'instruments de haute précision ou certaines armes sophistiquées tel le bérylium, le tungstène, le vanadium deviennent stratégiques en raison de leur rareté. En revanche, l'uranium, essentiel, se trouve en abondance et le retraitement en permet l'exploitation sans avoir à s'inquiéter d'un éventuel épuisement. ■

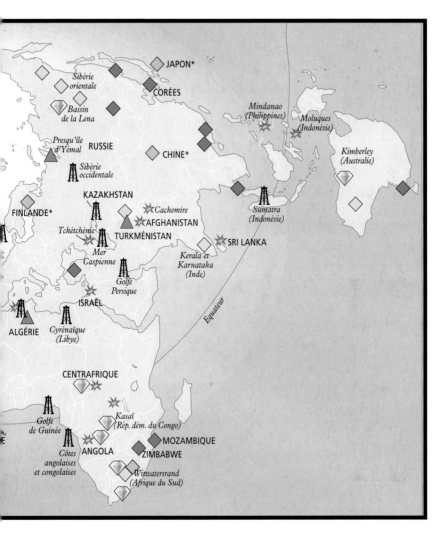

Les flux financiers et boursiers

L'influence des flux financiers et boursiers sur le cours de l'histoire n'a plus besoin d'être démontrée. Si l'échiquier géopolitique planétaire est parfois taxé de « société anarchique », que dire des marchés financiers et boursiers ? De manière générale, les systèmes financiers regroupent les institutions qui mettent en relation ceux qui ont des besoins de financement avec ceux qui ont des capacités d'épargne. Ces systèmes réunissent les marchés de capitaux (marchés financiers et monétaires) et les institutions financières assurant la collecte des fonds et la distribution des financements.

97

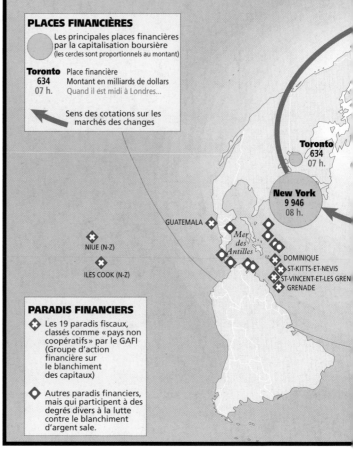

PLACES FINANCIÈRES

Les principales places financières par la capitalisation boursière
(les cercles sont proportionnels au montant)

Toronto
634
07 h.

Place financière
Montant en milliards de dollars
Quand il est midi à Londres...

Sens des cotations sur les marchés des changes

Toronto
634
07 h.

New York
9 946
08 h.

GUATEMALA

Mer des Antilles

NIUE (N-Z)

ILES COOK (N-Z)

DOMINIQUE
ST-KITTS-ET-NEVIS
ST-VINCENT-ET-LES GREN
GRENADE

PARADIS FINANCIERS

Les 19 paradis fiscaux, classés comme «pays non coopératifs» par le GAFI (Groupe d'action financière sur le blanchiment des capitaux)

Autres paradis financiers, mais qui participent à des degrés divers à la lutte contre le blanchiment d'argent sale.

Au début des années 70, les mouvements internationaux de capitaux étaient de l'ordre de 70 milliards de dollars par jour. En 2000, ce chiffre était largement supérieur à 1 500 milliards de dollars par jour. Pour tenter de réguler ces mouvements massifs et de protéger la stabilité monétaire, l'économiste américain James Tobin proposa en 1972 de taxer chacun de ces mouvements à 1 % de leur valeur, chiffre ramené ensuite à 0,1 %.

À l'ère de la mondialisation – donc de l'accroissement de l'interdépendance – et du libéralisme économiques, à une époque marquée par une instabilité géopolitique chronique, les flux financiers et boursiers jouent un rôle de première importance qui s'étend bien au-delà de la sphère économique. Dans le cadre de la dérégulation financière des trois dernières décennies du XXᵉ siècle, ces systèmes ont beaucoup évolué. Ils ont permis notamment l'éclosion de la nouvelle économie (production de biens et de services au moyen des nouvelles technologies, dans un cadre échappant largement aux anciennes réglementations). Cependant, malgré l'internationalisation des systèmes financiers, il n'en demeure pas moins que de grandes disparités persistent entre les systèmes nationaux.

Acteur de premier plan, le «système» financier et boursier se caractérise par une fragilité intrinsèque, malgré les règles spécifiques établies pour le stabiliser. Acteur national, international et transnational, ce système, qui n'en est pas vraiment un mais qui met gravement en cause le pouvoir économique et monétaire des États, est régulièrement bousculé par des crises successives comme l'éclatement des «bulles spéculatives» boursières, la spéculation brutale contre une monnaie nationale ou le retrait massif des capi-

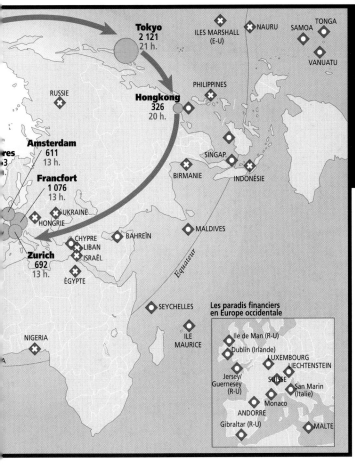

Tokyo
2 121
21 h.

ILES MARSHALL
(E-U)

NAURU

SAMOA

TONGA

VANUATU

RUSSIE

PHILIPPINES

Hongkong
326
20 h.

Amsterdam
611
13 h.

res
.3

Francfort
1 076
13 h.

SINGAP.

BIRMANIE

INDONÉSIE

UKRAINE

HONGRIE

CHYPRE
LIBAN
ISRAËL

BAHREÏN

MALDIVES

Zurich
692
13 h.

ÉGYPTE

Équateur

NIGERIA

SEYCHELLES

ILE
MAURICE

Les paradis financiers
en Europe occidentale

Ile de Man (R-U)

Dublin (Irlande)

LUXEMBOURG
LIECHTENSTEIN

Jersey/
Guernesey
(R-U)

SUISSE

San Marin
(Italie)

Monaco

ANDORRE

Gibraltar (R-U)

MALTE

◀ Les transferts de milliards de dollars en quelques secondes créent une nouvelle opacité dont profitent les flux financiers illégaux.

taux d'un pays, dont on estime la stabilité politique ou économique menacée (cas de la Thaïlande en 1997, où la fragilité avérée du système bancaire provoqua le retrait des investisseurs). Plusieurs événements ont récemment renforcé l'impression générale d'instabilité du système et son interdépendance par rapport aux facteurs politiques et militaires : la crise indonésienne, la «bulle» financière créée autour de la nouvelle économie puis son éclatement, la crise financière qui a suivi les attentats du 11 septembre 2001.

L'évolution des flux financiers et boursiers s'est accompagnée d'un meilleur accès à l'information, ainsi que de sa plus grande diffusion. Néanmoins, les explications concernant la volatilité des marchés et la causalité des «krachs» restent floues et ne permettent pas d'anticiper les mouvements futurs. Les comportements moutonniers demeurent, avec les risques qu'ils comportent. L'interdépendance inhérente aux marchés financiers et boursiers fait qu'une crise financière ne peut plus être circonscrite là où elle trouve son origine. Une panique financière peut ainsi déclencher une crise politique débouchant, le cas échéant, sur un conflit armé, comme ce fut le cas en Indonésie avec la crise du Timor-Oriental en 1999 ∎

En 1999, 91 % des utilisateurs d'Internet dans le monde étaient concentrés dans les 29 pays de l'OCDE (Organisation pour la coopération et le développement économique, regroupant les pays les plus avancés), représentant eux-mêmes 19 % de la population mondiale.

Les drogues : un monde hors la loi

Phénomène en recrudescence, le trafic de drogue tend à devenir un facteur de corrosion économique et politique dans le monde. États en faillite, paradis fiscaux, armées « grises » forment un deuxième monde totalement hors la loi.

Durant les années 1990, la drogue est entrée de plain-pied dans le théâtre de la politique internationale. La fin de la guerre froide et le relâchement géostratégique qui en a résulté ont donné une plus grande liberté aux organisations criminelles travaillant dans le secteur de la drogue alors que l'explosion du commerce international a facilité l'exportation de produits illicites. La demande étant à la mesure de l'offre, le commerce de la drogue n'a cessé d'augmenter malgré les efforts des États concernés pour endiguer le fléau. En 1994, l'Afghanistan accède au rang de premier producteur d'opium avec environ 3 500 tonnes. Au triangle d'or sino-thaïlandais succède un « croissant d'or »

Un rapport de l'ONU estime à 500 milliards de dollars par an le chiffre d'affaires mondial annuel du trafic des drogues, soit environ un tiers du PIB de la France et 8 % du commerce mondial. Par ailleurs, l'ONU chiffre à plus de 4 millions de personnes le nombre de ceux dont le revenu principal repose sur la culture de la coca en Amérique latine et en Asie.

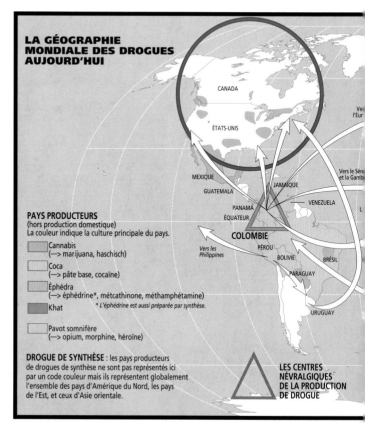

LA GÉOGRAPHIE MONDIALE DES DROGUES AUJOURD'HUI

CANADA

ÉTATS-UNIS

Vers l'Eur

MEXIQUE

JAMAÏQUE

Vers le Sén et la Gambi

GUATEMALA

VENEZUELA

PANAMA
ÉQUATEUR

COLOMBIE

PÉROU

Vers les Philippines

BOLIVIE

BRÉSIL

PARAGUAY

URUGUAY

PAYS PRODUCTEURS
(hors production domestique)
La couleur indique la culture principale du pays.

Cannabis
(—> marijuana, haschisch)

Coca
(—> pâte base, cocaïne)

Éphédra
(—> éphédrine*, métcathinone, méthamphétamine)

Khat
* L'éphédrine est aussi préparée par synthèse.

Pavot somnifère
(—> opium, morphine, héroïne)

DROGUE DE SYNTHÈSE : les pays producteurs de drogues de synthèse ne sont pas représentés ici par un code couleur mais ils représentent globalement l'ensemble des pays d'Amérique du Nord, les pays de l'Est, et ceux d'Asie orientale.

LES CENTRES NÉVRALGIQUES DE LA PRODUCTION DE DROGUE

(Afghanistan, Pakistan, Iran avec un prolongement vers la Turquie). Dans les pays de la CEI, l'Asie centrale retrouve sa vocation ancienne de « route de l'opium ».

Logiquement, la drogue est donc devenue une source potentielle de conflit entre les pays « producteurs » et les pays « acheteurs ». Les seconds, souvent eux-mêmes incapables de freiner la demande chez eux, reprochent aux premiers de ne pas faire les efforts nécessaires pour en arrêter la production. Des échanges de ce type ont marqué notamment les relations parfois tendues entre les États-Unis et divers pays d'Amérique latine. Malgré tout, une certaine forme de coopération est née de ces échanges, avec un influx d'argent alloué par les pays industrialisés pour aider les gouvernements à combattre les producteurs et les commerçants de la drogue. Ce fut le cas par exemple du très controversé « Plan Colombie » défini par les gouvernements américain et colombien qui envisageait une solution surtout militaire au problème.

La drogue, de par la masse d'argent qu'elle est capable d'engendrer, est aussi devenue un nouveau nerf de la guerre, notamment pour les mouvements de type insurrectionnel. De cette manière elle contribue à un nouveau phénomène, la privatisation de la violence organisée. Là encore, la fin de la guerre froide ayant radicalement mis un terme, de la part des deux superpuissances, à l'allocation de fonds destinés à divers groupes insurrectionnels,

Plusieurs États à travers le monde sont fortement soupçonnés de profiter directement du commerce de la drogue, principalement la Birmanie et le Pakistan. En Amérique latine, de nombreux gouvernants et plusieurs guérillas (Sentier lumineux au Pérou, FAR en Colombie) sont également liés à l'argent de la drogue.

◀ Où combattre le fléau ? Chez les producteurs ou chez les consommateurs ? Ni le moralisme ni la répression ne sont encore parvenus à venir à bout du problème.

ces derniers ont dû chercher d'autres moyens de subsistance. Dans certains pays, les guérilleros ont trouvé de nouveaux alliés circonstanciels avec les cartels et avec d'autres organisations criminelles. Ce phénomène de collusion entre ces divers éléments perturbateurs est parfois appelé «narco-guérilla», la frontière entre les éléments politico-militaires de la guérilla d'une part, et les éléments criminels et commerciaux de l'autre étant souvent très floue. La Colombie, où ce phénomène est particulièrement prononcé, a aussi connu la naissance de groupes paramilitaires opposés à la guérilla et qui profitent également de l'argent de la drogue pour lever des milices, contribuant de manière significative à la montée aux extrêmes de la violence.

Ce type de situation très volatile peut s'étendre au-delà des frontières d'un État avec d'une part la recherche de sanctuaires dans les pays avoisinants et d'autre part l'exploitation de nouveaux territoires, souvent isolés, pour la production de la drogue, la contrebande et la distribution. Dès lors que le problème s'étend ailleurs, il en résulte inévitablement une certaine tension entre les pays concernés.

De manière générale, si la drogue est rarement à elle seule à l'origine de conflits armés, elle constitue un moteur puissant de la violence organisée et une source certaine de tensions politiques infra- et inter-étatiques. ■

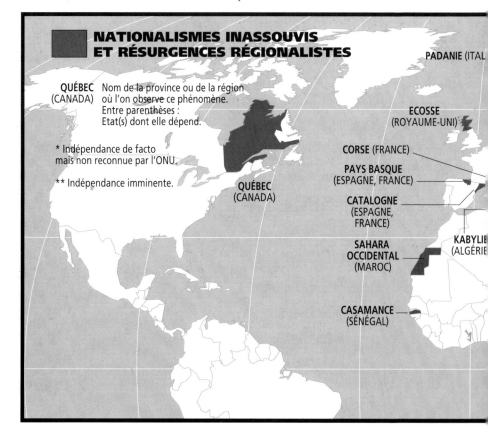

NATIONALISMES INASSOUVIS ET RÉSURGENCES RÉGIONALISTES

PADANIE (ITAL

QUÉBEC Nom de la province ou de la région
(CANADA) où l'on observe ce phénomène.
Entre parenthèses :
Etat(s) dont elle dépend.

* Indépendance de facto
mais non reconnue par l'ONU.

** Indépendance imminente.

QUÉBEC
(CANADA)

ECOSSE
(ROYAUME-UNI)

CORSE (FRANCE)

PAYS BASQUE
(ESPAGNE, FRANCE)

CATALOGNE
(ESPAGNE,
FRANCE)

KABYLIE
(ALGÉRIE

SAHARA
OCCIDENTAL
(MAROC)

CASAMANCE
(SÉNÉGAL)

L'intemporelle pulsion nationaliste

Pourquoi avoir parlé de retour du nationalisme au lende-main de la guerre froide ? Ne s'agit-il pas de l'une de ces illusions géopolitiques qui saisit les Européens de l'Ouest au moment où disparaissent leurs frontières ? Il est vrai que la guerre froide avait gelé de nombreux nationa-lismes. L'internationalisme prolétarien avait prétendu dépasser les antagonismes nationaux. La bipolarisation avait favorisé une logique d'empire dans la sphère d'influence soviétique. Pourtant rien n'était résolu. Quant au reste du monde, il n'a cessé de démontrer la persistance et la virulence de la revendication natio-naliste insatisfaite.

Il existe de nombreuses nuances et gradations dans l'affirmation d'une appartenance nationale. Le fait national n'est pas néces-sairement agressif et violent.
L'affirmation d'une identité culturelle n'est pas synonyme de nationalisme pas plus que de refus d'une appartenance politique.

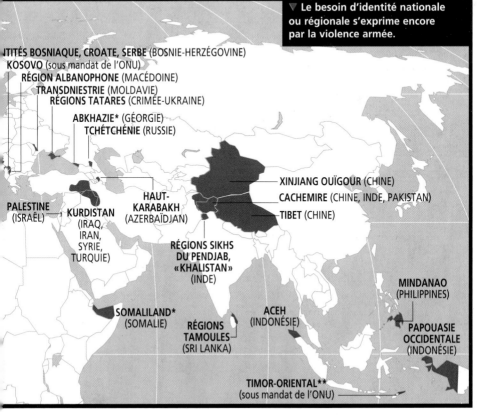

▼ Le besoin d'identité nationale ou régionale s'exprime encore par la violence armée.

ITITÉS BOSNIAQUE, CROATE, SERBE (BOSNIE-HERZÉGOVINE)
KOSOVO (sous mandat de l'ONU)
RÉGION ALBANOPHONE (MACÉDOINE)
TRANSDNIESTRIE (MOLDAVIE)
RÉGIONS TATARES (CRIMÉE-UKRAINE)
ABKHAZIE* (GÉORGIE)
TCHÉTCHÉNIE (RUSSIE)

XINJIANG OUÏGOUR (CHINE)
CACHEMIRE (CHINE, INDE, PAKISTAN)
TIBET (CHINE)

PALESTINE (ISRAËL)
KURDISTAN (IRAQ, IRAN, SYRIE, TURQUIE)
HAUT-KARABAKH (AZERBAÏDJAN)

RÉGIONS SIKHS DU PENDJAB, «KHALISTAN» (INDE)

MINDANAO (PHILIPPINES)

SOMALILAND* (SOMALIE)
RÉGIONS TAMOULES (SRI LANKA)
ACEH (INDONÉSIE)
PAPOUASIE OCCIDENTALE (INDONÉSIE)

TIMOR-ORIENTAL** (sous mandat de l'ONU)

Elle ne s'exprime pas forcément par un rejet de l'État qui est souvent le garant de la coexistence des diversités et des pluralismes. On sent bien que le langage flotte : le nationalisme n'est certes pas le chauvinisme, pas même le patriotisme. Cependant ces «isme» sont si chargés de violence passée et présente qu'on les entoure de précautions et de méfiance.

● Quatre modalités du fait international

Au tournant du siècle, on peut distinguer quatre modalités du fait national :
– permanence d'un sentiment national fort qui sert de ciment politique : Inde, Chine, États-Unis ;
– continuité des luttes de première génération pour obtenir la reconnaissance d'une identité nationale cherchant l'accès à la souveraineté au sein de frontières sûres et garanties : Kurdistan, Palestine, Ouïghours du Xin jiang, Tchétchènes et, bien sûr, de très nombreuses régions d'Afrique noire ;
– résurgence de personnalités nationales (ou ethniques) mal assurées, mal définies, craignant pour leur identité et tendant à pratiquer une surenchère irrédentiste : grande Albanie, grande Serbie. Dans presque tous ces cas, un nationalisme peut en opprimer un autre. Ainsi se trouve posé le problème de la souveraineté de l'État au regard de ses minorités nationales ;
– enfin, émergence des particularismes régionaux.

Trouvant leurs racines dans une histoire toujours disponible, ces mouvements profitent naturellement de la disparition des frontières dans la partie occidentale de l'Europe et du relâchement de la tutelle étatique. Ces particularismes prennent une valeur différente, en fonction de la qualité du rapport historique entretenu avec l'État. L'Écosse retrouve les voies du *self-government* sans remettre en cause l'unité britannique.

Certaines régions italiennes (Lombardie ou Vénétie) renouent avec un particularisme qui n'a jamais compris la nécessité de l'unité italienne. Le centralisme absolutiste, puis jacobin, a du mal à trouver les voies d'un consensus. C'est en France que la question est posée avec une acuité toute particulière. En Corse, en proie à un véritable pourrissement anarchique et, au Pays basque, bien que l'ETA frappe essentiellement sur le territoire espagnol. Dans l'ensemble, c'est sans violence que les particularismes trouvent dans un nouveau contexte politique et économique l'occasion d'affirmer une identité et des solidarités transfrontalières. Tel est le cas de la culture celtique qui essaime sur l'ouest de l'Europe. ■

Les Ouïghours sont un peuple du nord-ouest de la Chine de 7,5 millions de personnes environ. Islamisés (sunnisme) depuis le XVᵉ siècle, ils comptent un certain nombre d'activistes indépendantistes, passés à l'action contre Pékin au cours des années 1990. On retrouve certains de leurs éléments aux côtés des talibans afghans.

ETA (Euskadi ta Askatasuna, Pays basque et liberté). Fondée en 1959, l'ETA, qui recrute largement dans les milieux des jeunes nationalistes et dans les associations culturelles locales, revendique des centaines d'attentats ayant provoqué la mort de plus de 800 personnes.

Fondamentalismes : des facteurs de tensions

Toutes les fois et idéologies qui ont connu une péren- nité ont vu leur existence ponctuée de mouvements critiques. Ainsi sont nées les innombrables sectes réformatrices du christianisme qui ont essaimé dans le monde anglo-saxon entre le XVIe et le XIXe siècle. De tels mouvements se retrouvent dans le judaïsme, le boud- dhisme, l'hindouisme et l'islam. Ils continuent à se développer aux États-Unis.

De l'Algérie à l'Afghanistan, de la Palestine à l'Arabie saoudi- te, en passant par le Pakistan, le tournant du siècle aura été frappé par la violence sauvage liée au fondamentalisme isla- miste. Toutefois, réformisme théologique, intégrisme ou fon- damentalisme ne sont pas synonymes de fanatisme, d'intolé- rance et de violence. Certes, il s'agit de perturbations génératrices de tensions. Le lien avec la société et son régime politique paraît d'autant plus important que le pouvoir poli- tique y est souvent proche d'un régime théocratique.

● Traditionnellement
Le phénomène peut se caractériser comme une volonté de retour à la lettre et à l'esprit originel d'un courant de pensée, d'une religion. Procédant d'une insatisfaction critique de l'état présent, jugé dégradé ou corrompu, le fondamentalisme recherche une vérité et une pureté dont l'existence antérieure est posée en axiome. En réalité, il s'agit forcément d'une lec- ture interprétative du texte de référence, dont la version authentique peut faire parfois l'objet de contestations.
La violence provient de deux sources. Elle correspond à une réaction d'intolérance des autorités en place qui se sentent menacées dans leur légitimité. L'affrontement prend la forme de sanctions puis de persécutions. Mais en sens inverse, le per- turbateur peut se croire fondé à appeler à un refus d'obéissan- ce allant jusqu'à la rébellion. Il s'agit alors d'une lutte pour le pouvoir qui conduit à la guerre civile au nom de Dieu ou de tout autre principe supérieur.

● Aujourd'hui et demain
L'actualité de ces vingt dernières années (depuis la révolution chiite de 1979 dirigée par l'ayatollah Khomeyni, en Iran) conduit le monde à centrer son attention sur l'islam. L'arc de crises qui depuis la fin de la guerre froide n'a cessé d'affirmer son caractère central coïncide avec un activisme fondamenta- liste très agressif. L'ancienne conception du djihad (guerre sainte) a été restaurée, prenant une double cible : les régimes corrompus en rupture avec la lecture «bédouine» (tradition-

Al-Qaida (la base) a été créée en 1988 par le Saoudien Oussama Ben Laden. Elle regroupe 24 organisations constituantes, qui ont chacune un délégué au comité consultatif. Lors des attentats du 11 septembre 2001, Al-Qaida était présente dans près de 40 pays, au Maghreb, au Proche-Orient, en Afrique, en ex-URSS, en Europe (Bosnie, Kosovo) et en Asie (dont le Xin jiang chinois). Toutefois, Al-Qaida est davan- tage une structure informelle, où d'autres organisations autonomes peuvent trouver soutien et ressources, qu'une véritable internatio- nale fondamentaliste.

▶Les dérives sectaires violentes s'expliquent autant – sinon plus – par des causes politiques que par la diversité des croyances religieuses.

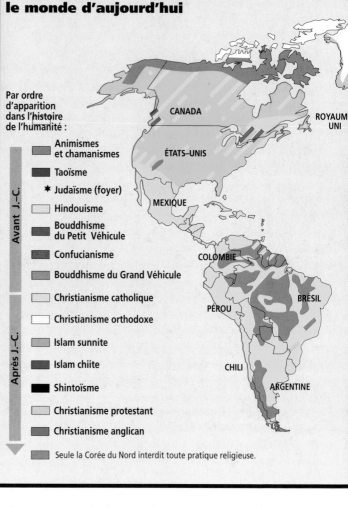

Les principales religions dans le monde d'aujourd'hui

Par ordre d'apparition dans l'histoire de l'humanité :

Avant J.-C.
- Animismes et chamanismes
- Taoïsme
- ✱ Judaïsme (foyer)
- Hindouisme
- Bouddhisme du Petit Véhicule
- Confucianisme
- Bouddhisme du Grand Véhicule

Après J.-C.
- Christianisme catholique
- Christianisme orthodoxe
- Islam sunnite
- Islam chiite
- Shintoïsme
- Christianisme protestant
- Christianisme anglican

Seule la Corée du Nord interdit toute pratique religieuse.

Al Itihad al-Islamiya est un groupe fondamentaliste implanté au Soudan et en Somalie. Associé depuis 1992 à Al-Qaida, l'organisation entraînerait de 3 000 à 5 000 militants dans la pointe sud de la Somalie et posséderait plusieurs banques, des bureaux de change, des sociétés d'Internet et des agences de voyages.

nelle et nomade) de l'islam ; l'action corruptrice de puissances étrangères supposées manipulées par un « diabolisme » judaïque.

L'une des tendances extrémistes de l'islamisme procède d'un esprit de contre-croisade visant à repousser les infidèles. De tous temps, l'action de petits groupes a été le mode d'action du faible contre les pouvoirs constitués qu'il conteste. Il s'organise en réseau, forme des militants prêts au sacrifice suprême et agit en recourant au terrorisme. L'islamisme violent, longtemps circonscrit à des régions dont il ne sortait guère, s'est haussé au niveau transnational (attentats du GIA en France), puis mondial, en frappant les États-Unis.

On ne saurait pour autant perdre de vue que des intégrismes radicaux incitent à l'intolérance et à l'action violente dans le reste du monde : en Inde, aux États-Unis mêmes, à travers des

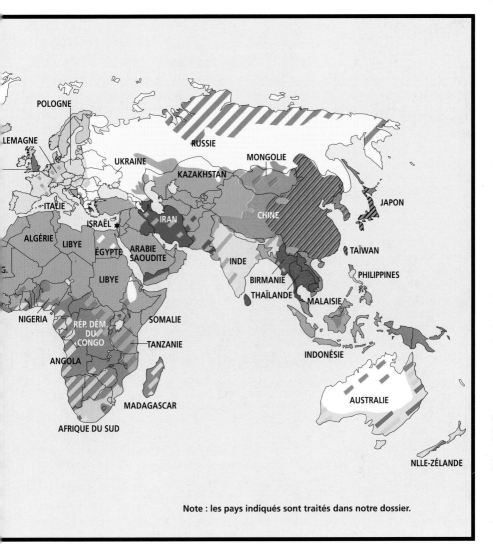

POLOGNE

LEMAGNE

RUSSIE

UKRAINE

MONGOLIE

KAZAKHSTAN

JAPON

ITALIE

ISRAËL

IRAN

CHINE

TAÏWAN

ALGÉRIE

LIBYE

ÉGYPTE

ARABIE
SAOUDITE

INDE

PHILIPPINES

LIBYE

BIRMANIE

THAÏLANDE

MALAISIE

NIGERIA

RÉP. DÉM.
DU
CONGO

SOMALIE

TANZANIE

INDONÉSIE

ANGOLA

AUSTRALIE

MADAGASCAR

AFRIQUE DU SUD

NLLE-ZÉLANDE

Note : les pays indiqués sont traités dans notre dossier.

idéologies de pureté aryenne, d'africanité totale, etc.

La riposte à ces courants dont les attentats du 11 septembre 2001 ont manifesté la capacité de malfaisance passe par une stratégie intégrale, qui combine de multiples interventions militaires et policières. La réponse, loin d'être évidente, tient à la capacité d'intervention culturelle, économique, socio-éducative. L'explosion démographique en terres d'Islam crée un terreau violemment contestataire. ■

Les nouveaux perturbateurs occidentaux

Mais que sont les contestataires devenus ? La faillite du messianisme marxiste laisse orpheline la protestation internationale. Affectant en fonction de cultures politiques diverses les aires asiatique, latino-américaine et européenne, sa disparition crée un vide idéologique profond et durable. S'il est assuré que l'on n'est pas près d'atteindre la fin de l'histoire, des idéologies disparates, régionalistes ou fondamentalistes, trop particulières pour prétendre à l'universalisme, ne parviennent pas à rassembler. Du coup, les candidats perturbateurs d'un ordre mondial aux contours mal définis, caractérisé bien plus que dominé par la surpuissance des États-Unis, paraissent plus réactifs voire réactionnaires que les révolutionnaires du siècle précédent.

Greenpeace a été créée en 1971, à Vancouver (Canada). Pionnière des ONG au sens moderne du terme, elle milite contre les essais nucléaires, la chasse aux baleines et le déversement en mer des déchets toxiques. À ces objectifs environnementalistes, elle ajoute le combat pour la paix, le désarmement mondial et la non-violence.

● **La critique de la croissance n'est certes pas nouvelle**
En 1968, le Club de Rome avait envisagé une croissance zéro. Cette contestation a d'autant plus de chances de se pérenniser qu'elle est alimentée par la croissance elle-même, par l'inexorable développement des sociétés postindustrielles. La critique de la gestion des flux et de l'organisation des voies de communication marchandes reçoit une attention toute particulière. La circulation sauvage fait l'objet d'une véritable traque juridique, comme les flux financiers illicites. Trop de «marées noires», trop d'accidents meurtriers dans les tunnels pour que les pavillons de complaisance et les flux routiers ne soient soumis à de salutaires régulations.
Le relatif succès du libéralisme et le spectre d'une mondialisation mal comprise se conjuguent à la réelle évolution des sociétés saisies par la révolution de l'information. Des idéologies de nature conservatrice, mélange de superstitions et d'authentiques connaissances scientifiques expriment l'inquiétude diffuse (et très classique) de sociétés engagées dans une transformation profonde du rapport au temps et au savoir.

● **Les peurs**
En Occident, psychologiquement ébranlé par les progrès du sida, l'individualisme s'exprime par une triple revendication sécuritaire : protection du corps, de la qualité de la vie et de l'environnement.
La nourriture devient un sujet de préoccupation majeur en raison des épidémies qui frappent les cheptels bovins (vache folle) puis ovins (fièvre aphteuse). Cette inquiétude favorise une autre action également spectaculaire qui s'en prend aux manipulations transgéniques (OGM). Le complexe agroalimentaire, désormais organisé en chaîne continue depuis la recherche biologique en

amont amont jusqu'à la distribution au consommateur, devient l'objet d'une contestation au nom de la «malbouffe».
Curieusement, mais non sans logique, cette nébuleuse d'angoisses comporte une tendance radicale considérée dans certains pays comme l'Allemagne ou la Grande-Bretagne comme potentiellement terroriste : les opposants à la vivisection et aux expériences sur les animaux.

• Un ordre économique nouveau se construit qui peu à peu prend la relève des architectures de 1945

De nouveaux centres de pouvoirs, de consultation et parfois de décision se sont constitués. Le G7 (+1 avec la Russie), la Commission européenne, après le GATT, l'OMC réunissent, plus nombreux que jamais, les États désireux de promouvoir avec le commerce, leur prospérité.
La mondialisation engendre alors une contestation qui rappelle les mobilisations anti-impérialistes des années 1960-1970 et la critique marcusienne de la société de consommation. Les sommets de l'OMC (Seattle, 1999) et du G7 (Gênes 2001) ou le forum de Davos deviennent les lieux de manifestation d'un contre-pouvoir qui cherche encore sa cohérence.
Les acteurs de cette confrontation ont changé. D'un côté les organisations puissantes mais lourdes, États et sociétés privées (Elf, Shell, Cogema), de l'autre, d'innombrables ONG, souvent financées par des canaux fort respectables comme les Nations unies, par de petits États, ou des «leaders d'opinion».
Les pionniers de la contestation comme Greenpeace paraissent même dépassés. Car l'action pour l'environnement change aussi progressivement de terrain : au débat d'idées, aux passions antinucléaires succède une lutte pour la production de normes (contre le travail des enfants ou pour le respect des libertés syndicales) ayant valeur internationale qui, progressivement, placeront sous contrainte, le système de production et d'échanges.
Certaines multinationales le sentent bien qui, déjà, s'engagent dans le processus de définition d'un droit commercial modernisé où se retrouvent au mieux leurs intérêts. La lutte pour une norme favorable tend à devenir une nouvelle forme de la concurrence internationale. ■

La Confédération paysanne a été créée en France en 1987. Son objectif est : «Pour une agriculture paysanne et durable dans un monde solidaire», contre «le modèle de développement agricole roductiviste» et en faveur de «l'encouragement à la qualité des produits, l'emploi par l'installation de nombreux paysans et l'aménagement harmonieux du territoire».

Attac (Association pour une taxation des transactions financières pour l'aide aux citoyens) est une organisation française créée en 1998 autour du journal «le Monde diplomatique». Elle milite pour la mise en application de la taxe Tobin (taxation des transactions financières internationales).

Les acteurs stratégiques :

hommes et organisations

Dans le domaine stratégique, la notion d'acteurs, absolument centrale, renvoie à une foule d'identités : individus, États et organisations. Ce dernier terme revêt au début du XXIᵉ siècle une importance croissante. Avec l'avènement de l'âge de l'information, il semble que les organisations non-étatiques jouent un rôle d'influence de plus en plus déterminant, en venant s'intercaler entre les gouvernants et les gouvernés souvent regroupés dans la notion informe d'opinion publique qui entre en compétition avec celle de citoyen responsable.

Dans son ouvrage, « le Système totalitaire », Hannah Arendt montre bien comment les régimes autoritaires doublent toujours le système de pouvoir officiel d'un autre, occulte et changeant : l'État et le Parti en URSS ou l'État et les organes de répression (Gestapo, SS) dans le régime nazi, le déplacement constant des vrais centres de pouvoir participant au caractère totalitaire de celui-ci.

• Individu et organisation sur le long cours du siècle...

En apparence, un acteur est individuel ou collectif : en réalité la mixité l'emporte. Car un individu exprime dans sa personne et ses propos les intérêts d'un collectif qui a misé sur lui et lui reconnaît pour un temps plus ou moins long une légitimité de porte-parole ainsi qu'un pouvoir de décision qui rend nécessaire la présence d'un chef. Organisés sur le modèle léniniste, les partis communistes considèrent que l'organisation est tout, l'individu rien. Paradoxalement, ce sont ces appareils qui ont poussé le plus loin la personnalisation du pouvoir.

Toutefois, un individu peut chercher à s'emparer de l'organisation qui l'a placé à sa tête. Il existe de nombreuses techniques de conservation du pouvoir (purges, formation d'organisations parallèles, etc.). Ceci conduit le « tyran » à créer une organisation « double », officielle et occulte, qui lui permet de soumettre à sa volonté l'organisation qui l'a porté au pouvoir.

• Autonomisation des organisations

Une organisation constitue un outil stratégique au service d'une fin politique. En raison de l'importance de l'enjeu qu'elle sert et de la puissance acquise en cours de réalisation de l'objectif, une organisation peut faire de sa propre existence une finalité en soi. Elle fera valoir que la finalité présente un caractère essentiel et durable tendant à s'identifier à la finalité politique voire à toute politique.

La question du pouvoir au XXIᵉ siècle se pose de plus en plus en termes de structure des organisations, fonction de la hiérarchie entre des pouvoirs de plus en plus nombreux et décentralisés. Tendanciellement, les organisations l'emportent sur les individus qu'elles dessaisissent du pouvoir sociétal qu'ils ont pu acquérir par des liens personnels : la famille ou le clan. Les médias récla-

◀ Oussama Ben Laden est-il le chef « inspiré » d'une organisation terroriste ou un pion dans le jeu complexe des luttes de pouvoir dans la péninsule arabique ?

mant des têtes d'affiche, il faut leur en fournir. Cependant, nombre d'acteurs puissants préfèrent rester discrets, peu médiatiques. Le visible ne serait plus alors qu'une manipulation d'individus investis du droit à se faire porte-parole, des « leaders d'opinion ». Car l'organisation doit développer une manœuvre pour l'influence au service de ses propres intérêts.

S'il paraît inéluctable que l'organisation broie le pouvoir individuel, sa prétention à substituer ses propres buts à l'intérêt collectif constitue une perversion grave et de plus en plus fréquente du rôle de l'État dans les systèmes démocratiques. ■

Les organisations se caractérisent par la création d'une langue (que l'on dit de bois). Sans être inexacte, l'expression est injuste : une organisation ne saurait s'exprimer comme un individu voire un groupe. Produit d'un travail de réflexion collective, fusion des points de vue, elle se doit de construire une langue capable de refléter fidèlement cet amalgame.

Financiers de la puissance et puissance des financiers

L'Empire de Charles Quint n'aurait pu exister sans les banquiers allemands Fugger. Point de guerre sans argent. La violence armée a besoin de la puissance financière. Les États cherchent évidemment à s'affranchir de cette servitude. Où se trouve le pouvoir ? Quels en sont les véritables détenteurs ? L'argent, la force, la politique, le droit ? Toujours fondamentale, la relation entre les rois et les marchands, entre les guerriers et les financiers de la guerre n'a jamais été simple.

Hier, la haute banque était privée et confessionnelle : les Rothschild, les Worms, les Neuflize et les Mallet. En Italie existe encore la merveilleuse appellation Banco di Santo Spirito, de résonance bien vaticane. La banque Lazare Frères poursuit ses opérations choisissant pour président de ses établissements en Allemagne, John Kornblum, ancien ambassadeur américain à Bonn, longtemps chargé des affaires européennes au département d'État.

La nouveauté vient de l'accroissement du pouvoir des banques centrales et des instituts transnationaux. Avec la conscience légitime mais parfois excessive de l'importance de l'économie dans les relations internationales – dénommée parfois géoéconomie par analogie avec la géopolitique –, le pouvoir des gouverneurs des banques centrales n'a cessé d'augmenter.

Les banquiers sont-ils monétaristes, tous attachés à la déflation ou à une inflation sévèrement tenue en bride ? C'est ce que suggèrent les vingt dernières années du XXᵉ siècle qui montrent l'accession au pouvoir financier d'un même courant de pensée, y compris au Japon avec M. Masaru Hayami gouverneur de la Bank of Japan (auteur en 1995 du livre *The Day Yen Wins Respect*, vibrant plaidoyer pour un yen fort). Alan Greenspan, président de la FED américaine, est, par ses décisions en matière de taux d'intérêt, le véritable guide de Wall Street et des Bourses du monde. Nommé en 1987, alors que Reagan achève son second mandat, M. Greenspan bénéficie d'un puissant soutien républicain. Or, durant huit ans, le président Clinton aura fait hommage et allégeance à un homme qui ne s'est jamais privé de présenter ses remontrances à la politique sociale présidentielle.

L'attribution de la direction de la Banque centrale européenne fut l'occasion d'un sérieux affrontement franco-allemand qui aboutit à la nomination du Néerlandais Wim Duisenberg, soutenu par la Buba (banque centrale allemande). L'homme du passage à l'euro fait objet d'une contestation permanente, tandis qu'autour de son successeur (officieusement) désigné, le Français Jean-Claude Trichet, une cabale est depuis longtemps menée.

La première banque centrale a été celle de Suède, créée en 1669, suivie en 1694 par celle d'Angleterre. Depuis les années 80, la plupart des banques centrales ont acquis une indépendance accrue vis-à-vis de leurs gouvernements. Leur degré de liberté face au politique constitue même un des critères de base quant à la solidité financière d'un pays.

Disposant du pouvoir de négociation sur les prêts et l'aménagement du service de la dette, ayant de ce fait son mot à dire sur le déficit budgétaire, et les modalités de contrôle de l'inflation, le FMI et la Banque mondiale font plier les gouvernements et infléchissent leur politique. Tel est le cas de l'Amérique du Sud. Le Brésil et l'Argentine, sommés de réduire leur inflation, ont dû revoir, ipso facto, leurs budgets militaires : renoncement à l'acquisition de l'arme nucléaire, des missiles balistiques, etc. La Russie, presque incontrôlable sous la présidence eltsinienne, devient un interlocuteur difficile mais responsable sous Poutine. Mais dans les affaires intérieures, les relations ne sont pas moins tendues. Ainsi, M. Hans Tittmayer, directeur de la Bundesbank, plie devant la volonté de Kohl puis, une fois l'unité allemande réalisée en 1990, se rattrape sur les modalités de la réalisation du couplage des deux économies.

Autant dire qu'aujourd'hui comme hier les relations entre les financiers et le pouvoir politique ne seront jamais simples mais compétitives, interchangeables, parfois même troubles. ■

Traditionnellement, les présidences des deux institutions centrales du système de Bretton Woods sont partagées entre les États-Unis et l'Europe. Le FMI revient au Vieux Continent, tandis que la Banque mondiale est toujours gouvernée par un Américain.

Les scientifiques et la guerre

I
nventant la dynamite, Auguste Nobel se crut tranquille. Qui oserait utiliser une substance aussi effroyablement destructrice ? La guerre devenait impossible. Sur les ruines de cette illusion fut fondé un prix qui récompense la recherche scientifique, les arts et… la paix.

Si la science « pure » ne joue qu'un faible rôle dans l'exercice de la puissance des États, l'existence d'une base scientifique constitue un facteur de puissance primordiale. Elle conditionne les applications techniques qui, elles, serviront aux recherches militaires et permettront aux ingénieurs et aux techniciens de développer des systèmes d'armement. Toutefois les mathématiques, la théorie des jeux (von Neumann) ont permis, dès l'entre-deux-guerres, d'importantes réalisations dans les domaines de la recherche opérationnelle (théorie des convois protégés durant la bataille de l'Atlantique) ou de la cryptologie (machines Enigma).

Comme n'importe quel autre professionnel, le scientifique est mû par des passions, influencé par des idéologies. L'idée d'un plus grand esprit de responsabilité a priori du scientifique semble relever du mythe. Il est au demeurant relativement aisé de convaincre les scientifiques d'apporter leur contribution à l'œuvre légitime de défense de leur pays. L'inventeur du radar a probablement sauvé l'Angleterre en septembre 1940. Plus largement, la réalisation de

La relation entre la guerre et les jeux parcourt la pensée stratégique. Dans les années 60, l'Américain Thomas Schelling fonda la théorie du contrôle des armements entre les États-Unis et l'URSS sur l'évitement du jeu à somme nulle (ce que gagne l'un équivaut à une perte pour l'autre) et la recherche de l'intérêt minimal (ne pas être nucléairement annihilé).

l'arme nucléaire offre un exemple frappant. Foncièrement pacifiste, Albert Einstein réussit avec Niels Borg, Hans Bethe et Leo Szilard à alerter Roosevelt sur le risque de réalisation par l'Allemagne nazie d'une arme nucléaire. Ainsi est lancé, sous la direction scientifique d'Oppenheimer, le Manhattan Project qui aboutit à deux expériences en conditions réelles : Hiroshima et Nagasaki.

En dépit des objurgations d'Oppenheimer, la course aux armements nucléaires est lancée, mettant en concurrence Edward Teller aux États-Unis et Andrei Sakharov en Union soviétique. Les dangers d'un conflit nucléaire ont beaucoup contribué à mobiliser, surtout aux États-Unis et en URSS, une communauté scientifique très impliquée dans le développement de ces armes.

De même que l'on s'inquiète de la prolifération des armes les plus dangereuses, la fuite des cerveaux constitue un péril sans doute plus grand encore. Après l'effondrement de l'Union soviétique, le contrôle des déplacements de savants et d'ingénieurs pose un difficile problème. La liberté de circulation des hommes et de leurs écrits reste un principe reconnu par toutes les démocraties. En outre, l'accueil dans les grands laboratoires occidentaux de jeunes chercheurs venus du monde entier crée les conditions d'une diffusion des savoirs susceptibles d'applications militaires. En fait, la seule règle demeure celle de la conscience et de la responsabilité.

La frontière entre le «bon» et le «mauvais» scientifique est aussi délicate à tracer qu'entre les bonnes et les mauvaises causes. ■

Quatrième pouvoir et producteurs d'opinion

Du XIXe et au XXIe siècle, patrons de presse, de radios et de télévision ont créé, dans les démocraties occidentales un « quatrième pouvoir » qui va s'affirmant à mesure du développement des vecteurs de communication. Ce pouvoir crée des leaders d'opinion dont la compétence sur le fond ne vaut que par leur relation privilégiée à la forme, la communication du message. Au sein du monde de la communication, des individualités se distinguent en tant que créateurs d'idéologies qui, leur faisant concurrence, viennent s'ajouter aux chefs spirituels traditionnels.

Le quatrième pouvoir tire sa puissance d'une valeur reconnue comme intangible : la liberté d'expression. S'identifiant à la démocratie, il s'empresse de la manipuler en jouant d'un terrain de manœuvre, à la fois matériel et virtuel : l'opinion publique que déjà, au XIXe siècle, brocardait Offenbach, aujourd'hui mesurée de manière quasi permanente par les instituts de sondage.

● Les patrons de presse

Parmi eux viennent au premier chef les responsables des différents instruments médiatiques depuis les agences et groupes de presse jusqu'aux chaînes de télévision.

Les agences, très précoces, parmi lesquelles Havas, ancêtre de l'AFP, créée en 1835, tirent parti des nouvelles techniques de communication par câbles sous-marins intercontinentaux. Elles ont permis le développement de la grande presse populaire, créatrice de courants d'opinions, versatiles et manipulables.

Il existe une étrange continuité entre les patrons de presse de Randolph Hearst à Rupert Murdoch, propriétaire australien entre autres du très populiste Sun, du magnat des tabloïds Robert Maxwell (mystérieusement décédé en 1991) à Ted Turner, qui passe alliance avec Time-Warner pour créer un groupe offrant un canal permanent de films anciens. Ainsi la modernité renoue avec la tradition.

Toujours complexe, fréquemment conflictuelle, la relation avec le pouvoir d'État reste évidemment très variable selon le régime politique et l'enracinement historique des pratiques de la démocratie. L'avenir de l'action politique se situe dans ce sillage.

À la fin du XXe siècle, le marché des images était estimé à environ 215 milliards de dollars, dont 45 milliards pour le cinéma et 170 milliards pour l'audiovisuel, dont les États-Unis maîtrisaient 60 % des échanges

● Les créateurs d'idéologie

Les studios Disney ne produisent pas seulement du loisir. Mickey et Donald ont soutenu la lutte contre Hitler et le communisme, mais ils sont également le promoteur de valeurs américaines, parfois ancrées dans des idéologies sectariennes proches du maçonnisme protestant.Steven Spielberg apparaît comme le descendant direct d'une tradition de spectacle grand public qui ne craint pas d'aborder de front des questions brûlantes tels l'extermination des Juifs ou l'esclavagisme, et d'apporter des réponses qui façonnent l'opinion sur les «questions de société». Producteur de plusieurs films de Spielberg, George Lucas, inspira «la guerre des étoiles» de Ronald Reagan avec son film éponyme de 1977, sans l'avoir voulu mais sans s'y opposer, ou, plus tard, l'initiative de défense stratégique, soutenue par George W. Bush. Tous deux apparaissent ainsi comme des maîtres de l'influence américaine dans le monde.

● Les leaders d'opinion

À côté des chefs spirituels traditionnels, porte-parole d'une religion ou d'une idéologie politique, s'est développée et progresse une catégorie nouvelle, les «leaders d'opinion». Emblèmes, figures de proue, créées pour les besoins de la cause ou hautes personnalités manipulées : Mère Teresa, la princesse Diana, des intellectuels (Soljenitsyne) ou des artistes (Sting). Les ONG ont su tirer le meilleur parti de cette situation au service de la cause qu'ils défendent. Lady Di traversant un champ de mines antipersonnel a fait ainsi beaucoup pour la promotion de la convention d'Ottawa.

L'attribution du prix Nobel (surtout celui de la paix) constitue une action d'influence. Lorsque, en 1996, le jury de Stockholm donne le prix à l'association Pugwash, c'est bien pour réaffirmer sa condamnation de la reprise des essais nucléaires français.

Dans la sphère de l'influence, le jeu de miroirs réfléchissants entre qui manipule qui se perd parfois à l'infini. Le développement de la civilisation de l'information, la diversification des «médias», l'importance cruciale de l'influence suggèrent une modification de la nature des sociétés et un rééquilibrage des pouvoirs qui, déjà en amorce, s'accompliront durant le XXIe siècle. ∎

La liste des prix Nobel de la paix, quelle que soit la valeur des personnalités honorées, témoigne pour le moins d'une orientation occidentalo-centrée des choix du jury : 63 Européens et Nord-Américains sur 86 noms en 2001. Quant aux deux lauréats soviétiques, il s'agissait clairement de personnalités en rupture avec le régime dominant (A. Sakharov et M. Gorbatchev).

Marchands de canons et stratégie des moyens

Cette expression péjorative issue du socialisme pacifiste recouvre une très ancienne tradition qui, depuis les fondeurs de bronze des canons du roi Charles VIII, touche à l'invention et à la réalisation des armes. Leur commerce constitue une activité distincte, même si, bien à tort, il y a fréquemment recouvrement et confusion des deux. Plus élégamment, mais surtout plus exactement, on utilise le terme de «stratégie des moyens» pour désigner l'ensemble, très vaste, des activités de conception, de réalisation, de livraison des instruments dont l'opérateur militaire exprime le besoin.

● Des complexes militaro-industriels liés à l'État

La guerre industrielle moderne a donné aux industriels, grands et petits, un rôle de plus en plus important : l'Allemand Krupp a symbolisé cette liaison entre la grande sidérurgie et l'équipement militaire. Le capitalisme familial a laissé la place après la Seconde Guerre mondiale à des complexes militaro-industriels fortement liés à l'État. En effet, pour garantir la bonne conduite de la stratégie des moyens, les États modernes et puissants, soucieux d'anticiper le risque de conflits, se sont efforcés de placer sous leur contrôle quelques activités majeures. Les arsenaux répondront à ce besoin, tout comme les chantiers navals d'État.

Plus que jamais, il existe une interpénétration entre civil et militaire en raison de la diversification des activités et de l'utilisation croissante de technologies duales. En dépit de spécifications militaires très rigoureuses, le fonds est souvent identique. En outre les militaires recourent de plus en plus aux prestations de services de sociétés civiles : 85 % des communications des armées américaines sont assurées par un réseau civil de télécommunications. Seule la part suprême fait l'objet d'un traitement particulier par des satellites militaires et une cryptologie adaptée.

● Fusions et transnationalisations

La nécessité de regrouper et de rationaliser a provoqué immédiatement après la guerre froide un extraordinaire mouvement de concentration des industries militaires dans tous les domaines (l'aéronautique, le spatial et les télécommunications).

Les États-Unis prennent de l'avance en créant deux géants par fusion de Lockheed avec Martin Marietta (1991) et de Boeing avec McDonnel-Douglas (1993). En Europe, des fusions plus tardives ont contribué à une transnationalisation croissante associant Allemands, Britanniques, Français et Italiens. La stratégie de fusion a cependant manqué de cohérence : on ne savait pas vraiment s'il fallait fusionner d'abord en national pour aborder en position de force la fusion européenne, ou bien adopter d'entrée de jeu une approche européenne dont les effets se répercuteraient sur la situation nationale. Un délicat processus de privatisation en Italie et surtout en France achève de donner au phénomène sa grande complexité. Les échecs sont d'ailleurs nombreux : Dassault résiste efficacement à l'intégration dans Aerospatiale. Mais le cours des choses paraît inexorable : BritishAerospace puis EADS (fusion des français Aerospatiale, Matra Hautes Technologies, de l'allemand DASA, du britannique Astrium et de l'espagnol CASA) concentrent désormais l'essentiel des compétences aérospatiales, tandis que le français Thalès, en absorbant l'anglais

Le coût financier des principaux conflits du XXᵉ siècle a été estimé à (en milliards de dollars 1995) : Seconde Guerre mondiale (4 000), Première Guerre mondiale (2 850), guerre du Vietnam (720), guerre de Corée (340), guerre Iraq-Iran (150), guerre soviétique d'Afghanistan (116), guerre du Golfe (102), guerre du Kippour (21).

Sept pays possèdent officiellement un armement nucléaire : les États-Unis, la Russie, la France, la Grande-Bretagne, la Chine, l'Inde et le Pakistan. Plusieurs autres sont plus ou moins fortement soupçonnés d'en avoir un (Israël) ou de chercher à l'obtenir (Afrique du Sud, Argentine, Brésil, les deux Corées, Iran, Iraq, ce dernier pays étant soumis à un contrôle étroit).

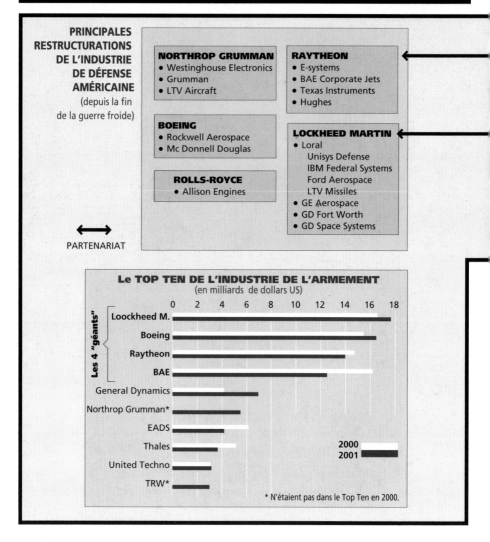

PRINCIPALES RESTRUCTURATIONS DE L'INDUSTRIE DE DÉFENSE AMÉRICAINE
(depuis la fin de la guerre froide)

NORTHROP GRUMMAN
- Westinghouse Electronics
- Grumman
- LTV Aircraft

RAYTHEON
- E-systems
- BAE Corporate Jets
- Texas Instruments
- Hughes

BOEING
- Rockwell Aerospace
- Mc Donnell Douglas

LOCKHEED MARTIN
- Loral
  Unisys Defense
  IBM Federal Systems
  Ford Aerospace
  LTV Missiles
- GE Aerospace
- GD Fort Worth
- GD Space Systems

ROLLS-ROYCE
- Allison Engines

PARTENARIAT

Le TOP TEN DE L'INDUSTRIE DE L'ARMEMENT
(en milliards de dollars US)

Les 4 "géants" :
Loockheed M.
Boeing
Raytheon
BAE
General Dynamics
Northrop Grumman*
EADS
Thales
United Techno
TRW*

2000
2001

* N'étaient pas dans le Top Ten en 2000.

Rackal, s'affirme sur le marché des systèmes de communication, poussant une pointe aux États-Unis dans une association importante avec Raytheon. Ces associations avec les compagnies américaines commencent à produire des effets de partenariat sur un marché qui reste cependant le plus protectionniste de tous.

Les industriels doivent accepter de plus en plus de contrôles et de contraintes sévères liés à l'existence de traités d'interdiction de certaines armes. Dans le nucléaire civil, les États signataires du TNP (traité de non-prolifération de 1968) s'engagent à placer leurs installations nucléaires sous contrôle très rigoureux de l'AIEA ou d'EURATOM. C'est également le cas pour les armes chimiques depuis l'entrée en vigueur du traité de 1995. ▪

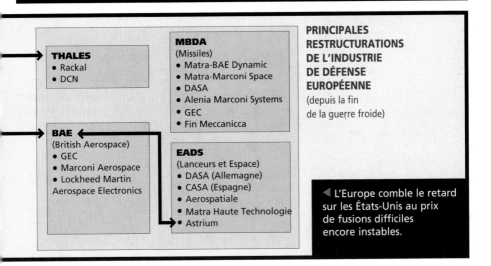

PRINCIPALES RESTRUCTURATIONS DE L'INDUSTRIE DE DÉFENSE EUROPÉENNE (depuis la fin de la guerre froide)

THALES
- Rackal
- DCN

MBDA (Missiles)
- Matra-BAE Dynamic
- Matra-Marconi Space
- DASA
- Alenia Marconi Systems
- GEC
- Fin Meccanicca

BAE (British Aerospace)
- GEC
- Marconi Aerospace
- Lockheed Martin Aerospace Electronics

EADS (Lanceurs et Espace)
- DASA (Allemagne)
- CASA (Espagne)
- Aerospatiale
- Matra Haute Technologie
- Astrium

◀ L'Europe comble le retard sur les États-Unis au prix de fusions difficiles encore instables.

Seigneurs de la guerre : le côté obscur de la politique

Dans une Chine en proie à l'instabilité politique, on parlait de seigneurs de la guerre pour désigner les détenteurs d'un pouvoir régional reposant principalement sur la force armée. Au tournant du siècle, le terme revient, illustré par une galerie de portraits inquiétants suggérant souvent, mais pas toujours, une scandaleuse barbarie : le Tchétchène Bassaev, le Libérien Taylor, les Afghans Massoud et Dostom, le Somalien Aïdid et bien d'autres. Lointains et exotiques, éphémères et mal expliqués, ces chefs surgissent du fond de régions de violence endémique où, faute d'un consensus légitimant, l'État ne s'est jamais véritablement installé.

La fin de la guerre froide a favorisé, en raison de l'implosion de l'empire soviétique et de l'érosion des régimes autoritaires, des mouvements centrifuges de dislocation des États. De plus en plus, les pays occidentaux, États-Unis en tête, se détournent du sort de gouvernements qu'ils avaient soutenus (parfois même mis en place), uniquement en raison de leur engagement anticommuniste et antisoviétique. Bien des édifices autoritaires ou dictatoriaux s'effondrent – la RFY, l'Indonésie, les Philippines, le Zaïre, etc. –, laissant place au libre jeu de la force, sans que rien n'ait été aménagé pour favoriser des transitions pacifiques. La liberté tend à se confondre avec la loi de la jungle. Les chefs de guerre retrouvent, dans toute leur brutalité, leur rôle «naturel». Un chef de guerre est un chef politique parce que la guerre est une forme de la politique en l'absence d'autorité légitime. Mais aussi parce qu'il peut incarner, à un moment donné, une cause, une idéologie : l'indépendance, la foi religieuse, etc.

Laurent-Désiré Kabila, né en 1939, prend le maquis congolais après la mort de Lumumba et y fait la connaissance de Che Guevara, qui le considère comme un vulgaire trafiquant. En 1996, il se place à la tête de l'opposition armée à Mobutu et prend le pouvoir l'année suivante. Il est assassiné début 2001. Le chef de guerre n'aura pu se transformer longtemps en chef d'État.

Certains auteurs vont jusqu'à affirmer que les seigneurs de la guerre s'accordent pour éviter l'existence d'un État. C'est une forme de gestion de l'anarchie, au sens politique du terme. Les chefs de guerre d'Afghanistan n'ont jamais accepté un pouvoir central autoritaire. Il en est de même dans de nombreuses régions d'Afrique centrale où, périodiquement, le pouvoir central est contesté par des coups d'État qui mettent en place une dictature brutale qui parvient à s'imposer jusqu'au putsch suivant.

Ahmed Shah Massoud est né en 1954 dans la partie tadjike de l'Afghanistan. Il participe au combat contre l'invasion soviétique et devient l'un des chefs de file de l'islamisme modéré. Ministre de la Défense, il s'oppose aux fondamentalistes puis, chassé du pouvoir, aux talibans. Il est assassiné deux jours avant l'attentat du 11 septembre 2001. Le chef de guerre tadjik pouvait devenir un chef politique afghan. Il est mort pour cela.

● Laïque et religieux, civil et militaire

L'existence de guerres en partie fondées sur des convictions religieuses rend parfois difficile la distinction entre chefs spirituels et chefs de guerre. Dans les madrasa (écoles coraniques) d'Afghanistan, du Pakistan, d'Iran, le mode de vie de l'étudiant évoque le monachisme. Dès lors qu'il prend les armes, il se rapproche du modèle du moine-soldat (templiers, chevaliers Teutoniques).

Fondamentale, la distinction entre le laïque et le religieux reste encore confuse et constitue un enjeu politique majeur. Comment expliquer autrement ce goût de l'uniforme, revêtu par un grand nombre de chefs d'État qui n'étaient pas forcément des militaires professionnels (Mustapha Kemal, Churchill, Staline) ? Le chef de l'État dirige les armées. Soit. Civil de formation, il ne devrait pas lui venir à l'idée de revêtir l'uniforme. Or, souvent, les chefs d'États laïques – Arafat, Saddam Hussein, Kadhafi – revêtent l'uniforme militaire pour se différencier des religieux qui, eux, jamais ne porteront autre chose que leurs habits sacerdotaux. C'est que dans de nombreux pays d'islam, l'armée est le creuset de la société laïque, embryon d'une bourgeoisie nationale.

● Légitimité, compétence et destin

Qu'est-ce qui sépare finalement un chef d'État et un chef de guerre ? Plus encore, qu'est-ce qui fait la différence entre un chef de guerre et un chef de bande, en somme un « gangster » ?

Le premier n'est chef des armées qu'en raison de la légitimité qu'il tire des urnes. Le second, semblable au tyran antique, ne peut que se réclamer de la force armée dont il use et abuse pour exercer un pouvoir sans droit. Il convient cependant de nuancer : toute force a son origine. Elle se trouve dans l'existence de clans, de fratries, ou bien encore de communautés villageoises unies de gré ou de force par une activité ou la protection d'une activité légale ou non.

Au Liban (Gemayel, Chamoun, Frangié) et en Tchétchénie, en Afghanistan comme en Somalie (Aïdid) ou en Bosnie, les chefs de guerre sont d'abord des féodaux qui disposent du droit de lever une milice dans les villages qu'ils contrôlent. À ces formations peuvent s'agréger les bas-fonds ordinaires de toute société. Des chefs de milice comme le Serbe Arkan ou d'armée autoproclamé comme le « général » serbe Ratko Mladic ont recruté des criminels de droit commun. Au-delà, ces chefs de guerre ne sont souvent que des militaires improvisés. Les opérations relèvent plus de la guérilla ou d'une guerre provinciale limitée à l'engagement temporaire de forces terrestres en rase campagne. Le sens du coup de main, de l'action audacieuse, de la mobilité joue à plein et certains se révèlent doués. Les chefs tchétchènes Salman Radouiev et Shamìl Bassaev font preuve d'une audace tactique et d'une mobilité surprenantes comme en témoigne le raid de 1995 contre l'hôpital de Boudiennovsk, à proximité de Stavropol. Mais il n'est pas question de manœuvrer de vastes armées dotées de moyens lourds. Affaire d'envergure.

Le chef de guerre est intrinsèquement un perturbateur au destin précaire et à l'existence suspendue. Il le sait. Pour peu qu'il reste en vie, il accomplit deux destins possibles : vers le haut, il devient légitime. Vers le bas : il reste chef de bande, promis à la liquidation par ses rivaux ou par un pouvoir légal qui en l'éliminant affirme une autorité légitime. ■

Whitehall et le « Quai »

Héritage d'une longue et complexe histoire, la diplomatie européenne dispose encore d'organisations prestigieuses et coûteuses où se conçoit et se met en œuvre leur politique extérieure. Certes, elles ne peuvent plus prétendre faire jeu égal avec les services des États-Unis. Toutefois, la tradition, l'organisation, la formation des hommes permettent encore de jouer un rôle important face aux puissances asiatiques émergentes. La création d'un outil diplomatique européen, encore dans les limbes, peut faire rêver.

Le Foreign Office (Whitehall) et le Quai d'Orsay atteignent leur apogée dans la seconde moitié du XIXᵉ siècle. Toutes les diplomaties du monde ont, peu ou prou, calqué leur organisation sur ces modèles longtemps dominants.

Lourdes bureaucraties, extrêmement jalouses de leurs prérogatives, elles disposent d'un personnel spécialisé, plutôt nombreux, mais jamais assez. Un recrutement spécifique sur concours spécialisé donne accès à la Carrière. La tradition fait que de grandes familles, parfois d'origine aristocratique, donnent encore un caractère très particulier et une tournure d'esprit originale à ces grandes institutions.

Chaque ambassade est l'antenne de « l'administration centrale », à la fois capteur de toutes les informations intéressantes, accessibles dans le pays de résidence et émetteur des instructions données par le siège. La tradition britannique accorde au « renseignement » une valeur qui n'a pas cours au Quai, dont les

Les trois axes traditionnels de la diplomatie britannique sont : le maintien de relations spéciales avec les États-Unis (en matière de défense et de renseignement, d'échanges économiques et culturels) et les autres pays anglo-saxons, avec les pays du Commonwealth (ex-empire colonial) et la recherche d'un équilibre européen dans lequel ni l'Allemagne ni la France ne dominent.

diplomates préfèrent abandonner cette activité aux «services spécialisés», néanmoins présents dans toutes les ambassades.

La répartition des tâches et des compétences fait toujours l'objet de virulentes rivalités bureaucratiques parfois désastreuses avec les ministères de la Défense et tous les organismes ayant une activité internationale.

Ainsi le Colonial Office fut-il le principal rival du Foreign Office jusqu'à la disparition du premier en 1961. Divergence des objectifs, rétention de l'information, duplication des activités et des personnels en mission à l'étranger ont été poussées au plus loin. Comme tous les organes à vocation dominante, le Quai et le Foreign Office emploient un jargon qui leur est tout particulier, formant la «langue» des télégrammes et autres dépêches diplomatiques.

● De modestes moyens d'influence

L'art de la négociation internationale (où la langue française a dominé durant plus de deux siècles) a été longtemps l'apanage des diplomates français et britanniques. Soucieux de conserver le rang de leur pays, en dépit des épreuves et de la perte de puissance, ils s'efforcent de compenser la modestie des moyens d'influence (séduction, persuasion et coercition) en jouant du prestige dont ils disposent encore un peu partout dans le monde, notamment dans les anciennes colonies.

Entrant dans le siècle de l'information, ces «vieilles» maisons peuvent saisir l'occasion de compenser leur récente infériorité en tirant le meilleur parti des nouvelles possibilités de l'information électro-informatisée.

La capacité à mettre en œuvre une stratégie de communication internationale puissante recourant aux nouveaux vecteurs de l'information dira le niveau d'adaptation dont peuvent faire preuve les grands anciens de la diplomatie internationale pour développer une manœuvre d'influence à l'échelle mondiale. ■

Au cours de la dernière décennie, les axes prioritaires de la diplomatie française ont subi des changements importants : la construction européenne et l'élargissement de l'Union modifient les objectifs du projet européen comme la relation prioritaire avec l'Allemagne ; l'intervention de la France dans son «pré carré» africain se fait plus discrète ; ses rapports privilégiés avec les pays arabes sont tributaires des aléas de la politique internationale.

Le Pentagone : un « war symbol »

Il était une fois un pays que la guerre n'intéressait pas. Il n'avait pas cru bon de se doter de structures permanentes pour penser, préparer et exécuter la guerre. Survinrent deux guerres mondiales, puis la confrontation avec un grand ennemi. Alors les États-Unis se couvrirent de bases militaires. Au cœur du dispositif, un immense édifice, inspiré de la géométrie des places fortes de Léonard de Vinci et de Vauban, est devenu le symbole de la puissance militaire américaine.

Cet énorme bâtiment, qui a été construit en 1947, abrite environ 45 000 employés civils et militaires. La cité tient du labyrinthe et de la fourmilière. Le long d'immenses couloirs parsemés d'embranchements, de bifurcations, d'échangeurs et d'escaliers dérobés circule en permanence un flot de fonctionnaires, de militaires, de représentants de commerce et d'agents de service dans une ambiance de déménagement perpétuel. Ce Béhémoth, géant bureaucratique, produit chaque jour, par dizaines, des rapports secrets et publics sur tous les sujets ayant de près ou de loin trait à la défense. Le Pentagone parle beaucoup. Et cependant la presse se charge de lui faire dire plus encore. La relation avec le fameux lobby militaro-industriel est intense. Le Pentagone est le plus important client mondial de l'industrie d'armement, courtisé par les industriels du monde entier. La relation à l'industrie est placée sous haute surveillance du législatif et du judiciaire.

● Politiques et militaires : une étrange coopération

Organisme militaire, le Département de la défense (DOD) est dirigé par des civils dont une partie sont des fonctionnaires de l'État et une autre des «politiques» directement placés par la Maison-Blanche aux échelons les plus élevés. L'OSD (Office of the Secretary of Defense), sorte de cabinet du ministre de taille considérable, produit plus de rapports que tous les autres. C'est dire qu'il vit en friction permanente avec les états-majors.

Enfin le DOD, dans son ensemble, entre en compétition avec les Affaires étrangères (Department of State) pour contrer les organes de la Maison-Blanche (le NSC – Conseil national de sécurité –, la CIA, la NSA - Agence nationale de sécurité) et, en ce qui concerne le nucléaire, avec le ministère de l'Énergie (DOE). L'objectif est de faire prévaloir le point de vue du Pentagone à la Maison-Blanche même, où se rencontrent les derniers, et non les moindres, obstacles.

● Que fait le Pentagone, avec quels moyens ?

Il abrite l'ensemble de l'administration des quatre «services» (armées) : Army, Navy, Air Force, Marines, auxquels on doit ajouter la première force historique de la nation, les «gardes-côtes». À cela s'ajoute la gestion des réserves, capitales dans le système militaire américain professionnalisé sur la base du volontariat depuis les années 80.

Colossal, le budget de la Défense (stricto sensu) représente environ 4 % du PIB américain. Après une décrue à la fin de la guerre froide, il se rétablit à près de 300 milliards de dollars dès le second mandat de Bill Clinton et reprend une progression qui devrait lui faire approcher les 400 milliards de dollars vers 2005. En outre, nombre d'activités à finalité militaire relèvent du ministère de l'Énergie (armes nucléaires) et des agences de renseignement directement rattachées à la Maison-Blanche (CIA, NSA), sans parler des *black programs* (tenus secrets).

Cette énorme organisation, dont l'organigramme devient de plus en plus incompréhensible, est habitée par le syndrome permanent de sa nécessaire réforme. Doit-elle venir de l'exécutif ou du

L'arrivée de George W. Bush à la présidence conduit à une nouvelle orientation de la politique de défense américaine : augmentation du budget, accent mis sur la guerre cybernétique et sur la lutte contre le terrorisme, accélération du programme de «guerre des étoiles» (ou bouclier antimissile), réduction de l'attention accordée aux questions européennes au profit de l'Asie.

▶ La fin de la guerre froide a créé une forte disparité entre l'engagement économique – surtout en Europe – et l'engagement militaire des États-Unis.

LE PENTAGONE AU SERVICE DES INTÉRÊTS AMÉRICAINS

ASIE 13 % (146)

OCÉANIE 3,5 % (40)

OCÉAN INDIEN

OCÉAN PACIFIQUE

AUSTRALIE

N^{LLE}-ZÉLANDE

> LA PUISSANCE MILITAIRE

Principales bases ou facilités militaires étasuniennes installées à l'étranger
(hors pays de l'OTAN ou sur des dépendances éloignées)

1. Diego Garcia (R-U), 2. Singapour, 3. Corée du Sud, 4. Okinawa (Japon), 5. Japon, 6. Guam (E-U), 7. Midway (E-U), 8. Hawaii (E-U), 9. Bermudes (R-U), 10. Honduras, 11. Guantanamo Bay (Cuba), 12. Koweït, 13. Arabie saoudite

Pays membres de l'OTAN
(bases ou facilités militaires)

Flottes de l'US Navy en permanence sur zone

Pays membres du Partenariat pour la paix

Albanie, Arménie, Autriche, Azerbaïdjan, Biélorussie, Bulgarie, Estonie, Finlande, Géorgie, Kazakhstan, Kirghizistan, Lettonie, Lituanie, Macédoine, Moldavie, Ouzbékistan, Roumanie, Russie, Slovaquie, Slovénie, Suède, Suisse, Tadjikistan, Turkménistan, Ukraine.

> LA PUISSANCE DE RENSEIGNEMENT

Pays participant au système de surveillance globale Echelon, contrôlé par l'Agence nationale de sécurité des États-Unis (NSA). Collaborent également l'Allemagne, l'Italie, la Turquie...

Les 10 premiers budgets militaires du monde
(en milliards de dollars)
États-Unis : 340
Japon : 40,4
Grande-Bretagne : 34
Russie : 29
France : 25,3
Allemagne : 21
Arabie saoudite : 18,7
Italie : 15,5
Inde : 16,01
Chine : 17

législatif ? Toutes les approches ont été tentées, sans résultats tangibles. Il y a eu ainsi la réforme McNamara (1963-1967) puis l'amendement Goldwater-Nichols (1987). Dernière initiative en date (2001), l'entreprise de Donald Rumsfeld et Andrew Marshall, tous deux vétérans confirmés de la « machine » pour transformer les modalités d'acquisition des matériels.

Comme la CIA, le Pentagone a vu se construire une image mythique de son activité réelle, proportionnelle, notamment, aux forces et aux opérations « spéciales » qui y sont gérées. C'est pour cette valeur symbolique que le Pentagone a été pris pour cible et très partiellement détruit par les auteurs des attentats du 11 septembre 2001. ■

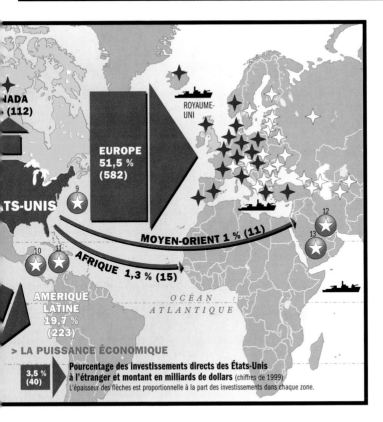

NADA
(112)

ROYAUME-UNI

EUROPE
51,5 %
(582)

ÉTATS-UNIS

9

MOYEN-ORIENT 1 % (11)

AFRIQUE 1,3 % (15)

12

13

10   11

AMÉRIQUE
LATINE
19,7 %
(223)

OCÉAN
ATLANTIQUE

> LA PUISSANCE ÉCONOMIQUE

3,5 %
(40)

**Pourcentage des investissements directs des États-Unis
à l'étranger et montant en milliards de dollars** (chiffres de 1999)
L'épaisseur des flèches est proportionnelle à la part des investissements dans chaque zone.

De la Tcheka au FBS :
le pouvoir des organes

C'est l'État dans l'État, l'armée dans l'armée, la police dans la police. C'est, comme l'a dit Beria, « le bouclier et le glaive » de l'avant-garde de la classe ouvrière. La Sécurité d'État a organisé et contrôlé le goulag. Les dirigeants de l'ex-URSS et de l'actuelle Russie y ont été formés. Cette formidable bureaucratie est-elle compatible avec une évolution démocratique ?

Feliks Dzerjinski n'invente rien lorsqu'il crée en décembre 1917 la Tcheka, police politique bolchevique. Il reprend un service déjà existant, l'Okhrana, police politique tsariste destinée à infiltrer et réprimer les mouvements anarchistes et révolutionnaires. Mais les bolcheviques systématisent et créent des organes connus successivement sous les acronymes de (O)Guépéou, N(K)VD puis KGB, en mars 1954, l'instrument de la politique générale de l'Union soviétique. À l'intérieur, le renseignement est mis au service de la répression et de la terreur de masse, y compris l'administration des camps. À l'extérieur, les services organisent méthodiquement la

Vladimir Poutine (né en 1952). Petit-fils d'un cuisinier de Staline, il suit des études de droit à Leningrad avant d'intégrer le KGB, dont il devient un agent en RDA. Il a subi ainsi la double influence de la tradition révolutionnaire tchékiste et de la volonté modernisatrice et occidentaliste.

125

récolte de l'information sensible, notamment dans le secteur technologique. Conscients des insuffisances et des retards de leur pays, les Soviétiques ont parfaitement compris que le monde occidental constituait le lieu idéal où puiser. Combinant la séduction idéologique et la vénalité, les ambassades, où le personnel des services est surnuméraire, ont drainé vers Moscou le savoir-faire des industries occidentales : nucléaire, aéronautique, informatique. De temps à autre, des expulsions, accompagnées de représailles proportionnées, ont ponctué cette activité, véritable rituel de la guerre froide. Perturbateurs à l'Ouest, les organes se veulent les instruments de régulation de l'ordre soviétique à l'Est. En Europe orientale, le KGB constitua une sorte d'organe tutélaire surveillant, infiltrant et contrôlant les gouvernements « frères ».

Disposant de crédits illimités, utilisés de manière discrétionnaire, et d'un personnel immense, le KGB devient à la fois le lieu où l'on sait et le lieu où l'on fait. Gardes-frontières, unités de protection des dépôts d'armes nucléaires, garde rapprochée des principaux dirigeants, le KGB a disposé de près de 400 000 hommes à l'époque brejnévienne. Vingt ans plus tard, les effectifs, plus modestes, du FBS restent cependant importants en raison de la nouvelle fragilité des frontières. Tout concourt donc à ce que les organes soient une pépinière où sont formés les futurs dirigeants. On y cultive les relations avec les partis frères comme ouverture « culturelle » sur le monde extérieur. Attributs qui se marient à un sens élevé de la bureaucratie d'État, du secret et de la manipulation. Ainsi, Iouri Andropov, l'éphémère successeur de Brejnev et véritable annonciateur de la perestroïka à la Gorbatchev, et tant d'autres réformateurs soviétiques furent-ils des produits 100 % KGB. Sitôt disparue l'Union soviétique, le FBS (nouvelle appellation des services secrets russes) récupère le même rôle central en Russie eltsinienne. En sorte qu'aujourd'hui le très persévérant Vladimir Poutine appartient à cette traditionnelle culture des organes. ■

En 1979, Iouri Andropov, alors chef du KGB, justifie ainsi l'intervention des troupes soviétiques en Afghanistan : «Établir les principes léninistes dans le parti et dans la direction de l'État d'Afghanistan, et garantir nos positions dans ce pays.» Habile mélange de messianisme révolutionnaire et d'opportunisme géopolitique…

Le Vatican : combien de divisions ?

L e Vatican est à la fois l'un des États les plus vieux (du point de vue historique) et l'un des plus petits du monde. Malgré sa taille et sa puissance modestes, il figure parmi les acteurs principaux de la scène diplomatique internationale, son influence dans le domaine de la diplomatie étant inversement proportionnelle à sa puissance réelle. Avec ses missions pontificales, les nonciatures, le Vatican est représenté diplomatiquement sur pratiquement l'ensemble de la planète. Sa vocation spirituelle et sa longue histoire confèrent au Saint-Siège une légitimité politique et spirituelle importante dans les pays à prédominance catholique, en particulier en Amérique latine. Cependant, le poids du Vatican se fait sentir au-delà du monde catholique.

Plus que n'importe quel autre État, le Vatican se confond avec la figure de son leader, en l'occurrence le pape, qui joue un rôle prépondérant dans les orientations politiques du Saint-Siège. Doté d'une forte personnalité, et d'une énergie à toute épreuve malgré les accidents (dont un attentat contre sa personne) et la maladie, Jean-Paul II a guidé le Vatican durant une période qui a connu d'importantes transformations sociales et d'énormes changements géopolitiques.

Depuis 1979, le pape Jean-Paul II parcourt le monde d'une manière à la fois frénétique et régulière (avec près de cent voyages hors de l'Italie entre 1979 et 2002). Le message qu'il délivre ainsi apparaît comme un mélange subtil de conservatisme parfois intransigeant, notamment dans le domaine de la vie privée, incluant une violente condamnation de la contraception, et d'esprit de tolérance œcuménique qui n'a pas hésité à prendre la forme solennelle de la repentance à l'égard des Juifs. Cette vision pontificale se traduit par une action diplomatique qui est à la fois empreinte de réalisme et guidée par une profonde volonté pacifiste, deux pôles traditionnellement opposés mais que le pape a réussi à concilier. Ainsi, le Vatican jugea-t-il moralement acceptable, au temps de la guerre froide, la doctrine d'une dissuasion nucléaire basée sur l'équilibre. Cette vision se fonde à la fois sur le message général de tolérance de la théologie chrétienne et sur des doctrines plus précises comme celle de la guerre juste.

Le Vatican ne dispose d'aucune force militaire ou de police. Sa puissance financière et ses réseaux d'influence, toujours discrets, restent considérables à travers les congrégations et autres confréries (Sant' Ambrosio). Sur le plan international, son action est donc exclusivement diplomatique. Elle se traduit soit par une présence symbolique lors des crises, soit par une intervention personnelle du pape, par exemple lors de la dispute opposant le Chili et l'Argentine à propos du canal de Beagle (1984), ainsi que par son appui spirituel à une action ponctuelle ou à des négociations délicates.

Le Vatican est l'une des rares entités politiques dont l'histoire dépasse celle de l'État-nation. Est-ce par relativisme historique que le pape préfère parler de peuples et de nations plutôt que d'États ? Toujours est-il qu'à une période qui voit l'érosion de l'État-nation, le discours du pape se caractérise par un langage moderne. On observe également cette tendance dans ses prises de position favorables au devoir d'ingérence à des fins humanitaires, qui s'inscrivent dans le cadre de la doctrine classique de la guerre juste.

De même que Jean-Paul II, son successeur aura à faire face à un monde de plus en plus changeant. Comme son prédécesseur, il lui faudra de l'habileté pour guider un Vatican qui, bien que conservateur, a su s'adapter au monde du XXIᵉ siècle et renouveler sa capacité d'influence mondiale. ■

« Le Vatican ? Combien de divisions ? » Interrogation prêtée à Staline et marquant son dédain à l'égard des forces spirituelles et non directement matérielles.

Fondé par les accords du Latran, signés en 1929 entre Pie XI et Mussolini, le Vatican est un État de 44 hectares, disposant d'un quotidien, « L'Ossevatore Romano », d'une station de radio diffusant des programmes en plus de 30 langues et d'un centre de télévision produisant et distribuant des produits audiovisuels. La secrétairerie d'État, qui assure l'administration générale et la diplomatie vaticanes, emploie plus de 3 500 personnes.

L'ONU : grandes espérances, maigres résultats

Impuissante et inutile, indispensable et nécessaire, l'Organisation des Nations unies vogue prise dans les mouvements de fond des relations internationales sur lesquelles elle n'a pas d'influence. Cette organisation pauvre, embarrassée de débiteurs, parfois riches, reste le lieu de tous les espoirs et de toutes les déceptions. La fin de la guerre froide n'a rien pu changer. Et si l'ONU n'existait pas, sans doute chercherait-on à l'inventer.

Le schéma ordinaire des relations internationales s'organise autour de deux modèles de gestion de la puissance des États. La première approche, classique, est celle de l'équilibre des puissances. La seconde est celle de la sécurité collective. La politique de l'équilibre s'effectue principalement par les moyens de la diplomatie (qui inclut l'usage de la force) dans un contexte géopolitique sans règles effectives autres que celles du maintien de cet équilibre. La sécurité collective a pour objectif de systématiser et d'institutionnaliser les relations internationales de manière à coordonner les politiques individuelles des pays selon des principes généraux. Les engagements collectifs pris par les États doivent aboutir à un régime de sécurité qui protège les pays ayant souscrit à ces engagements. Ce régime s'appuie sur l'action d'organisations internationales créées à cet effet. Au XXIe siècle, l'ONU est à la fois le symbole et le vecteur principal de la sécurité collective à l'échelle planétaire.

● De la Société des Nations à l'ONU

La sécurité collective est un vieux rêve qu'entretiennent les philosophes depuis des siècles. Cependant, il faut attendre le XXe siècle pour que s'amorcent les premières tentatives de création d'un régime global de sécurité collective. La Société des Nations (SDN) est fondée après la Première Guerre mondiale mais se solde par un échec. L'Organisation des Nations unies naît après la Seconde Guerre mondiale, alors qu'une nouvelle configuration géopolitique globale se dessine selon un schéma très particulier d'équilibre bipolaire (Est/Ouest) des puissances, de surcroît reposant en partie sur la menace nucléaire. Néanmoins, dans ce contexte hostile à la sécurité collective, l'ONU parvient à survivre et même à jouer un rôle dans les divers conflits qui secouent le monde.

Façonnées par la guerre froide (le conseil permanent de sécurité est formé par les cinq puissances nucléaires), et marquées par la décolonisation (l'ONU comprend aujourd'hui 189 États membres), les Nations unies ont démontré à la fois les limites et les possibilités de la sécurité collective. En tant qu'acteur stratégique, l'ONU est toujours en retrait par rapport aux États et ne

Les cinq membres permanents du Conseil de sécurité jouissent chacun du droit de veto. Celui-ci fut contourné lors de la guerre de Corée en 1950 : l'Assemblée générale, qui avait approuvé l'envoi d'une force internationale aux côtés de la Corée du Sud, décida qu'elle aurait désormais compétence en cas de menace contre la paix et d'agression, lorsque le Conseil serait bloqué par l'exercice du droit de veto.

▲ En donnant à Kofi Annan le prix Nobel de la paix 2001, le jury de Stockholm a voulu redorer le blason de l'ONU.

leur est en aucun cas un substitut. L'ONU ne possède pas d'ailleurs d'armée permanente (les casques bleus sont issus des pays participant aux diverses opérations). Cependant, le contexte actuel d'ouverture géostratégique marqué par la gestion de crises, y compris de crises humanitaires, lui confère un rôle de légitimation qui n'est pas négligeable lors des interventions armées. Comme tous les acteurs stratégiques, l'ONU doit s'adapter aux nouveaux paramètres de la politique internationale dans des domaines d'actualité comme celui du devoir d'ingérence (le principe de non-ingérence était intégré à la Charte de l'ONU pour protéger les nouveaux États) ou plus généralement celui des droits de l'homme. Cet immense organisme qu'est l'ONU se définit aussi par la personnalité de son secrétaire général, dont la visibilité médiatique et l'image symbolique lui donnent un rôle plus proche de celui du pape que de celui d'un chef d'État traditionnel. Au début du troisième millénaire, alors que l'ONU tente timidement de se réinventer, ses initiatives ont été à la fois marquées par la réussite, par exemple au Timor-Oriental, dans le cadre d'un conflit potentiellement grave, et par la faillite que symbolise la débâcle de la grande assemblée sur le racisme, qui s'est tenue en Afrique du Sud en 2001. ■

Les secrétaires généraux de l'ONU furent : Trygve Lie (1946-1952, Norvège), Dag Hammarksjöld (1953-1961, Suède), U Thant (1961-1971, Birmanie), Kurt Waldheim (1972-1981, Autriche), Javier Perez de Cuellar (1982-1991, Pérou), Boutros Boutros-Ghali (1992-1996, Égypte) et Kofi Annan (depuis 1997, Ghana).

Demain l'OTAN, pour quoi faire ?

L'Alliance a négocié le virage de l'après-guerre froide avec prudence et sagacité. Elle est parvenue à réussir un tour de force : survivre aux raisons qui l'avaient fait naître. Elle cesse lentement de constituer un outil de guerre froide pour se transformer en organisme de contrôle de la sécurité et de préservation de la paix en Europe, voire de la stabilité mondiale. Et c'est bien là tout le problème car les États-Unis ont de l'Alliance une conception bien plus large que celle de leurs alliés européens.

Après avoir réduit son dispositif et ses effectifs (les États-Unis rapatrient les deux tiers de leurs forces terrestres, passant de 300 000 hommes à moins de 100 000), l'Alliance s'interroge à partir de 1991 sur ses missions, son élargissement et sur l'équilibre à trouver entre la composante européenne et la composante américaine (Canada inclus).

Pomme de discorde entre les alliés, le « partage du fardeau » financier *(burden sharing)* prend une importance encore plus grande. Nombre de hauts débats stratégiques ont bien souvent été engendrés par des problèmes d'argent et résolus par des compromis financiers. D'autre part, l'Alliance favorise un rapprochement accéléré avec pratiquement tous les États de l'est de l'Europe et ceux des membres de la CEI qui désirent s'y associer. Ainsi, en avril 1999, l'OTAN s'élargit à trois États (Pologne, Hongrie, République tchèque). On proclame qu'il ne s'agit là que d'un « premier tour », la porte restant ouverte pour la Slovaquie, la Slovénie, la Bulgarie et la Roumanie, toutes candidates pour le second tour d'adhésion prévu en novembre 2002. Plus complexe, notamment du fait de l'opposition déterminée de Moscou, est la situation des pays Baltes et, il va sans dire, de l'Ukraine.

L'OTAN se trouve confrontée aux guerres de démantèlement de la RFY (ex-Yougoslavie). Elle a bien du mal à y répondre. Les forces ne sont pas préparées à de telles opérations. Se pose alors le dilemme de la raison d'être politique d'une alliance militaire qui reste-

Les rapports de l'OTAN et de l'Union européenne sont loin d'être simples. Plusieurs pays européens, la France en tête, ont réclamé un partage du commandement militaire, ce que les États-Unis ont toujours refusé.
Par ailleurs se pose la question de la collaboration avec l'OTAN de la future force d'intervention rapide de quelque 100 000 hommes que l'UE entend mettre sur pied à l'horizon de 2003.

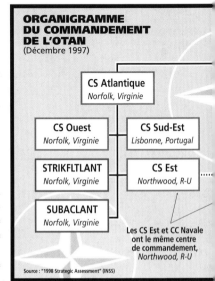

ORGANIGRAMME DU COMMANDEMENT DE L'OTAN
(Décembre 1997)

CS Atlantique
Norfolk, Virginie

CS Ouest
Norfolk, Virginie

CS Sud-Est
Lisbonne, Portugal

STRIKFLTLANT
Norfolk, Virginie

CS Est
Northwood, R-U

SUBACLANT
Norfolk, Virginie

Les CS Est et CC Navale ont le même centre de commandement, *Northwood, R-U*

Source : "1998 Strategic Assessment" (INSS)

rait l'arme au pied face à la guerre en Europe. Progressivement l'Alliance s'engage, prenant soin de préserver son impartialité en coopérant avec les Nations unies. Tel est le cas en Bosnie. Mais cet équilibre est rompu avec la guerre du Kosovo qui conduit l'OTAN à intervenir contre Belgrade sans mandat de l'ONU, en procédant d'abord à une guerre aérienne de mars à juin 1999 puis à l'occupation du Kosovo, où sont engagées les forces terrestres de maintien de la paix. Cette campagne est l'occasion de vifs désaccords entre militaires américains et hommes politiques européens sur le choix des cibles. Ce désaccord explique en grande partie le fait que les États-Unis aient poliment décliné le soutien de l'OTAN lors de la guerre d'Afghanistan enclenchée par les attentats du 11 septembre 2001. Néanmoins, poursuivant sa tâche dans les Balkans, l'Alliance intervient préventivement en Macédoine pour éviter une nouvelle guerre.

Si l'existence de l'Alliance semble durablement assurée, son rôle, ses missions et ses modalités de fonctionnement paraissent plus incertains. Les Européens voient en elle l'instrument d'une Europe pacifique, enfin capable d'assurer sa sécurité et d'imposer la paix sur l'ensemble du continent sans parvenir à en définir les frontières orientales précises. Washington, pour sa part, pense l'Alliance comme un outil de projection de la puissance américaine sur l'ensemble du monde, notamment dans l'aire asiatique. Cette divergence de desseins promet de nombreux débats qui témoigneront de la longévité (vitalité) de cette étonnante construction. Il va sans dire qu'une éventuelle entrée de la Russie et de l'Ukraine, souvent envisagée et non improbable, sonnerait le glas de l'efficacité militaire de l'Alliance et reposerait totalement la question des frontières orientales de l'Europe.

Une nouvelle ère de l'équilibre des puissances en Europe s'ouvrirait... Le Vieux Continent en a connu bien d'autres. ■

En mai 2000, réuni à Vilnius, le Groupe des neuf États (Albanie, Bulgarie, Estonie, Lettonie, Lituanie, Macédoine, Roumanie, Slovaquie, Slovénie) proclame la proposition « Big-bang » : être admis simultanément dans l'OTAN.

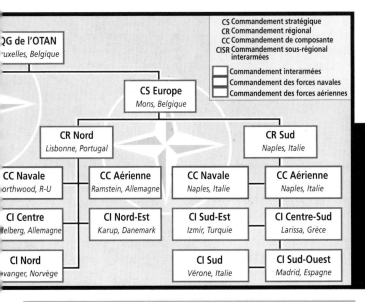

CS Commandement stratégique
CR Commandement régional
CC Commandement de composante
CISR Commandement sous-régional interarmées

Commandement interarmées
Commandement des forces navales
Commandement des forces aériennes

QG de l'OTAN
ruxelles, Belgique

CS Europe
Mons, Belgique

CR Nord
Lisbonne, Portugal

CR Sud
Naples, Italie

CC Navale
orthwood, R-U

CC Aérienne
Ramstein, Allemagne

CC Navale
Naples, Italie

CC Aérienne
Naples, Italie

CI Centre
delberg, Allemagne

CI Nord-Est
Karup, Danemark

CI Sud-Est
Izmir, Turquie

CI Centre-Sud
Larissa, Grèce

CI Nord
vanger, Norvège

CI Sud
Vérone, Italie

CI Sud-Ouest
Madrid, Espagne

◀ Depuis la fin de la guerre froide, l'OTAN réorganise les commandements intégrés. Entre alliés, la compétition est forte et la France n'y a pas toujours trouvé sa place.

OPEP :
une puissance éphémère

R évélée au monde par le choc de 1973 durant la guerre du Kippour, l'organisation aura fait figure d'épouvantail pour les uns, de redresseur de torts pour les autres. Ne méritant ni cet excès d'honneur ni cette indignité, l'OPEP, dont le pouvoir reste très limité, figure parmi les mécanismes essentiels de la régulation de l'économie mondiale.

Le 16 octobre 1973, dix jours après le déclenchement de la guerre du Kippour, les sept pays de l'OPEP réunis à Koweït décident de fixer eux-mêmes le prix du baril, celui-ci étant jusqu'alors arrêté par les compagnies pétrolières. Pour faire pression sur Israël, ils décidèrent en outre de baisser leurs productions. Le prix du brut augmenta de 70 %.

L'Organisation des pays exportateurs de pétrole (OPEP) fut créée en 1960 par l'Arabie saoudite, le Venezuela, l'Iran, l'Iraq et le Koweït que rejoindront ensuite le Qatar, l'Indonésie, la Libye, les Émirats arabes unis, l'Algérie et le Nigeria ainsi que l'Équateur (entre 1973 et 1992) et le Gabon (entre 1975 et 1994). L'OPEP était née en pleine période de décolonisation de la volonté d'une poignée de petites nations exportatrices de pétrole qui tentaient de réagir contre la mainmise des sept grandes compagnies pétrolières sur le marché du pétrole. Dans les années 70, l'OPEP a connu deux crises successives avec l'embargo de 1973 et la révolution iranienne cinq ans plus tard. Le début des années 80 est marqué par la flambée des prix du pétrole avant la chute de 1986. Après une série de hauts et de bas, une nouvelle secousse a lieu en 1998, à la suite de la crise économique en Asie du Sud-Est.

Depuis, à la fin des années 90, les membres de l'OPEP et d'autres pays producteurs (Mexique, Russie, Norvège) sont parvenus à rétablir la situation en réduisant la production mondiale, entraînant une hausse inespérée du prix du baril de pétrole (28 dollars au lieu de 22 dollars). La résolution de cette crise s'est accomplie grâce à une cohésion inhabituelle au sein de l'OPEP et à un respect des quotas, même si celui-ci est dû en partie à l'incapacité des pays d'augmenter ou de maintenir leur production. Cette renaissance marque le retour d'une OPEP unie, sûre d'elle-même et influente, qui représente près de 40 % de la production mondiale, et possède les trois quarts des réserves globales de pétrole brut. Ce renouveau s'exprime dans un contexte de transformation de l'industrie pétrolière avec les *mega-mergers* (fusions géantes), l'avancée des technologies et une plus grande prise de conscience des problèmes liés à l'environnement. À la suite de la crise de 1998-1999, l'OPEP a adopté un principe général de stabilisation des prix du pétrole reposant sur la réduction et l'augmentation automatiques de la production dès que les prix vont au-delà ou en deçà d'une fourchette préétablie.

Néanmoins, les crises externes et les dissensions internes peuvent toujours intervenir de manière inattendue pour déstabiliser l'organisation. Ainsi, cet acteur particulier de l'échiquier géostratégique a-t-il toujours un potentiel perturbateur élevé. Le maintien des multiples équilibres internes de l'OPEP est déterminé par une multitude de facteurs ayant trait aussi bien aux intérêts nationaux des pays membres qu'à la politique intérieure de chaque pays et à leurs besoins économiques particuliers. Les rivalités au sein du groupe, notamment entre ses membres les plus influents comme l'Arabie saoudite et le Venezuela, sont toujours un facteur potentiel d'instabilité. L'unité du groupe aussi est souvent menacée. Ainsi l'Iraq s'est-il abstenu de participer aux accords sur les niveaux de production. La capacité qu'a l'OPEP d'influer sur les cours du marché représente son fonds de commerce. Mais n'oublions pas que cette capacité reste malgré tout limitée, ne serait-ce que par sa connaissance toute relative de l'état réel de l'offre et de la demande. ■

La Ligue arabe
ou la grande palabre

Depuis plus d'un demi-siècle qu'elle existe, la Ligue des États arabes a été caractérisée par un hiatus spectaculaire entre ses prises de position fortes, notamment vis-à-vis d'Israël, et ses divisions, responsables de son inefficacité chronique à réaliser ses objectifs de coopération et d'unité régionale. L'Égypte, pourtant à l'origine de la création de la Ligue, fut bannie de l'organisation pendant une dizaine d'années (1979-1989) après sa signature du traité de paix avec Israël. Constamment les disputes tactiques l'ont emporté sur les objectifs stratégiques de long terme.

La Ligue des États arabes, ou «Ligue arabe» fut créée en 1945. Elle comptait sept pays membres lors de son lancement et en totalise vingt-deux aujourd'hui. Les sept pays fondateurs sont l'Arabie saoudite, l'Égypte, l'Iraq, le Liban, la Syrie, la (Trans)Jordanie, le Yémen, auxquels se sont joints ensuite l'Algérie, Bahreïn, les Comores, Djibouti, les Émirats arabes unis, le Koweït, la Libye, le Maroc, la Mauritanie, Oman, la Palestine, le Qatar, la Somalie, le Soudan et la Tunisie.

Comme la plupart des institutions régionales, la Ligue arabe est un organisme de coopération interétatique où les États membres sont représentés par un conseil constitué au niveau des ministères des Affaires étrangères. Le pacte de la Ligue arabe vise à une coopération étroite entre ses membres et à une coordination politique ; il cherche à fixer un code de bonne conduite entre les États arabes. Comme la plupart des pactes régionaux, celui-ci est fondé sur le principe de souveraineté nationale et celui de non-ingérence, principe qui, en pratique n'a pas toujours été res-

Si, sur le plan militaire, le rôle de la Ligue arabe fut minime, sur le plan diplomatique, il fut loin d'être négligeable, notamment dans le cadre de l'ONU. La Ligue prit ainsi une part active à la défense de la cause de l'indépendance des pays du Maghreb, d'Oman et du Yémen.

pecté. L'incorporation (1950) dans le pacte d'une convention sur la défense (aboutissant à la création du Conseil de défense commune) et sur la coopération économique (Conseil économique arabe) permet à la Ligue arabe de fonctionner théoriquement selon les principes généraux d'un régime de sécurité collective. En pratique, ce régime sécuritaire se définit en grande partie à travers la lutte contre un État, Israël, c'est-à-dire selon des principes plus proches de la politique de puissance classique que de la sécurité collective.

La Ligue arabe a démontré au fil des décennies que les divergences entre les intérêts politiques nationaux et les disparités entre les divers régimes politiques et économiques des États membres ont une importance supérieure à une solidarité régionale, culturelle, religieuse ou linguistique souvent illusoire. La lutte contre un ennemi commun, si elle est parvenue à cimenter certaines alliances au sein du groupe a aussi contribué aux dissensions. Chacun se drape dans le drapeau de la cause palestinienne en songeant à son intérêt particulier. En tout état de cause, cet objectif s'est révélé insuffisant pour engendrer une réelle coopération entre les pays membres, sans parler d'une intégration politico-économique comparable à celle de l'Europe. Il est peu probable que dans un avenir proche la Ligue arabe puisse évoluer de manière significative. Et tout porte à croire que le conflit israélo-palestinien va continuer à dominer les débats sans permettre de réaliser des objectifs concrets. ▨

Les institutions financières internationales : un club de riches ?

Depuis 1945 les institutions financières internationales (IFI) jouent un rôle important dans l'évolution économique de la planète. Les institutions nées des accords de Bretton Woods (du nom d'un village du New Hampshire où eut lieu la conférence de 1944), soit le Fonds monétaire international (FMI) et le groupe de la Banque mondiale, incarnent depuis ce qu'il y a de meilleur et de moins bon dans le monde des institutions financières internationales. Désormais, l'Organisation mondiale du commerce (OMC) et, dans une moindre mesure, la Banque européenne pour la reconstruction et le développement (BERD), font partie du cercle restreint des IFI qui pèsent sur l'avenir du monde, non sans susciter un mouvement de contestation croissant.

Les institutions de Bretton Woods étaient nées sur les décombres de la guerre. Suivit la période de reconstruction, puis celle de la décolonisation avec une augmentation sensible du nombre d'États dans le monde et l'élargissement du fossé Nord-Sud. Cette seconde période correspond à l'apogée de ces institutions. La période qui suit la fin de la guerre froide manifeste les premiers signes de faiblesse et de remise en question, tandis que d'autres IFI font leur apparition. La BERD est créée en 1991 sur un modèle qui rappelle celui de la Banque mondiale. Mais si la Banque mondiale travaille dans les pays en voie de développement, la BERD cible une zone plus restreinte, celle de l'Europe centrale et orientale, ainsi que les pays de l'ex-URSS (27 pays au total, en 2001). L'OMC, établie en 1994, prend la relève du GATT (General Agreement on Tariffs and Trade). Elle supervise la mise en œuvre d'accords commerciaux (marchandises, services, idées) et tente de manière générale de défendre les principes d'égalité, de non-discrimination, de concurrence loyale, tout en encourageant les réformes visant à la libéralisation des économies nationales. Il existe par ailleurs d'autres institutions financières moins importantes et spécialisées dans des domaines particuliers, comme le Fonds international de développement agricole (créé en 1970) ou l'Organisation des Nations unies pour le développement industriel (créée en 1966, réorganisée en 1985).

● Coopération monétaire et financement de projets de développement

Dans l'esprit de Bretton Woods, le FMI et la Banque mondiale travaillent de manière complémentaire. Le premier a pour mission de promouvoir la coopération monétaire internationale, la seconde accorde des prêts pour financer de vastes projets de développement dans divers domaines privés et publics qui concernent par exemple l'agriculture et la gouvernance. Le FMI apporte un soutien financier aux pays en crise et assiste les gouvernements dans leurs politiques économiques. L'assistance du FMI se traduit généralement par une politique de rigueur monétaire imposée aux pays bénéficiaires.

Pendant un demi-siècle, jusqu'au milieu des années 90, le FMI et la Banque mondiale travaillent repliés sur eux-mêmes, car le postulat originel était simple : le développement constitue un problème exclusivement économique nécessitant une expertise technique détenue par des fonctionnaires qui dirigent avec efficacité les opérations sur le terrain, alors que le conseil d'administration des deux institutions valide les politiques adoptées (notons que grâce au système du vote pondéré avantageant les pays qui offrent les plus grandes contributions, le pouvoir de décision appartient aux pays les plus riches).

Cette approche, qu'on peut qualifier de simpliste, reposait plus sur une certaine naïveté technocratique que sur une arrogance des pays riches à l'égard des pays pauvres. Toujours est-il qu'avec l'explosion du système géopolitique planétaire faisant suite à l'implosion de l'URSS, la réalité sur le développement et sur le rôle des IFI s'est révélée au grand jour. Tout d'abord, il est

Le capital du FMI se monte à 300 milliards de dollars. Les États-Unis en sont le premier contributaire : 17,35 % du total, devant le Japon (6,23 %), l'Allemagne (6,08 %), la France et la Grande-Bretagne (5,02 % chacune).

apparu clairement que les politiques économiques préconisées et l'imposition des plans de rigueur pouvaient avoir des conséquences politiques négatives qui pesaient parfois plus lourd que les bienfaits espérés sur l'économie. Ensuite, il fallut constater que les plans de rigueur étaient rarement suivis à la lettre alors que les politiques de libéralisation n'entraînaient pas toujours de développement immédiat. Enfin, on peut se poser la question de savoir si certaines politiques économiques recommandées par les deux institutions n'ont pas dans certains cas indirectement attisé des foyers de conflits internes et encouragé la corruption à grande échelle.

Afin d'élargir le cercle des nations participant à la définition des principes de la régulation économique mondiale, une nouvelle instance a été mise sur pied : le G20, qui regroupe le G7 (Allemagne, Canada, États-Unis, France, Grande-Bretagne, Italie, Japon), le Brésil, la Chine, l'Inde, la Russie, le FMI et la Banque mondiale.

● Des activités sous haute surveillance

En conséquence, les activités du FMI et de la Banque mondiale font désormais l'objet d'une critique beaucoup plus sévère qu'auparavant de la part des pays industrialisés, et notamment du Congrès américain, tandis qu'est remis en question tout le financement des institutions d'aide internationale. Autre conséquence négative sur ces institutions financières déjà dans le collimateur : elles sont devenues, à tort ou à raison, le symbole (avec l'OMC) de la mondialisation et de l'ultra-libéralisme auprès des mouvements antimondialisation. Signe des temps, la réunion annuelle du FMI et de la Banque mondiale, qui passait naguère presque inaperçue, fut annulée en 2001 pour des raisons de sécurité, il est vrai dans une ambiance particulière faisant suite aux attentats du 11 septembre. Tous ces événements, qui se sont enchaînés avec rapidité, contraignent ces institutions à entamer une restructuration profonde qui passe par l'adoption d'une vision plus large, par une meilleure écoute des populations et de la société civile, et par l'abandon définitif d'une approche exclusivement technocratique. Cependant, quel que soit l'avenir des institutions financières internationales, il est certain que le climat de confiance aveugle qui a présidé à leurs premières années est révolu. ■

La Commission européenne : un pouvoir contesté

Créée par le traité de Rome établissant – le 25 mars 1957 – les Communautés européennes, la Commission représente l'institution la plus originale de l'organisation. Elle est en effet composée de membres désignés d'un commun accord par les gouvernements, mais qui – une fois nommés – exercent leurs fonctions en «pleine indépendance», dans «l'intérêt général des Communautés». Ayant un rôle d'initiative et d'exécution des décisions adoptées par le Conseil, cette institution supranationale dispose d'un pouvoir important, dans un nombre croissant de domaines. Elle est notamment chargée de la réalisation complète de l'Union économique et monétaire.

Ce nouveau centre de pouvoir est critiqué en raison de son opacité bureaucratique. Les vingt commissaires qui le composent sont assistés d'une administration composée de 15 000 agents, répartis entre un secrétariat, 23 directions générales (DG) et différents services d'exécution. La proposition d'une DG peut être adoptée sans débats dès lors qu'elle fait l'objet d'un accord entre chefs de cabinet. Elle est alors transmise au Conseil, pour être parfois formellement approuvée, sans vote, si le groupe de travail qui l'étudie estime que la proposition ne fait l'objet d'aucun désaccord. Cette procédure logique, mais ignorée de tous, est en partie contestée, faute d'une communication politique.

Exécutant un budget communautaire qui s'élève à 96,24 milliards d'euros (631 milliards de francs) en 2001, la Commission réalise un travail important de gestion quotidienne des affaires. En 1998 sont révélés des détournements de fonds communautaires, destinés aux pays méditerranéens (programmes MED), puis à la Bosnie et au Rwanda (ECHO), visant la rémunération d'emplois irréguliers. Plusieurs commissaires sont convaincus de favoritisme.

Le développement de la fraude et de la corruption au sein de la Commission provoque une crise institutionnelle et politique sans précédent qui conduit le président Jacques Santer à présenter la démission collective de la Commission le 16 mars 1999. La nomination de la nouvelle Commission, présidée par Romano Prodi, est approuvée le 16 septembre 1999. La crise a joué, dans le cadre du triangle institutionnel, en faveur du Parlement européen, chargé du contrôle politique des institutions européennes. Au moment où les crises balkaniques donnent à l'Union européenne une dimension diplomatique et militaire, la Commission se doit d'intégrer les règles de communication dont, en système démocratique, aucun pouvoir ne saurait être exempt. La poursuite et le succès de la construction européenne sont à ce prix. ■

Depuis 1999, l'UE entend mettre en œuvre une politique européenne de sécurité et de défense (PESD) : création d'organes permanents (comité politique et de sécurité, comité militaire, état-major européen), création d'une force de déploiement rapide.

De nombreux obstacles demeurent quant à la mise sur pied d'une défense commune : définition des objectifs, rapports avec l'OTAN, refus de plusieurs capitales de substituer une hypothétique force commune au parapluie américain, coûts financiers.

LE G7 :
le club des éléphants ?

Né officieusement en 1975, le Groupe des 7 (G7) regroupe les sept pays les plus industrialisés du monde : Allemagne, Canada, États-Unis, France, Grande-Bretagne, Italie et Japon (auxquels se joint depuis 1977 le président de la Commission européenne). Depuis la fin de la guerre froide et l'effondrement de l'URSS en 1991, le G7 a choisi de travailler avec la Russie (« G7+1 », ou « G-8 »). Conçu au départ comme une simple rencontre informelle, le G7 a évolué vers une « grand-messe » médiatique, à qui l'on reproche d'être une sorte de gouvernement économique du monde par les riches.

Le G7 n'est pas une entité juridique comme l'Organisation des Nations unies mais s'apparente plutôt à un « concert de nations » partageant un certain nombre de points communs : puissance industrielle et richesse économique, économie de marché, institutions et valeurs démocratiques. Avec seulement 10 % de la population mondiale, le G7 possède en effet environ 55 % des richesses produites dans le monde. Ce cercle informel, par nature élitiste, n'est ni une entité géographique ou culturelle, ni une zone de libre-échange. C'est une création politique – on pourrait presque dire « idéologique » – dont la mission globale est de défendre les valeurs libérales et démocratiques face aux dérèglements internes et aux menaces extérieures, dont celle, à l'origine, du système communiste.

Au départ, le G7 se donne pour mission de coordonner les politiques nationales économiques des Sept et de répondre aux crises, notamment aux crises pétrolières. Les circonstances historiques font que, rapidement, il est concerné aussi par les affaires stratégiques. Nous sommes encore en pleine guerre froide et le G7 agit alors comme un élément régulateur de la sécurité occidentale face à la menace soviétique. Durant cette première période de son existence, le G7 adopte une approche classique de la diplomatie, qui se traduit par l'organisation de sommets annuels réunissant les sept chefs d'État (plus le président de la Communauté européenne, puis le président en exercice de l'UE) dans le cadre général d'une politique de puissance visant à contenir l'adversaire et à maintenir les équilibres géostratégiques. L'après-guerre froide et la transformation fondamentale de l'échiquier géostratégique ont logiquement redéfini le rôle du G7. Désormais, le Groupe des 7, plus la Russie, retrouve progressivement le rôle principalement économique qui était le sien au départ (on note que chaque sommet produit une déclaration politique et une déclaration économique séparées).

Néanmoins, si les problèmes économiques ont tendance aujourd'hui à prendre le pas sur les questions de stratégie militaire,

Le premier G6 (le Canada ne rejoint le groupe qu'en 1976) a lieu à Rambouillet à l'initiative de Valéry Giscard d'Estaing. L'essentiel des discussions porte alors sur le régime des changes du système monétaire international, l'objectif étant de réduire les fluctuations.

celles-ci continuent d'être abordées par les Sept. Le début du troisième millénaire a d'ailleurs remis sur le tapis certains dossiers fondamentaux touchant notamment au nucléaire et à la lutte contre le terrorisme. La volonté du gouvernement américain de se doter d'un bouclier antimissile remet en question la stratégie nucléaire développée durant la guerre froide alors que les attentats du 11 septembre 2001 ont montré la vulnérabilité des pays industrialisés face au terrorisme, avec des conséquences qui affectent non seulement la psyché des nations touchées directement ou indirectement mais aussi les économies et l'industrie. Le problème de la lutte contre le terrorisme fait d'ailleurs partie des sujets traités en priorité depuis les débuts du G7, la première déclaration sur la menace terroriste ayant été élaborée au sommet de Bonn en 1978.

Dans le contexte ouvert qui est celui de l'ère de la mondialisation, l'existence du G7 peut paraître anachronique. D'ailleurs, nombreuses sont les critiques à son encontre. Comme la plupart des grands acteurs politiques, dont l'ONU, le G7 doit s'adapter aux nouvelles circonstances, c'est-à-dire qu'il doit non seulement redéfinir ses objectifs mais aussi s'interroger sur sa raison d'être. Malgré tout, la puissance, qu'elle soit économique ou militaire, compte toujours pour quelque chose au XXIᵉ siècle. Celle du G7 est réelle. Son influence l'est aussi. ■

Les PNB (en milliards de dollars 2000) des membres du GT sont : États-Unis (9 163), Japon (4 395), Allemagne (2 091), Grande-Bretagne (1 450), France (1 430), Italie (1 162), Canada (615), Russie (376).

Les ONG, ou le pouvoir fluide

Les organisations non gouvernementales (ONG) jouent un es organisation non gouvernementales jouent un rôle de plus en plus important dans les relations internationales contemporaines où elles interviennent désormais aux côtés des États et des organismes interétatiques tels que l'Organisation des Nations unies (ONU). Mettant à profit le recul (relatif) de l'État-nation comme acteur principal de la politique internationale, elles tirent parti de l'ouverture du géosystème mondial. Cette dernière permet une participation accrue de nouveaux éléments qui agissent dans la légalité et l'illégalité. D'un point de vue éthique, les ONG représentent le côté positif de cette ouverture, alors que les organisations criminelles représentent l'aspect négatif.

Les organisations non gouvernementales forment une catégorie aussi disparate que possible. Les différences entre les ONG se manifestent au niveau de leur origine, de leur ancienneté et de leur expérience, de leur taille, de leur financement, de leur structure et de leurs objectifs. Ainsi, il n'existe pas de prototype de l'ONG. Et ce n'est certes pas un hasard si de par leur appellation même, les organisations non gouvernementales se définissent par ce qu'elles ne sont pas. Il n'en reste pas moins que leur rôle aujourd'hui est loin d'être négligeable, en particulier dans le contexte des crises humanitaires qui marquent le début du XXIᵉ siècle.

Les ONG sont extrêmement nombreuses, tant leurs champs d'action sont divers : médecine, éducation, défense des droits de l'homme, de l'environnement, etc. Selon la définition qu'on en donne (absence de but lucratif, bénévolat, indépendance vis-à-vis du pouvoir politique), on estime leur nombre entre 5 000 et 25 000 dans le monde.

● En zone de crise

Si les ONG sont par définition des organismes «non gouvernementaux», il n'en demeure pas moins qu'elles sont presque toujours en relations directes ou indirectes avec les États, que ce soit en amont ou en aval de leurs activités. Certaines ONG, comme le Comité international de la Croix-Rouge, dépendent déjà presque exclusivement d'un financement étatique. En dehors de la question du financement, les ONG doivent souvent composer avec les gouvernements des pays dans lesquels elles exercent leurs activités. Lors de crises, elles doivent travailler de concert avec des États et des organismes interétatiques (ONU, OTAN) extérieurs, y compris avec leurs armées.

Étant donné que les ONG sont actives dans des zones de crise où le pouvoir étatique a des chances d'être faible ou absent, elles sont confrontées à un vide politico-juridique où s'affrontent diverses entités, dont des groupes criminels, en compétition les unes avec les autres. Le rôle des ONG s'étend, bien au-delà des frontières de l'aide humanitaire traditionnelle, jusque dans des sphères qui étaient naguère réservées aux États. C'est le cas notamment pour tout ce qui concerne la négociation et la médiation, domaine qui relève de la diplomatie. Aujourd'hui, la connaissance du terrain donne aux ONG une expérience locale qui permet à ses agents de bien cerner des situations parfois complexes, de développer des liens avec les populations. Ainsi disposent-elles d'une information parfois plus fine que celle des organismes gouvernementaux.

● Des organisations très souvent dérangeantes

Agissant comme courroie de transmission entre les collectivités et la société civile d'une part, entre la société civile et l'État d'autre part, les ONG font partie intégrante du paysage politique. Ce nouveau statut n'est pas sans conséquences. Désormais, les ONG dérangent et les critiques émises à leur égard sont de plus en plus fréquentes. Il faudrait faire des études au cas par cas afin d'analyser les effets pernicieux que peut créer la présence d'ONG dans des zones de crise. Globalement, les conséquences négatives ont souvent trait à la nature instable et au caractère violent des zones où sont implantées les ONG. Celles-ci peuvent notamment créer des jalousies, perturber les acteurs locaux, et de manière générale accroître le niveau de la violence. Il peut arriver aussi dans certains cas que l'action humanitaire des ONG soit mal conçue ou mal exécutée, dans un domaine où les erreurs se payent en vies humaines.

Le travail des ONG est rarement simple, surtout sur le plan logistique, et même l'acheminement et la distribution de vivres dans des zones sinistrées peuvent s'avérer d'une complexité extrême. Dans le cadre des missions de maintien de la paix, les frictions que peuvent connaître ces organismes sont égales à celles que rencontrent les armées dans le cadre d'une guerre classique. Dans le contexte des guerres civiles, les ONG sont souvent prises entre deux feux. Au cœur de ces situations de forte tension, il est rare que les ONG ne soient pas accusées de favoriser un groupe par rapport à un autre. En Colombie par exemple, les groupes paramilitaires d'extrême droite accusent les ONG de soutenir les guérillas, et une partie de la population leur reproche de saboter le processus de paix. Par ailleurs, les États eux-mêmes voient d'un mauvais œil l'émergence de groupes non gouvernementaux qui agissent dans un domaine sur lequel ils voudraient avoir un contrôle absolu. Le fait que les ONG soient souvent d'origine étrangère ou qu'elles fonctionnent avec un financement extérieur, généralement américain ou européen (et japonais), provoque parfois des réactions négatives, de la part des politiques, sur le thème néo-impérialiste.

● Une privatisation des moyens de la violence

La capacité d'action des ONG affecte aussi les institutions financières internationales comme le Fonds monétaire international (FMI) et la Banque mondiale. D'abord, certaines ONG s'immiscent dans un espace précédemment occupé par ces institutions. Ensuite, l'expérience sur le terrain permet aux ONG de percevoir, et de faire partager au monde, certaines des déficiences démontrées par les projets financés et administrés par le FMI et la Banque mondiale. Ce phénomène a contribué notamment à la remise en question des institutions de Bretton Woods dans les années 1990.

D'une manière générale, l'apparition massive des ONG durant la période qui a suivi la fin de la guerre froide participe du phénomène de « privatisation » des moyens de la violence, et aussi de sa résolution. Dans le cadre de la mondialisation, la privatisation des moyens de la violence appelle à de nouvelles formes d'interventions pour lesquelles les États ne sont pas toujours les mieux préparés. Les ONG qui travaillent dans le cadre d'opérations de paix ont un savoir-faire et une expérience qui font défaut aux États, dont la marge de manœuvre est par ailleurs souvent limitée. Dans le proche avenir, il est probable que le rôle des ONG aille grandissant. Cette réussite s'accompagnera logiquement d'une première remise en question et peut-être de tentatives de régulation de toutes ces activités disparates auxquelles participent un nombre croissant d'ONG. ■

Les ONG, soucieuses de venir en aide aux populations en détresse, parfois contre l'avis des gouvernants en place, vont jusqu'à théoriser un « devoir d'ingérence » des puissances démocratiques pour parer à l'urgence et garantir les droits de l'homme. À cela s'opposent, d'une part, les défenseurs de la souveraineté nationale et, d'autre part, les partisans du « relativisme culturel » pour qui les droits de l'homme varient d'une culture à l'autre.

Mafias, sectes et cartels : l'organisation du crime

L e relâchement des tensions géostratégiques qui a suivi la fin de la guerre froide a engendré une recrudescence des activités criminelles organisées, lesquelles perturbent désormais directement la conduite des relations internationales. En même temps, le développement considérables des activités liées au commerce international a facilité les échanges transnationaux, y compris les activités illégales. Désirable, la liberté des flux de marchandises a son envers illégal qui sait parfaitement s'organiser.

● Un système global de corruption

Les groupes criminels ont-ils profité de la mondialisation. Par ailleurs, l'implosion de l'Union soviétique a provoqué l'émergence de groupes mafieux en Russie et dans les républiques ex-soviétiques. Le système goulaguien avait soutenu de façon sordide les mafias pendant des décennies. La chute de l'URSS a permis aux organisations criminelles de pratiquer leurs activités au grand jour. L'effondrement du bloc soviétique a été suivi par la création de nouvelles entités politiques à la fois faibles et pauvres, mais occupant de vastes territoires, soit une situation idéale pour l'implantation d'organisations criminelles recherchant des bases pour exercer librement leurs diverses activités. Le passage sans transition du système communiste à un capitalisme « sauvage » a instauré un système global de corruption qui permet aux criminels d'agir en toute quiétude dans un contexte de précarité sécuritaire.

Sur ce phénomène se sont greffés d'autres éléments qui profitent à cette criminalité et qui l'encouragent.: ventes d'armes, transferts technologiques, immigration clandestine, prostitution. La drogue est devenue dans certaines régions du monde un moyen de financement pour divers groupes armés, guérilleros, paramilitaires, terroristes. Les cartels de la drogue, comme ceux qui sévissent en Colombie, se sont trouvé des alliés de circonstance avec de tels groupements armés. La collusion de ces divers groupes pratiquant des activités illégales et subversives engendre une montée de la violence qui peut aggraver certains conflits, en particulier les conflits de type insurrectionnel. À terme, les intérêts de ces groupes deviennent si proches qu'il est difficile de tracer une frontière entre les activités politico-militaires et les activités criminelles. De tels foyers, mêlant guerre civile et criminalité organisée, attirent généralement les groupes mafieux étrangers qui participent à la montée du crime et de la violence. En Colombie toujours, les mafias étrangères, notamment russes, acheminent des armes aux guérillas et aux paramilitaires qui les combattent et sont payées avec l'argent de la drogue que ces groupes prélèvent sur les cartels. Invariablement, ces activités

Le GAFI (Groupe d'action financière sur le blanchiment des capitaux) dresse une liste d'une quarantaine de « paradis financiers » à travers le monde, dont certains sont soupçonnés de favoriser le financement des groupes criminels et terroristes. Certains de ces paradis sont jugés comme ayant un « faible niveau de régulation », notamment plusieurs îles des Caraïbes et du Pacifique. À cette liste s'ajoute celle des pays jugés également suspects ou non coopératifs : Russie, Ukraine, Nigeria, Birmanie, Philippines, Indonésie, Égypte, Liban, Israël, Hongrie, Guatemala et certaines possessions britanniques et américaines.

criminelles entraînent aussi la corruption généralisée qui affecte les gouvernements, leurs armées, leurs polices, et l'appareil judiciaire, affaiblissant ainsi l'État dans son ensemble. Si les activités criminelles engendrent une recrudescence de la violence, ce sont généralement les conflits eux-mêmes qui font naître la criminalité. Ainsi, au Kosovo, le vide du pouvoir provoqué par le départ des administrateurs serbes a-t-il finalement servi la cause, malgré la présence de forces étrangères, des groupes criminels qui se sont emparés non seulement des parts de l'économie illégale, dont la drogue et la vente d'armes, mais aussi de certains secteurs de l'économie légale.

• Des groupes organisés comme des multinationales

En plus de ces groupes relativement nouveaux qui se sont créés en Amérique latine et dans les républiques ex-soviétiques, n'oublions pas les organisations parfois très anciennes qui ont émergé en Europe et en Asie. Les triades chinoises par exemple trouvent leurs origines au XVIIᵉ siècle. Aujourd'hui, elles possèdent des réseaux importants dans le monde entier. Ce modèle plus traditionnel, très hiérarchisé, se retrouve aussi au Japon et chez les groupes mafieux italiens dont ceux implantés aux États-Unis (qui comptent 25 familles de Cosa Nostra) et les groupes autochtones (Sacra Corona Unita, Camorra, N'drangheta, Cosa Nostra sicilienne, distincte de la Cosa Nostra américaine). Fonctionnant à partir de leurs bases locales, ces groupes sont organisés selon un modèle proche des grandes multinationales. L'évolution transnationale de la criminalité organisée a eu pour effet d'accroître la délinquance économique et financière, à commencer en matière de blanchiment. On a pu notamment établir le lien entre haute finance, criminalité et violence organisée lors des attentats du 11 septembre 2001.

Le problème des sectes se pose différemment. Le lien entre les sectes et la sécurité relève en général de la sûreté interne des États et s'applique surtout au phénomène du terrorisme publicitaire. Les liens entre les sectes entretenant des objectifs nuisibles et les groupes criminels restent aussi très distendus, et il est, par définition, rare que les sectes s'organisent entre elles. Il reste que, avec les technologies modernes, le potentiel de destruction que peuvent entretenir certaines sectes apocalyptiques est réel, comme l'a montré l'attentat au gaz sarin dans le métro de Tokyo en 1995, commis par la secte Aum Shinrikyo. Face à ces courants spirituels, les arsenaux répressifs classiques se montrent insuffisants. Aujourd'hui, les États-Unis s'interrogent avec angoisse sur la possible utilisation d'armes biologiques par de telles organisations.

Au XXIᵉ siècle, le phénomène de la criminalité organisée, qui était auparavant confiné à la sécurité interne des États, est devenu un élément non négligeable des relations internationales. Cet élément perturbateur, dont on mesure encore difficilement l'impact sur la politique internationale, touche à des domaines sensibles qui affectent directement ou indirectement la sécurité des États, comme le terrorisme ou l'immigration clandestine, et les rela-

Les États-Unis, pour des raisons historiques, favorisent le développement des sectes (l'Utah est un État mormon) et lorsque la secte davidienne se suicide à Waco (Texas, 1993), le FBI ne dispose d'aucune riposte appropriée. Les sectes favorisent les dérives intellectuelles, les bouffées d'irrationalité, les idées fixes vindicatives au point de provoquer des actions criminelles de masse (attentat de 1995 à Oklahoma City, commis par le militant d'extrême droite T. Mac Veigh).

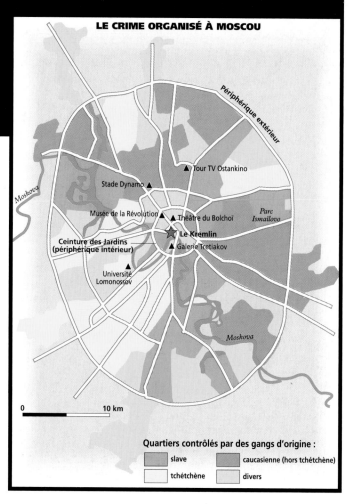

Drogue, armes, prostitution… le contrôle des trafics illégaux par les gangs ethniques fait irrésistiblement songer au Chicago d'Al Capone.

LE CRIME ORGANISÉ À MOSCOU

Périphérique extérieur

▲ Tour TV Ostankino

Stade Dynamo ▲

Moskova

Musée de la Révolution ▲ ▲ Théâtre du Bolchoï

Parc Ismaïlovo

☆ Le Kremlin

Ceinture des Jardins (périphérique intérieur)

▲ Galerie Tretiakov

▲ Université Lomonossov

Moskova

0   10 km

Quartiers contrôlés par des gangs d'origine :

slave   caucasienne (hors tchétchène)

tchétchène   divers

tions diplomatiques entre les pays concernés. Les activités criminelles liées à la guerre civile en Colombie, par exemple, se répercutent sur les voisins immédiats et créent des tensions diplomatiques. Le problème de l'immigration clandestine est au cœur des relations entre les États-Unis et le Mexique et affecte les relations interétatiques au sein de la communauté européenne. Le problème de la drogue détermine en grande partie la nature des relations entre les États-Unis et l'Amérique latine. Dans l'avenir, il faudra que les États tiennent compte de ces acteurs invisibles et qu'ils travaillent de concert pour gérer un problème qui pourra au mieux être contrôlé sans être probablement jamais éliminé. ◼

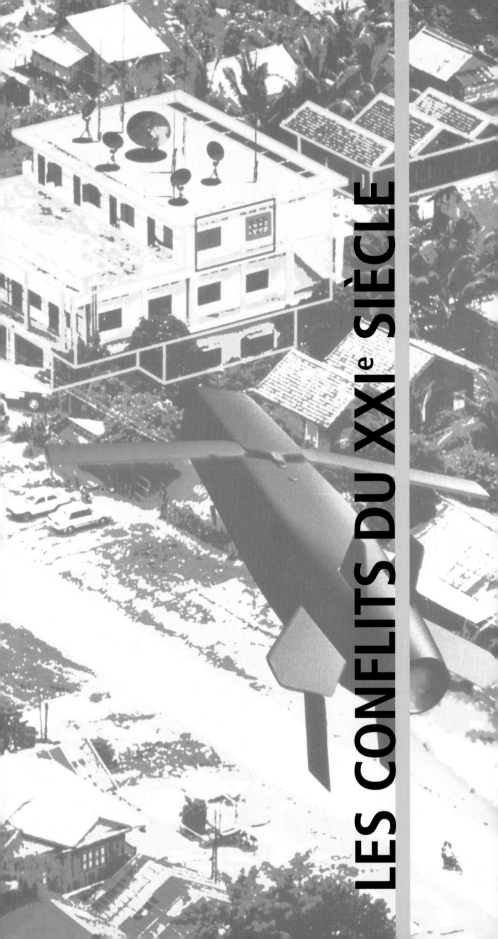

LES CONFLITS DU XXIᵉ SIÈCLE

Lieux et milieux

Chaque guerre est unique

Comme toute tragédie, la guerre a son théâtre, un espace humain placé sous contrainte du temps de la crise et des opérations. Politique dans son essence, elle reste géographique dans son existence. Cette géographie combine des territoires et des milieux physiques, terre, air, mer, eux-mêmes diversifiés par la latitude et les reliefs, les altitudes et les profondeurs. Depuis la fin de la guerre froide, ces théâtres, sans se multiplier, se sont diversifiés : Koweït, Caucase, Somalie, Afrique équatoriale, Balkans, Afghanistan. À cette extrême diversité répond une stratégie des moyens progressive et adaptative.

● Une guerre ne ressemble à aucune autre

Banalité constamment rappelée par la réalité : la jungle n'est pas le désert, lequel présente de grandes variétés. Voyez le Koweït au regard de l'Afghanistan.

Aussi la pensée stratégique s'est-elle efforcée de dégager des principes généraux, tout en reconnaissant qu'ils doivent être adaptatifs pour chaque cas particulier. Ce n'est certes pas par hasard si la tradition militaire a divisé les forces armées en fonction des milieux tout en s'efforçant de combiner les effets de leurs actions.

La capacité théorique de létalité est passée de 23 morts pour une arme blanche à 43 morts pour un mousquet du XVIIIᵉ siècle, 3 463 pour une mitrailleuse de la Première Guerre mondiale, 575 000 pour un char de la Seconde Guerre mondiale et plus de 695 millions pour une bombe H d'une mégatonne.

Un milieu présente effectivement des particularités physiques qui lui sont propres. Cette diversité est même prise en compte par le droit qui reconnaît aux milieux maritimes et aériens une liberté qui n'existe pas sur terre. Faire la guerre, c'est donc disposer de la capacité à s'adapter aux contraintes des milieux naturels face à l'opposition de l'adversaire qui, tout à la fois, les subit et les exploite à son profit. C'est aussi l'art de combiner les capacités d'action des forces agissant dans chaque milieu pour concourir à la réalisation d'un objectif commun. Chaque armée s'efforce aujourd'hui de disposer d'une capacité d'action accrue sur les autres milieux : l'air et la mer gagnent sur la terre au point que l'on parle désormais de système aéroterrestre et aéronaval.

● La tradition de la combinaison des milieux et des forces

Le cas Overlord (débarquement en Normandie) de juin 1944. Comme pour tout débarquement moderne, les trois milieux sont en interrelation. Le passage amphibie de la mer à la terre constitue l'élément principal et le plus délicat de l'opération. Les Alliés disposent de la maîtrise de l'air et de la mer, atouts considérables. Ils ont mené sur les arrières de l'adversaire des opérations aéroportées qui se sont plutôt mal déroulées. Il faut prendre pied sur terre, mener à partir de la mer l'assaut de la forteresse bétonnée édifiée par Rommel, défendue par des troupes qui, malgré tout, combattront avec acharnement. La météo est mauvaise, la mer forte, le soutien aérien moins facile. En dépit de leur supériorité, les Américains vont dans certains secteurs payer le prix fort en vies humaines.

● L'avenir :
la supériorité aérospatiale

Depuis 1990, la puissance aérospatiale des États-Unis est telle qu'il semble possible de gagner une guerre où que ce soit par le seul effet de la puissance aérienne de plus en plus précise. Cette amélioration de l'efficacité destructrice tient à l'utilisation croissante de l'espace exoatmosphérique, où les satellites fournissent les informations de navigation qui assurent le guidage précis des missiles.

Sans doute s'agit-il d'un raisonnement poussé à l'excès, toutefois deux points semblent assurés : l'acquisition immédiate de la domination de l'air constitue un préalable absolu au succès d'une quelconque opération ; ensuite une campagne aérienne puissante, conduite sans entraves, crée chez l'adversaire un état d'affaiblissement important.

Reste à savoir comment, en fonction des fins politiques et des buts stratégiques, les autorités politiques et militaires décideront d'exploiter les avantages ainsi acquis. Entre cette tradition et cette modernité, nombre de théâtres de guerre resteront marqués par les contraintes du milieu terrestre pour des armées dont le niveau technologique reste modeste. ■

Au cours de l'histoire, l'occupation moyenne du terrain par combattant a considérablement évolué. On est passé ainsi, pour une armée déployée de 100 000 hommes, de 1 km² sous l'Antiquité à 20,2 km² lors des guerres napoléoniennes, 248 lors de la Première Guerre mondiale, 2 750 lors de la Seconde Guerre mondiale et 4 000 lors de la guerre du Kippour.

L'arc des tremblements géopolitiques

L'objectivité de la géographie

S'il n'existe pas de déterminisme géopolitique, on doit constater une objectivité de la géographie pour des moments donnés de la durée de vie des conflits. Sur le continent eurasiatique, une transversale, aux contours incertains, concentre de fait les conflits majeurs du présent et de l'avenir.

La bipolarité Est-Ouest a constitué un état de système géopolitique durant deux générations. Cette division du monde privilégiait encore la partie occidentale de l'hémisphère Nord. Dans le même temps, les écarts de développement renforçaient une grossière division Nord-Sud sans que celle-ci se traduise directement en affrontements militaires.

En fait, la relation dite Nord-Sud ne peut être pensée en termes de bipolarité. En revanche, au fil des années contemporaines de la guerre froide, mais profondément accentuée par son terme, une géographie transnationale des conflits s'est formée et s'impose aujourd'hui. Au sud de la masse continentale eurasiatique s'est formé depuis vingt ans un arc des conflits. Pour nombre d'experts des conflits régionaux, qui au contact de la réalité du terrain ont toujours méprisé les abstractions de la stratégie nucléaire, cette géographie transnationale n'est pas nouvelle. Néanmoins, il est difficilement contestable que ces conflits, parfois fort anciens, évoluent désormais dans un contexte nouveau affranchi de la bipolarisation nucléaire.

L'ARC DES CRISES

⭐ Guerre   〰 Tensions

Trève en Macédoine entre les albanophones et les Slavo-macédoniens

Séparatisme des russophones de Transdniestrie

Tensions entre Slaves et Tatars en Crimée

Guerre en Tchétchénie

Cessez-le-feu au Haut-Karabakh entre Arménie et Azerbaïdjan

Activisme de l'islamisme radical dans la vallée de la Ferghana

Tensions au Kosovo entre les albanophones et les Serbes

Tensions entre Chypriotes grecs et turcs

Repression des Kurdes au Kurdistan turc

Guerre en Afghanistan contre les talibans et le réseau Al-Qaida

Guérilla des Ouïgours contre les Chinois

Crises régulières entre la Grèce et la Turquie

Guerre entre Israël et les Palestiniens

Repression des Chiites dans le sud de l'Irak

Conflit du Cachemire entre l'Inde et le Pakistan

▲ Depuis 1990, les causes des conflits se sont concentrées le long d'un arc eurasiatique.

Comme il est naturel dans toute tentative de globalisation d'un phénomène, l'extension et les limites de l'arc font l'objet de visions diverses. Fortement continental, ce dernier partirait de la Turquie orientale, avec le Kurdistan, pour se terminer au Cachemire. Ainsi engloberait-il en son centre le Nord de l'Iran, le sud de l'Asie centrale ex-soviétique, l'Afghanistan occupant une position charnière.

La difficulté est de déterminer l'épaisseur Nord-Sud de cet arc. Faut-il lui adjoindre une dimension caucasienne ? Descend-t-il, via l'Iran et l'Iraq, jusqu'au

Pour les Russes, le terme de Caucasie englobe aussi bien la chaîne de montagnes – 1 200 km entre la mer Noire et la mer Caspienne, sur près de 200 km de largeur – que les régions qui se trouvent plus au sud.

golfe Persique, incluant les franges septentrionales de la péninsule arabique ?

Les tensions et les causes de conflit dans cette zone ne relèvent pas d'un facteur unique qui serait, par exemple, la propagation du fondamentalisme islamiste. Elles résultent de la conjonction remarquable de nombreux facteurs d'instabilité qui se renforcent mutuellement pour attiser la guerre : États défaillants (*Failed States*), États factices, ressources énergétiques, richesses illégales (drogue), traditions de circulation marchande en contrebande, absence d'intérêt des puissances pour une véritable régulation, prolifération d'armées «grises»…

Ironiquement, en cette partie du globe, la turbulence des intérêts humains rejoint celle de la nature : forte activité sismique, de caractère durable. ■

Géostratégie africaine

L'impossibilité de la paix

Sur le continent africain, la guerre fait rage depuis la décolonisation, amenant avec elle ses sœurs en apocalypse : la famine et l'épidémie. Cet entêtement du désastre sur ce continent suscite d'innombrables explications toutes pertinentes. Toutes également inaptes à apporter un remède.

Une des faiblesses de l'Afrique tient au fait qu'aucun pays ne dispose de la puissance nécessaire pour y imposer une paix impériale. Il existe ainsi de vastes secteurs de notre planète où la seule certitude est l'impossibilité de la paix. Contenues tant bien que mal dans leurs périmètres régionaux, ces poudrières parfois oubliées des médias peuvent exploser jusque dans le reste du monde. Il n'est pourtant point de conflit devant lequel on puisse fermer les yeux.

LE CENTRE : L'ENJEU DES RICHESSES

D'ouest en est, de Brazzaville à l'Afrique équatoriale, la zone intertropicale présente une continuité de zones conflictuelles. Au centre le Zaïre (République démocratique du Congo), frontalier avec 9 pays, n'a connu la stabilité que lors du «règne» du président Mobutu, soutenu par les puissances occidentales, principalement la France, avec la bénédiction américaine.

Ce pouvoir ubuesque fut soutenu, comme tant d'autres dictatures du tiers-monde, parce qu'il semblait constituer un point d'appui contre les entreprises soviétiques particulièrement actives en Afrique noire à partir de 1975. Ainsi la sécession du Shaba (ex-Katanga) fut-elle contrée militairement. Ces motivations disparaissent à la fin du XXe siècle. Le «roi» Mobutu n'en finit pas de disparaître dans une confusion que Paris ne parvient plus à maîtriser. C'est le retour des chefs de clan, avec de nouveaux prétendants au trône comme Laurent-Désiré Kabila.

Tout autour : la situation s'est également dégradée

C'est le cas, très tôt, dans la zone des Grands Lacs (Rwanda-Burundi), où la France s'avère incapable de contrôler le déchaînement de la violence ethnique. Plus tard, au Congo ex-Brazzaville. Plus au nord, les troubles du Centre-Afrique, puis vers l'ouest, ceux de la Côte d'Ivoire jusqu'alors épargnée ont montré l'extrême fragilité de ces États sans fondements, d'autant plus que personne en Europe ne souhaite leur apporter une aide réelle. Les Belges sont totalement désengagés. Les Allemands ignorent superbement ces préoccupations exotiques. L'Afrique ne constitue plus, dans ces conditions, une préoccupation européenne majeure ; l'ONU y épuise ses maigres moyens.

La guerre du Congo-Kinshasa, première «guerre mondiale africaine». Depuis 1996, pas moins de 6 États s'opposent sur le territoire de l'ex-Zaïre : le Congo-Kinshasa, soutenu par l'Angola, le Zimbabwe et la Namibie, et les rebelles, eux-mêmes soutenus par le Rwanda et l'Ouganda. L'exploitation des richesses minières du pays (étain, «coltan» ou mélange de minerais rares, diamants et or) sous-tend ces affrontements récurrents et meurtriers.

149

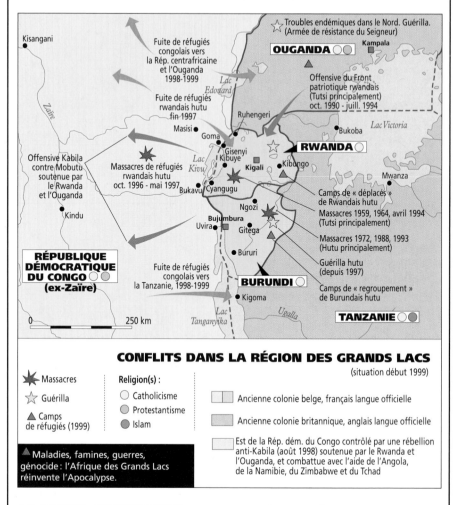

CONFLITS DANS LA RÉGION DES GRANDS LACS

(situation début 1999)

- ⭐ Massacres
- ☆ Guérilla
- ▲ Camps de réfugiés (1999)

Religion(s) :
- ○ Catholicisme
- ◐ Protestantisme
- ● Islam

Ancienne colonie belge, français langue officielle

Ancienne colonie britannique, anglais langue officielle

Est de la Rép. dém. du Congo contrôlé par une rébellion anti-Kabila (août 1998) soutenue par le Rwanda et l'Ouganda, et combattue avec l'aide de l'Angola, de la Namibie, du Zimbabwe et du Tchad

▲ Maladies, famines, guerres, génocide : l'Afrique des Grands Lacs réinvente l'Apocalypse.

LA CORNE : PERMANENCE DE L'ENJEU GÉOGRAPHIQUE

L'importance de la Corne de l'Afrique constitue une sorte de pont aux ânes de la géopolitique classique de l'époque navale, quand les lignes de communications maritimes, les bases fondaient une stratégie mahanienne (d'Alfred Mahan, amiral et stratégiste américain). Dans ce schéma, Djibouti constituait pour la France une position clé.

Qu'en est-il aujourd'hui ? La guerre d'Afghanistan de 2001 a montré que dès lors qu'il s'agit de projection de force sur de longues distances et de capacité à durer sur place, en ravitaillement constant, la géostratégie d'antan conserve ses vertus élémentaires.

● Éthiopie-Érythrée : endémie des conflits archaïques

La guerre qui de 1998 à 2000 a opposé l'Érythrée (4 millions d'habitants) à l'Éthiopie (64 millions) constitue un des conflits parmi les plus meurtriers que le monde ait connus depuis la guerre irano-irakienne de 1980-1988.

Plus courte en raison du déséquilibre des potentiels qui permet à l'Éthiopie de l'emporter, elle présente les mêmes caractéristiques. Stratégie sommaire, moyens rudimentaires, emploi des masses humaines hâtivement formées, recrutement de force dans des classes d'âge extrêmes (très jeunes gens ou hommes âgés).

L'enjeu strictement frontalier ne présente que peu de chose au regard de la volonté de l'Éthiopie d'obtenir un accès à la mer. Le nationalisme, le souci du prestige soutenu par un code de l'honneur d'ancienne tradition ont contribué à l'exacerbation du conflit entre deux des pays les plus pauvres de la planète. Le déséquilibre des potentiels fait que tôt ou tard, en dépit de tous les efforts de l'ONU et de l'OUA, la guerre a des chances d'entériner le droit du plus fort.

● La Somalie
La Somalie constitue une nouvelle zone grise de refuge pour des organisations terroristes et mafieuses.
En 1994, les Occidentaux quittent Mogadiscio dans la confusion. C'est un revers important pour les Nations unies et l'idéal humanitaire ainsi qu'une page peu glorieuse pour les grandes puissances occidentales qui prétendaient organiser un nouvel ordre mondial.
En 2001, la Somalie, morcelée en quatre territoires mal circonscrits (outre la République de Somalie autour de Mogadiscio, autoproclamée à l'été 2000,

sont apparus un Somaliland, le minuscule Puntland et un territoire tribal, le Rahanwein, tous soumis à des seigneurs de la guerre), est devenue le refuge de tous les trafics. Elle s'est donc transformée en un havre pour les organisations terroristes qui peuvent payer. En outre, elle est devenue le plus gros fabricant de faux dollars, au point d'attirer l'attention des services de M. Greenspan, le président de la Fed. Quant à l'exploitation du « khat » (plante stupéfiante), elle n'a cessé de progresser et de trouver de nouveaux débouchés commerciaux.
La Somalie, aussi politiquement informe que l'Afghanistan, devient ainsi une cible prioritaire pour les opérations antiterroristes conduites par les forces armées américaines.

● Le Soudan
Placé par les États-Unis sur la liste des États apportant leur soutien au terro-

▼ Zone d'extrême pauvreté et d'instabilité politique, la Corne fait face aux richesses de la péninsule arabique.

LA CORNE DE L'AFRIQUE

Soudan :
Zone d'affrontement entre le gouvernement et la rébellion sudiste
Somalie :
Tracé approximatif des principaux morcellements de la Somalie

Érythrée/Éthiopie :
Cessez-le-feu après capitulation de l'Érythrée

risme, le Soudan constitue depuis plus de vingt ans une zone de guerre civile où l'état de droit ne s'applique que ponctuellement. Une guérilla sanglante oppose depuis vingt ans le gouvernement officiel arabo-musulman à un Sud animiste ou partiellement christianisé. Ce conflit atroce qui, en raison des famines, a coûté la vie à plus de deux millions de personnes au sud du pays est exacerbé par l'enjeu pétrolier.

Ce n'est pas un hasard si, en 1998, après les attentats perpétrés contre les ambassades américaines de Nairobi et Dar es-Salaam, le président Bill Clinton décide de lancer une frappe de représailles contre des installations chimiques suspectes près de Khartoum. Soumis à la Charia depuis 1983, le Soudan a servi de base arrière à de nombreuses organisations terroristes islamistes. Cependant, le président Omar Bashir a saisi l'occasion des attentats du 11 septembre 2001 pour relancer ses efforts diplomatiques visant à donner du Soudan une image plus convenable.

ALGÉRIE : AUTOPSIE DE LA PIRE DE TOUTES LES GUERRES CIVILES

Une fois épuisé le vocabulaire exprimant l'horreur à l'égard des violences abjectes qui accompagnent la guerre civile en Algérie, on revient à une analyse stratégique glacée. Celle-ci s'attache en effet à mesurer les déterminations profondes, la nature et la responsabilité des divers acteurs, les méthodes d'une guerre dont la durée finit par épuiser la compassion. L'attitude internationale, dont la discrétion correspond à une stratégie d'endiguement, se montre avant tout soucieuse

Depuis les attentats du 11 septembre 2001, la Somalie fait de nouveau partie de la liste des États les plus surveillés par Washington.
Les Américains soupçonnent ce pays en décomposition d'abriter depuis 1993 les activités d'Al-Qaida (le groupe d'Oussama Ben Laden), et notamment une base logistique et des camps d'entraînement.

Les chiffres clés de l'Algérie. Taux de natalité : 25,3 ‰ (France : 12,7 ‰) ; part des 0-14 ans dans la population totale : 34,8 % (France : 18,7 %) ; taux de chômage : 26,4 % (France : 9,5 %). Par ailleurs, entre le début des années 80 et 2000, le revenu annuel moyen par habitant est passé de 3 700 dollars à moins de 1 600 dollars.

d'éviter les éventuels débordements migratoires et de contrer les agressions terroristes. Jusqu'ici efficace, cette stratégie pourrait, à la longue, se révéler insuffisante.

● L'annulation du processus électoral déclenche la violence

En 1991, le pouvoir, dominé par les militaires, annule les élections législatives qui avaient donné au premier tour 40 % des voix au FIS (Front islamique du salut). Il s'ensuit une violence quasi ininterrompue pendant dix ans et qui provoque des dizaines de milliers de morts, principalement civils, victimes des violences islamistes et des contre-violences de l'armée. Il s'agit d'une guerre pour le pouvoir et l'unité du pays (les revendications autonomistes de la Kabylie étant globalement rejetées par le gouvernement, même si, en 2001, le président Bouteflika a évoqué une reconnaissance officielle de la langue berbère, le tamazight). La cohésion politique de l'Algérie reposant sur le mythe de plus en plus érodé de l'unité nationale contre le colonialisme français, de fait, il n'existe plus de pouvoir disposant d'une véritable légitimité. Ainsi, l'Algérie est plongée dans une guerre de légitimité politique autant que dans une guerre anti-islamiste.

● La France en première ligne

La violence déchaînée préoccupe d'abord les voisins tunisien et marocain, qui cherchent à en contenir les effets chez eux. Puis c'est le cas de la France, qui a tôt fait d'apparaître, en raison de son appui au pouvoir en place à Alger, comme la cible de fractions terroristes, tout particulièrement du GIA (Groupes

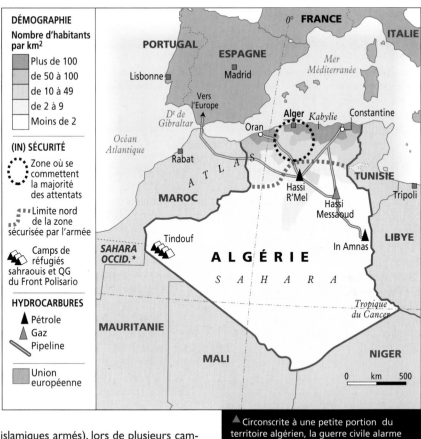

DÉMOGRAPHIE
Nombre d'habitants
par km²
- Plus de 100
- de 50 à 100
- de 10 à 49
- de 2 à 9
- Moins de 2

(IN) SÉCURITÉ
- Zone où se commettent la majorité des attentats
- Limite nord de la zone sécurisée par l'armée
- Camps de réfugiés sahraouis et QG du Front Polisario

HYDROCARBURES
- Pétrole
- Gaz
- Pipeline
- Union européenne

▲ Circonscrite à une petite portion du territoire algérien, la guerre civile alarme les États du bassin occidental de la Méditerranée.

islamiques armés), lors de plusieurs campagnes d'attentats. Le démantèlement de ces réseaux met en évidence leurs liens avec le Maroc (avec, notamment, le réseau dit « de Marrakech », dont les membres liés au GIA commirent des attentats contre des touristes dans cette ville), l'existence d'une logistique présente en Italie, en Grande-Bretagne et, plus loin encore, dans les camps salafistes (intégristes soutenus par l'Arabie saoudite) situés à la frontière pakistano-afghane.

● Aucun scénario optimiste de sortie de crise

La guerre civile algérienne pose pour l'avenir le problème de l'intégrité territoriale et le caractère de plus en plus irrecevable de l'islamisme politique. Sur ce dernier point, l'impact du 11 septembre 2001 est important car il rend impossible l'hypothèse de l'arrivée au pouvoir d'un parti qui aurait de près ou de loin des liens avec le terrorisme. Pour

autant, aucun parti légitime ne parvient à créer dans le pays un rassemblement assez vaste pour fonder une nouvelle légitimité. Les causes structurelles de l'anarchie et de la violence (poussée démographique, stagnation économique, paupérisation de la population, confiscation par l'oligarchie de la manne pétrolière) demeurent. Bref, on ne conçoit aucun scénario optimiste de sortie de crise. ▪

« L'État ne sert pas la nation, mais lui porte préjudice. Par sa bureaucratie, il bride les énergies, dilapide les moyens de la collectivité, accentue le mécontentement, génère la corruption. »
Le président Abdelaziz Bouteflika, printemps 2001.

La Russie

Un bilan qui dit l'avenir

Représentant le plus grand État au monde en terme de superficie, la Fédération de Russie est confrontée – depuis la dislocation de l'Union soviétique – à des changements géopolitiques majeurs. Les transformations concernent l'ensemble des éléments constitutifs de la puissance – qu'ils soient d'ordre économique, démographique, politique ou militaire. L'avenir de la Fédération sera à la mesure de la capacité des autorités russes à consolider l'État dans tous ces domaines.

Le marasme économique de la Russie est devenu une préoccupation de sécurité nationale pour les responsables politiques. L'économie de rente, reposant sur l'exploitation des ressources naturelles, ne favorise pas l'industrialisation du pays. En dépit du redressement relatif de l'économie depuis 1999, le taux d'investissement, de 15 % en 2000, est insuffisant pour engager la Russie dans une véritable logique de développement. Le taux d'inflation, de 20 %, reste élevé, alors que le salaire mensuel moyen est limité à 90 dollars. De fait, 40 % de la population russe vit en dessous du seuil de pauvreté. Face au développement des inégalités, Moscou doit combiner plusieurs réformes, concernant tant la politique macroéconomique, que le fonctionnement de l'administration, l'aménagement du territoire et la politique sociale.

La réforme des forces armées russes oppose deux conceptions géostratégiques. Pour les partisans de l'armement nucléaire, le projet américain de défense antimissile comme l'élargissement de l'OTAN impliquent le maintien de la dissuasion atomique.
Pour les partisans d'un renforcement du conventionnel, la prégnance des conflits régionaux, notamment dans le Caucase et en Asie centrale, milite en leur faveur.

● **La crise démographique**

En matière démographique, la population totale de la Russie s'est réduite, de 1989 à 2000, de 3,2 millions d'habitants. Le taux de natalité, de 9 ‰, est l'un des plus faibles au monde. L'émigration des cerveaux, notamment, désorganise les secteurs vitaux pour l'avenir du pays, même si son importance a pu être exagérée. Quant au processus de rapatriement des Russes vivant dans les républiques périphériques, il tend à se ralentir, la plupart des Russes, surtout parmi les jeunes, ayant déjà rejoint la Fédération. La crise démographique est devenue une source d'inquiétude pour le Kremlin. Par extension, «l'expansion démographique des États adjacents au territoire de la Russie» a été intégrée parmi les menaces définies dans le concept de sécurité de la Fédération. L'affaiblissement démographique russe est ainsi perçu comme susceptible d'exposer le pays à des revendications territoriales. À cet égard, la pénétration chinoise en Sibérie, bien que difficile à quantifier, s'accentue et préoccupe les autorités.

En terme politique, au-delà de la crainte que suscite la montée en puissance de la Chine, le Kremlin considère l'expansion de l'OTAN en Europe centrale et orientale comme une menace aux intérêts de sécurité russes. La perception, par les autorités de Moscou, de tentatives visant à réduire l'influence de la Russie en Europe et surtout en Transcaucasie et en Asie centrale, provoque de vives réactions. Considérant les frustrations que crée ce processus de contraction de la Russie par rapport à son environnement international, et la volonté affichée par Vladimir Poutine de restaurer l'autorité de l'État, tant sur le plan extérieur que sur le plan intérieur, on peut s'interroger sur l'avenir de la stabilité à la périphérie de la Russie.

● L'armée en question

Depuis l'effondrement du système soviétique, l'armée russe a perdu une grande partie de son prestige, son budget a été considérablement réduit, et son influence dans la vie politique s'est substantiellement érodée. Toutefois, l'accession au pouvoir de Vladimir Poutine a contribué à consolider l'institution militaire. Les intérêts de la Fédération de Russie exigent, selon le président, la présence d'une capacité militaire suffisante pour sa défense. L'objectif consiste, d'une part, à opérer de nouvelles réductions au sein des forces armées (de 365 000 hommes dans les trois années à venir, à partir d'un effectif officiel de 1,2 million). Il s'agit également, à plus long terme, d'améliorer l'équilibre entre dépenses de fonctionnement et dépenses d'investissement, en privilégiant les acquisitions d'armement et la R&D (recherche et développement). Enfin, l'importance à accorder aux forces nucléaires, attribut de puissance qui absorbe une part substantielle du budget militaire au détriment des forces conventionnelles, est l'objet de débats. Là encore, il est question de favoriser un rééquilibrage. Celui-ci dépendra sans doute des relations avec les États-Unis qui, depuis le 11 septembre 2001, sont en cours de redéfinition. ■

Ayant soutenu l'offensive américaine en Afghanistan, Moscou entend en tirer des bénéfices politiques, comme une diminution négociée des arsenaux nucléaires, une participation russe au système antimissile qui couvrirait les frontières méridionales et orientales de la CEI et la mise en sourdine des critiques occidentales quant à l'opération tchétchène.

Les trois cercles chinois

Jusqu'où s'étendra la puissance chinoise ?

Un quart de siècle après la disparition du maoïsme, la Chine semble définitivement réveillée. La résolution difficile des problèmes internes exerce peu à peu son effet. La Chine s'apprête à entrer dans l'Organisation mondiale du commerce. Retrouvant une place sur la scène internationale, est-elle capable d'une vision politique mondiale ? Ses préoccupations premières restent, pour longtemps, encore centrées sur une Asie qu'inquiète de plus en plus cette montée en puissance.

● L'émergence de la puissance

D'immensité autarcique introvertie, potentiellement en proie à toutes les convulsions, la Chine a pris en dix ans une nouvelle assurance, dont le symbole est l'organisation des jeux Olympiques de 2008. Toutefois, d'une méfiance maladive à l'égard de l'étranger, cultivant un nationalisme ombrageux, fait de véritables traumatismes historiques (humiliations coloniales, agression japonaise), le gouvernement de Pékin considère le monde avec précaution. Le milliard de Hans a bien du mal à se représenter l'altérité.

Le Groupe de Shanghai associe la Chine au Kazakhstan, Kirgisistan, Ouzbékistan, Tadjikistan et à la Fédération de Russie

FÉDÉRATION DE RUSSIE

Conflit frontalier à la confluence de l'Amour et de l'Oussouri

KAZAKHSTAN

MONGOLIE

Zone du lac Khasan et de la triple frontière

CORÉE DU NORD

Beijing (Pékin)

CORÉE DU SUD

JAPON

AFGHANISTAN

Le glacier Siachen sur la triple frontière

C H I N E

PAKISTAN

Frontière contestée avec l'Inde

INDE

Okinawa

Iles Diaoyul Senkaku

OCÉAN PACIFIQUE

BIRMANIE

TAÏWAN

1 Kirghizistan
2 Ouzbékistan
3 Tadjikistan
4 Népal
5 Bhoutan
6 Bangladesh
7 Laos
8 Thaïlande
9 Cambodge
10 Malaisie
11 Singapour
12 Brunéï

Grande Ile Coco (Birmanie)

Iles Paracel

Archipel des Spratly

PHILIPPINES

Ile de Guam

Détroit de Malacca

VIETNAM

Mer de Chine méridionale

OCÉAN INDIEN

Récifs Mischief

0   1 000 km

Ile de Diego Garcia

INDONÉSIE

Les questions prioritaires, le «vital chinois»

Partenariats stratégiques, ou économiques

Tensions, contentieux

Bases d'écoutes chinoises

Revendication maritime chinoise

Bases états-uniennes de la région

▲ À mesure que se développe la puissance de la Chine, ses voisins s'inquiètent de litiges persistants.

Membre permanent du Conseil de sécurité, la Chine, qui aspire à la jouissance d'un rang mondial, se veut puissante sans trop y croire, encore accablée de trop de fardeaux classiques du sous-développement. Son ambition est de réussir son entrée dans l'OMC, tandis que sa préoccupation principale reste Taïwan.

Les archipels de la mer de Chine du Sud – Spratly, Paracel, Macclesfield, Pratas) – font l'objet de revendications multiples. Ainsi, Pékin revendique les îles Senkaku, aujourd'hui sous administration japonaise. Quant à l'Inde et à la Chine, elles revendiquent toutes deux des territoires frontaliers, respectivement l'Aksaï Chin et l'Arunachal Pradesh.

● **Les chemins de la puissance : un double regard**

L'espace stratégique chinois se développe selon une double logique spatiale :
- *Sur l'intérieur de l'immense masse continentale asiatique.*

Le regard vers le centre asiatique continental correspond à la volonté d'asseoir durablement la domination han sur les grands espaces allogènes du Tibet et du Xin Jiang. La stratégie chinoise obéit donc à un souci de contrôle des grandes voies de communication et d'accès aux sources d'énergie. Formé en 1996, le groupe de Shanghai permet à la Chine,

La diaspora chinoise en Asie-Pacifique représente une population d'environ 25 millions de personnes, dont 7,1 millions en Thaïlande, 5,6 en Malaisie, 4,6 en Indonésie, 3 au Vietnam et 2,3 à Singapour (soit 78 % de la population totale).

en association avec la Russie, de prendre en compte les problèmes de sécurité de l'Asie centrale, notamment en faisant obstacle à l'islamisme.

Officiellement, la Chine ne se connaît pas d'ennemi. De fait, il n'existe que des contentieux frontaliers relativement minimes. Mais ces litiges persistants peuvent au gré des circonstances servir de prétexte à une crise.

Le contentieux avec la Russie porte sur la confluence des fleuves Amour et Oussouri ainsi que sur la zone du lac Khasan (ou Khanka), aux confins de la Corée du Nord. Bien que la dernière guerre avec l'Inde date de 1962, le glacier himalayen du Xizang (Tibet) reste un objet de litige. Le jeu géostratégique de la Chine consiste à verrouiller l'Inde dans le « bas » du continent grâce au Pakistan, voie d'accès au reste de l'Asie. La conséquence est une relation triangulaire difficile, compliquée par les stratégies nucléaires. Par ailleurs la recherche par Pékin d'une façade portuaire sur l'océan Indien à partir du Myanmar préoccupe New Delhi.

- *Sur la non moins vaste étendue des espaces maritimes du Pacifique.*

La Chine se réserve de faire valoir ce qu'elle estime être ses droits nationaux et ses intérêts vitaux. Néanmoins, des priorités se dégagent pour les décennies à venir. Elles permettent ainsi d'esquisser la carte des zones de poussée ou d'endiguement géostratégique de la Chine du XXIe siècle. Le « vital » chinois correspond à une proximité immédiate : Taïwan, c'est la Chine elle-même. Il en va de même pour les quelques îlots voisins (Pescadores).

En mer de Chine du Sud, des excroissances territoriales peuvent faire l'objet de contestation avec le Vietnam (îles Paracel, îles Spratly) et les Philippines : (récifs Mischief, Scarborough). Autre contentieux, avec le Japon cette fois, les îlots Diaoyu/Senkaku .

● L'extension mondiale de la puissance

La Chine découvre avec intérêt l'Union européenne. Elle entrevoit son intérêt commercial mais tient pour inexistante sa capacité d'action diplomatique et militaire. La priorité est évidemment les États-Unis déjà présents sur le cercle asiatique. Depuis la fin de la guerre froide, les débats stratégiques ont largement porté sur l'éventualité d'une future confrontation Chine-États-Unis, ceux-ci faisant office de substitut à l'URSS défunte. Ces spéculations ont été alimentées par une succession de frictions, dont sans nul doute le bombardement par erreur de l'ambassade de Chine à Belgrade en mai 1999 par les avions américains marqua le point fort.

L'originalité de la situation vient de ce que la relation sino-américaine est pétrie d'une ambiguïté qui n'a jamais caractérisé les relations américano-soviétiques. Ceci tient pour l'essentiel au fait que l'économie chinoise évolue vers un capitalisme autoritaire sur le modèle singapourien et que cette perspective crée d'immenses espoirs dans les milieux d'affaires nord-américains. Paradoxalement, Taïwan forme aussi un lien avec les États-Unis par le commerce et les transferts de technologie.

Difficile, forcément retorse, la relation Pékin-Washington est appelée à structurer les relations internationales du XXIe siècle. Le temps des remparts contre le « péril jaune » est bien révolu. Tant pis pour le « choc des civilisations »... ∎

La Chine poursuit son expansion vers le sud. Après avoir revendiqué les gisements de gaz naturel situés près des îles Natuna (Indonésie), elle a pris possession en 1995 du récif Mischief (à 200 miles des Philippines) et érigé une plate-forme de recherche pétrolière en 1997 à proximité des eaux territoriales vietnamiennes.

Le Japon

Comment Tokyo perçoit la menace extérieure ?

Depuis la fin de la guerre froide, le Japon a progressivement procédé à une réévaluation des menaces qui pèsent sur son territoire. Loin de se sentir plus en sécurité depuis la disparition de l'URSS, c'est au contraire un sentiment d'incertitude et d'inquiétude qui domine aujourd'hui.

À l'époque de la guerre froide, la division du monde en deux blocs et l'appartenance claire du Japon au camp occidental assurait à l'archipel, en cas de conflit, une garantie de sécurité automatique de la part de l'allié américain. Dans la situation actuelle en revanche, les menaces sont plus floues et la garantie de sécurité américaine moins certaine.

● Deux menaces principales

Outre les menaces non traditionnelles en provenance d'une Russie en décomposition (qui s'ajouteraient au traditionnel différend sur les îles Kouriles), le Japon considère qu'il doit aujourd'hui faire face à deux menaces principales. La première est celle de la Corée du Nord, dotée de missiles balistiques pouvant être équipés d'armes de destruction massive. Cette menace est la plus claire-

Bien qu'ayant le deuxième budget militaire du monde (45,6 milliards de dollars), le Japon maintient, depuis 1945, le cap d'une force dite «d'autodéfense» strictement consacrée à la protection de l'archipel. Même si les dirigeants nippons souhaitent renforcer le rôle international du pays, la majorité de la population demeure hostile à une redéfinition du statut de sa défense.

La revendication territoriale japonaise concerne ce que Tokyo appelle les «Territoires du Nord». Ces derniers désignent les quatre îles Kouriles – en japonais : Kunashiri, HabomaI, Shikotan et Eterofu – qui ont été annexées par l'Union soviétique en 1945.

ment définie, et elle a le mérite de justifier auprès d'une opinion publique parfois réticente le maintien de liens de sécurité étroits avec les États-Unis, ainsi que le développement de nouveaux programmes d'armement.

La seconde de ces menaces, beaucoup plus préoccupante car moins consensuelle, concerne la République populaire de Chine. Après de longues années de prudence, les stratèges japonais dénoncent aujourd'hui ouvertement des efforts de défense consentis par la RPC. Ils s'inquiètent des ambitions d'une puissance chinoise qui s'appuie sur une capacité balistico-nucléaire sans équivalent dans la région pour accroître sa capacité d'influence au niveau régional.

● La question de la sécurité des voies d'approvisionnement

En liaison avec cette menace de coercition exercée par la Chine, le Japon, totalement dépendant de l'extérieur en matière d'approvisionnements énergétiques et d'échanges commerciaux, s'inquiète également de la sécurité de ses très longues voies d'approvisionnement maritime. Le trafic naval japonais est aussi la principale cible de la piraterie. Un renforcement de la protection navale s'avère donc indispensable. Mais toute initiative de Tokyo en ce domaine ressus-

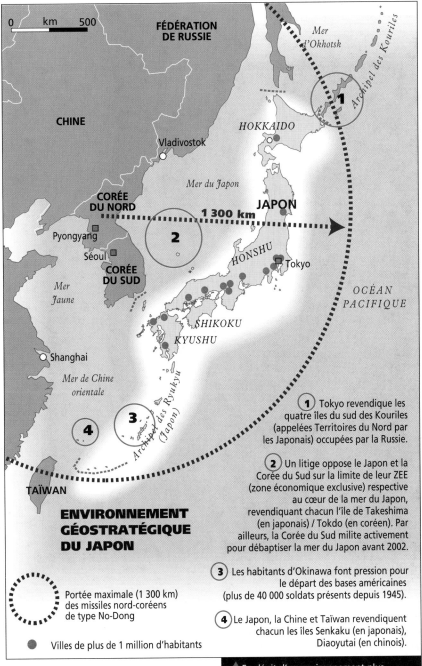

0 km 500

FÉDÉRATION DE RUSSIE

Mer d'Okhotsk

Archipel des Kouriles

CHINE

HOKKAIDO

Vladivostok

1

Mer du Japon

CORÉE DU NORD

JAPON

1 300 km

Pyongyang

2

Séoul

HONSHU

Tokyo

CORÉE DU SUD

OCÉAN PACIFIQUE

Mer Jaune

SHIKOKU

KYUSHU

Shanghai

Mer de Chine orientale

Archipel des Ryukyu (Japon)

3

4

TAÏWAN

ENVIRONNEMENT GÉOSTRATÉGIQUE DU JAPON

Portée maximale (1 300 km) des missiles nord-coréens de type No-Dong

Villes de plus de 1 million d'habitants

1 Tokyo revendique les quatre îles du sud des Kouriles (appelées Territoires du Nord par les Japonais) occupées par la Russie.

2 Un litige oppose le Japon et la Corée du Sud sur la limite de leur ZEE (zone économique exclusive) respective au cœur de la mer du Japon, revendiquant chacun l'île de Takeshima (en japonais) / Tokdo (en coréen). Par ailleurs, la Corée du Sud milite activement pour débaptiser la mer du Japon avant 2002.

3 Les habitants d'Okinawa font pression pour le départ des bases américaines (plus de 40 000 soldats présents depuis 1945).

4 Le Japon, la Chine et Taïwan revendiquent chacun les îles Senkaku (en japonais), Diaoyutai (en chinois).

▲ En dépit d'un environnement plus trouble, le Japon entend conserver sa « stratégie d'autorestriction ».

cite les inquiétudes des voisins asiatiques. Cependant, en dépit de leur qualité technique, les forces japonaises d'autodéfense ne sont en effet pas dotées des moyens d'assurer cette protection sans l'aide des États-Unis. La clef de la sécurité du Japon continue donc de reposer sur la certitude absolue de l'engagement américain à ses côtés, quelles que soient les nouvelles menaces auxquelles l'archipel doit faire face. ■

Le Cachemire

Des crises contrôlées, mais jusqu'à quel point ?

L e conflit qui oppose depuis 1947, c'est-à-dire dès la partition, l'Inde au Pakistan porte sur les provinces dites de Jammu et Cachemire. Comme dans de nombreuses zones disputées une ligne de cessez-le-feu *(line of control)* a été établie. Elle sert de point de départ pour des actions militaires limitées de plus en plus risquées en raison du statut nucléaire récent des deux antagonistes.

Pour l'Inde, les «militants» sont soit des terroristes, soit des combattants camouflés des forces spéciales de l'armée pakistanaise. Dans la région de Shrinagar, aux coups de mains de la guérilla anti-indienne répondent les tirs de l'artillerie indienne et ainsi de suite depuis des années.

Cette banalité des litiges frontaliers mériterait à peine l'attention si le conflit ne présentait une double particularité. La première est qu'il se déroule en partie dans un milieu extrême, la très haute montagne himalayenne. La seconde est que les deux adversaires disposent offi-

▼ Sous le regard de la Chine, crises et apaisements se succèdent sans perspective sérieuse de règlement amiable.

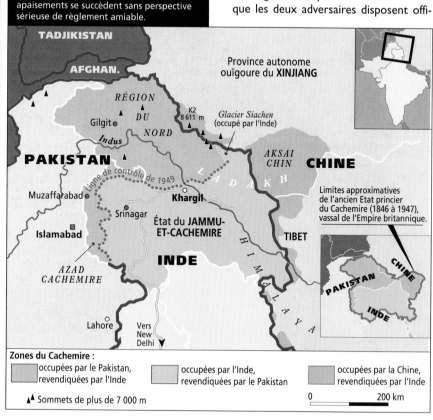

TADJIKISTAN

AFGHAN.

Province autonome ouïgoure du **XINJIANG**

RÉGION
DU
NORD

Gilgit○

K2
8 611 m

Glacier Siachen
(occupé par l'Inde)

Indus

PAKISTAN

AKSAI CHIN

CHINE

Ligne de contrôle de 1949

Muzaffarabad○

Khargil

○ Srinagar

Limites approximatives
de l'ancien Etat princier
du Cachemire (1846 à 1947),
vassal de l'Empire britannique.

■ **Islamabad**

État du **JAMMU-ET-CACHEMIRE**

TIBET

AZAD CACHEMIRE

INDE

HIMALAYA

○ Lahore

Vers
New
Delhi ▼

PAKISTAN CHINE INDE

Zones du Cachemire :

▢ occupées par le Pakistan, revendiquées par l'Inde	▢ occupées par l'Inde, revendiquées par le Pakistan	▢ occupées par la Chine, revendiquées par l'Inde

▲▲ Sommets de plus de 7 000 m

0   200 km

La partie indienne du Cachemire forme l'État de Jammu-et-Cachemire, dont la population est composée de bouddhistes tibétains dans le Nord-Est, d'hindous dans le Jammu et de musulmans (majoritaires) dans la vallée de l'Indus.

ciellement, depuis leurs expériences quasi simultanées de mai 1998, de l'arme nucléaire.

Profitant de l'hiver, l'armée pakistanaise ne craignait pas de chercher à couper la route stratégique de Kharghil en occupant discrètement les hauteurs. Pour contrer cette action, l'armée indienne dut ainsi intervenir durant tout l'été 1999 mettant en œuvre des moyens importants, terrestres et aériens. Elle parvint à réoccuper les hauteurs au prix de pertes importantes.

La question posée était alors de savoir si de tels affrontements ne risquaient pas de dégénérer désormais jusqu'à l'usage d'armes nucléaires. La crise a conduit les États-Unis à s'impliquer fortement pour engager le Pakistan à ne pas insister, ce qui coûta ses fonctions au Premier ministre de l'époque M. Nawaz Sharif, renversé en octobre par un coup d'État

militaire, le chef d'état-major pakistanais, le général Pervez Moucharraf, responsable des opérations de Khargil, prenant les rênes gouvernementales.

Le 11 septembre 2001 a remis le Pakistan au centre des préoccupations internationales. Comme souvent, le verre n'est qu'à moitié plein. On peut faire valoir l'ampleur des dangers qui menacent le pays : prise de pouvoir islamiste, désagrégation du pays, risque de prolifération nucléaire. À l'inverse, surtout depuis l'automne 2001, le Pakistan apparaît comme un État responsable, assuré de son potentiel nucléaire, capable de contrôler les mouvements extrémistes et de maintenir l'ordre sans provoquer un bain de sang. L'entrée du Pakistan dans une logique de stabilisation régionale semble constituer, pour l'avenir, la solution la plus désirable, la susceptibilité de l'Inde dût-elle brièvement en souffrir. ▪

Les mouvements séparatistes cachemiris sont divisés entre indépendantistes (regroupés dans le JFLK) et partisans d'un rattachement au Pakistan (Hezl-ul-Mujahidin).

La Turquie

Une plaque tournante instable entre l'Orient et l'Occident

La disparition de l'Union soviétique a suscité de grandes espérances en Turquie. Sur fond de croissance économique rapide, Ankara a cru à une sorte de retour de l'empire : présence accrue en Europe balkanique, poussée sur la mer Noire et le Caucase, influence en Asie centrale. Le retour aux réalités a été brutal. Symboliquement, le grand tremblement de terre de 1999 a

révélé les incompétences étatiques et les faiblesses chroniques d'un pays encore en voie de développement.

La stabilité interne de la Turquie dépendra, d'une part, de la disposition des autorités turques à concevoir un système représentatif pour une minorité kurde composée de 12 millions d'individus, soit 20 % de la population totale. Elle sera, d'autre part, déterminée par la

LA TURQUIE À LA CHARNIÈRE DE TROIS MONDES

Démographie
- ◉ Ville de plus de 1 million d'habitants
- ◯ Ville de plus de 400 000 habitants

- ☐ *KURDISTAN*

Ressources énergétiques

▨ Zone du GAP, énorme projet d'irrigation du Sud-Est anatolien qui comprendra au final 22 barrages et 19 centrales hydroélectriques

/ Principaux barrages existants ou en construction

Ȧ Gisements de pétrole

— Principaux pipelines

0 ———— 400 km

MONDE EUROPÉEN

BULGARIE

GRÈCE

Détroit du Bosphore

Zongu

Istanbul

Bursa

Détroit des Dardanelles

A N

Izmir

MER ÉGÉE

Antalya

MER MÉDITERRANÉE

* République turque du nord de Chypre.

▲ Tout donne à penser qu'une partie de l'histoire du monde continuera à se jouer en ce point exceptionnel du globe.

capacité de l'État – et notamment de l'armée, qui joue un rôle capital dans le fonctionnement des institutions politiques – à canaliser les mouvements islamistes, dont la représentativité est indiscutable. La lutte contre les réseaux mafieux et l'économie parallèle, qui semblent avoir infiltré l'appareil d'État au plus

En 1987, la Turquie fait acte de candidature à l'entrée dans la CEE. Sa demande est rejetée en 1989, officiellement en raison des tensions avec la Grève à propos de Chypre et de la répression politique (notamment envers les Kurdes). Les questions économiques jouent également, du fait de la structure majoritairement agricole de l'économie turque. En 1995, un accord d'union douanière est passé entre Ankara et l'UE.

haut niveau, sont également un enjeu de stabilité interne. Enfin, l'avenir de la Turquie reposera sur la résorption des inégalités de développement, et notamment sur la réalisation du projet d'aménagement du Sud-Est anatolien (GAP).

En raison de sa position géopolitique, le territoire turc se présente comme un pays charnière entre le Moyen-Orient et l'Europe. Les principaux trafics de drogue en provenance d'Asie centrale et à destination de l'Europe et des États-Unis transitent en effet par la Turquie, qui assure traditionnellement la transformation de l'opium en héroïne.

Des nombreuses tensions opposent le gouvernement d'Ankara aux États du Moyen-Orient. La crainte d'un démantèlement de l'Iraq et de la création d'un «grand Kurdistan» demeure vivace, et motive les incursions turques entreprises au nord du pays afin d'éradiquer les mouvements kurdes ayant trouvé refuge dans la zone. Le contentieux avec

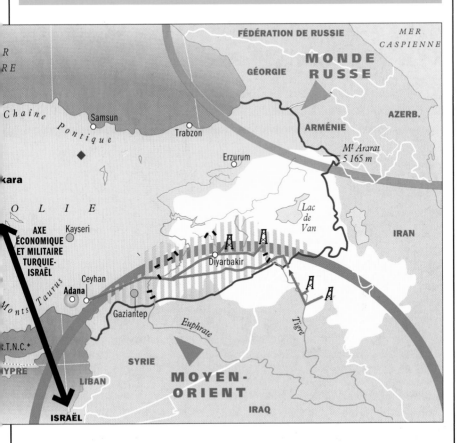

la Syrie est essentiellement lié à la gestion, par Ankara, des eaux du Tigre et de l'Euphrate, et au statut du sandjak d'Alexandrette. L'Iran demeure un rival de taille. Dans le Sud-Caucase, si les relations de la Turquie avec la Géorgie et l'Azerbaïdjan sont relativement stables, celles avec l'Arménie demeurent tendues, en raison du conflit du Haut-Karabakh et de la question du génocide arménien.

● Un double « regard » géostratégique

Alliée militaire privilégiée des États-Unis, la Turquie reste attachée au projet d'adhésion à l'Union européenne. Cependant, la question chypriote, le contentieux dans la mer Égée, l'instabilité politique interne et les violations des droits de l'homme ralentissent les perspectives d'extension des liens de la Turquie avec l'Europe, et provoquent l'hostilité des autorités d'Ankara. Le gouvernement turc menace

Les Turcs sont, dans leur grande majorité, favorables à l'entrée de leur pays dans l'Union européenne – leur part était estimée en 2001 à 70 %. Toutefois, l'armée continue de faire obstacle à cette perspective, jugeant inacceptable les exigences formulées par Bruxelles. Parmi les formations politiques, le Parti nationaliste du mouvement (MHP, extrême droite) défend la profession de foi anti-européenne la plus vive.

de proclamer l'annexion du nord de Chypre, et complique le développement de la politique européenne de sécurité et de défense en interdisant à l'Union d'accéder aux moyens de planification opérationnelle de l'OTAN. Conformément à son double « regard » géostratégique, la Turquie est le seul pays musulman à participer à la constitution de la force internationale de sécurité devant être déployée en Afghanistan. ◼

De New York à Kandahar

La guerre asymétrique

Les attentats du 11 septembre ont marqué le début d'une forme de guerre nouvelle opposant des réseaux terroristes à la première puissance militaire mondiale. La riposte américaine consiste à développer une stratégie intégrale visant à isoler et détruire des adversaires qui se dérobent. Le conflit afghan illustre une nouvelle pratique de la guerre asymétrique.

▼ Uni à l'Afghanistan par la communauté pachtoune, Islamabad perçoit ce territoire comme sa «profondeur stratégique».

OUZBÉKISTAN   TADJIKISTAN   CHINE*

TURKMÉNISTAN

Faizabad

Mazar-e Charif

Massif de l'Hindou Kouch

Cachemire

IRAN

Hérat

Bamiyan   Kaboul

Passe de Khyber   Peshawar

Islamabad

A F G H A N I S T A N

Uruzgan

P A C H T O U N I S T A N

PAKISTAN

Kandahar   Maruf

IRAN

Zone pachtoune du Pakistan

Quetta

INDE

0   400 km

La mosaïque ethnolinguistique

(zones historiques, avant que les guerres et les famines n'obligent nombre d'Afghans à quitter leurs terres)

Groupe iranien
- Pachtounes
- Tadjiks
- Hazaras (chiites)
- Baloutches
- Aïmaks
- Kizilbachs

Groupe turc
- Ouzbeks
- Turkmènes
- Kirghizes

Autres
- Brâhouis
- Nouristanis

Zones quasi inhabitées

* Province autonome ouïgoure du Xinjiang.
Source : Cartothèque de l'université du Texas

En termes de stratégie, la symétrie décrit le combat entre adversaires de nature et de forces à peu près égales. L'asymétrie caractérise une disparité culturelle et un déséquilibre des potentiels. Pour compenser son infériorité, le faible recherche les vulnérabilités physique et psychologique de son adversaire.

● Ben Laden et le réseau Al-Qaida

Frappés cruellement sur leur territoire, dans les symboles mêmes de leur puissance, les États-Unis ont dû très rapidement désigner un ennemi et développer une action militaire destinée autant à punir l'agresseur qu'à restaurer leur prestige mondial. Il a fallu combattre les images désastreuses de l'effondrement des tours de Manhattan et du Pentagone en flammes. Presque immédiatement le responsable a été nommé : Oussama Ben Laden, chef d'une organisation terroriste islamiste, repérée depuis longtemps, Al-Qaida. En un même mouvement, cet ennemi a été relié à la milice islamiste formée par les étudiants coraniques (taliban) qui avaient pris le pouvoir à Kaboul en 1996. Accusés de protéger l'homme et son organisation, les taliban sont devenus une cible matérielle bien concrète sur un territoire délimité pour une opération de guerre classique.

● Une triple combinaison de moyens

Au départ, tout portait à croire qu'une intervention éloignée n'aurait que très peu de chances de se produire. La soi-disant stratégie du « zéro mort », le « syndrome du Vietnam » et la politique isolationniste du nouveau gouvernement américain constituaient autant d'éléments dont l'addition rendait plus qu'improbable une intervention militaire d'envergure dans un pays hostile comme l'Afghanistan. Pourtant, moins d'un mois après les attentats de New York et de Washington, l'aviation américaine entamait bien la campagne de bombardements en Afghanistan. Indépendamment de la remarquable manœuvre diploma-tique qui a permis aux États-Unis d'avoir l'appui, politique ou matériel, d'une majorité de pays (dont le Pakistan, soutien avéré des taliban jusque-là), cette guerre d'Afghanistan présente des caractéristiques qui distinguent la « guerre asymétrique ».

Face à un adversaire mal armé mais fluide, capable de mobilité sur un terrain qu'il connaît bien, l'armée américaine a choisi de riposter en recourant à une triple combinaison de moyens :

- l'emploi sans restriction de la puissance aérienne, comportant à la fois la très grande précision et la technique traditionnelle du tapis de bombes ;
- le recours systématique aux forces spéciales (Delta, Rangers) et à la composante « action » des services secrets (CIA), qui ont joué un rôle politique et tactique. Tandis que les uns sélectionnaient et achetaient le concours des chefs de guerre locaux, les autres contribuaient au guidage laser des bombardements au plus près (parfois à leurs propres dépens) des forces ennemies. Ainsi les taliban ont-ils été détruits politiquement et physiquement en moins de deux mois ;
- l'utilisation efficace des troupes locales, dans leur diversité zonale et ethnique, et d'abord les Ouzbeks et les Tadjiks de l'Alliance du Nord, puis, à la fin, les Pachtouns du Sud et de l'Est. Ces forces ont fourni la « piétaille » au contact direct, celle dont les pertes ne seront jamais connues, mais dont le ratio en dit long sur l'asymétrie de ce genre de conflit. Pour suggérer non une réalité des pertes humaines, mais une image, disons : ennemis, 100 ; alliés, 10 ; Américains 0,1. ■

Traditionnellement, le Pakistan considère l'Afghanistan comme un espace sous contrôle à l'ouest, afin d'être ainsi mieux sécurisé face à l'Inde, son adversaire irréductible à l'est. Pressé par les États-Unis, et soucieux, grâce à leur aide, de redresser son économie, le pouvoir en place à Islamabad décide de lâcher les taliban.

Une guerre de proximité

La seconde Intifada

L'Intifada n'est certes pas une guerre civile car elle oppose deux peuples, deux religions, deux cultures. Toutefois, elle se déroule dans un milieu homogène, également connu des deux adversaires. Guerre de proximité, de voisinage, la seconde Intifada entre Israéliens et Palestiniens présente cependant le caractère impitoyable d'une guerre civile, conduite avec des moyens asymétriques face à une opinion publique internationale que chacun des camps, à sa manière, cherche à rallier.

Malgré le processus d'Oslo initié en 1993, la colonisation juive continue plus que jamais dans les territoires palestiniens, favorisée par les partis religieux mais surtout par la nouvelle poussée d'émigration juive venue de Russie. Lorsque, unilatéralement, Israël se retire du Sud-Liban, en mars 2000, le Hezbollah (parti islamiste) triomphe, nourrissant les espoirs de ceux qui, en Palestine, pensent que la guérilla prolongée, utilisant tous les moyens, finira par l'emporter. En septembre, Ariel Sharon relance sur l'esplanade des mosquées la tension sur

---

Intifada («soulèvement», en arabe).
Mouvement populaire, appelé aussi «guerre des pierres», déclenché en octobre 1987 par les Palestiniens des territoires occupés pour protester contre la présence israélienne.
Au prix de nombreuses victimes, ce mouvement contribua à la signature de l'accord de septembre 1993 sur l'autonomie des territoires occupés.

---

la question de Jérusalem et provoque une nouvelle flambée d'affrontements, qu'on appelle bientôt la seconde Intifada. Celle-ci prend une tournure nouvelle : les organisations islamistes palestiniennes multiplient les attentats auxquels l'armée israélienne riposte durement. Bill Clinton, alors en fin de mandat, tente de faire réussir une négociation à marche forcée entre le Premier ministre israélien, le travailliste Ehoud Barak, et Yasser Arafat. En vain. La victoire d'Ariel Sharon aux élections de février 2001 aboutit rapidement à un durcissement militaire de la situation.
L'idée, trop souvent admise, que la solution se trouve a Washington, sans être fausse, ne va pas assez loin.

● Deux formes de guerre
Plus que jamais, Israël apparaît comme le fort par rapport au faible. Il est loin le temps des quatre premières guerres israélo-arabes, quand le «petit» État hébreu faisait figure de proie, même si, dès le départ, Israël a su compenser la quantité par la qualité.
Les Palestiniens dont l'unité est sérieusement entamée par l'érosion du leadership de Yasser Arafat ne disposent d'aucune force significative. L'Autorité palestinienne n'a droit qu'à une police légèrement armée. Le fer de lance de l'action palestinienne est donc constitué par les militants des organisations islamistes fanatiques, qui recourent à des actions de type terroriste, utilisant la technique des volontaires de la mort. De leur côté, les Israéliens disposent de moyens militaires puissants, très sophistiqués, d'une puissance de feu du niveau d'une des premières armées du

Ariel Sharon appartient à cette mouvance du sionisme pour qui la terre est au cœur du combat politique. Ne croyant pas à la possibilité d'une paix durable avec les Arabes, il pense avoir le temps à ses côtés, dans la perspective d'affrontements ininterrompus.

monde. L'asymétrie est évidente. Et cependant, pour les deux adversaires, les enjeux sont également vitaux.

L'analyse stratégique retiendra donc l'extraordinaire accumulation de haine entre deux camps, où les modérés sont progressivement tenus pour des traîtres. La fascination tragique pour la politique du pire l'emporte à la fin de l'année 2001. L'absence de solution politique confine à l'impasse historique. Une fois de plus, il semble que les armes imposeront par la violence de leurs effets une solution qui ne peut qu'être provisoire.

Cette nouvelle Intifada, encore plus acharnée, se déroule dans un contexte plus global, au moment même où les États-Unis, frappés par les attentats du 11 septembre 2001 ont déclaré une guerre de longue durée au terrorisme, désormais considéré comme une forme de guerre. Elle prend une dimension d'autant plus grave que la résolution du problème palestinien constituait un des rares leviers qui permettrait de tarir l'audience de l'intégrisme islamiste violent. La simultanéité de ces affrontements, comme leur caractère mondialement spectaculaire, finit par masquer l'hétérogénéité des situations et des enjeux locaux.

De Kaboul à Jérusalem, la guerre a repris. Sa persistance pourrait aboutir à une nouvelle forme de fracture du monde, à défaut d'un choc des civilisations. ∎

La guerre du Golfe

Une victoire qui ne résout rien

Les opérations *Desert Shield* (Bouclier du désert) et *Desert Storm* (Tempête du désert) ont été exécutées par les chefs militaires américains selon les règles des manuels de stratégie.

Pourtant saisie dans la longue durée de l'histoire, cette guerre, qui n'a duré que quelques mois, caractérisée par une énorme disproportion entre les adversaires, pourrait bien ne pas retenir l'attention. Trop facile sur le plan militaire, elle n'apporte, une fois de plus, aucun élément de solution à l'instabilité du Proche-Orient. Dix ans après l'Iraq est toujours sous embargo et Saddam Hussein occupe toujours le pouvoir à Bagdad.

Août 1990 : le président George Bush annonce solennellement la fin de la guerre froide, le même jour Bagdad envahit le Koweït avec l'intention déclarée d'en faire la douzième province de l'Iraq. Le peu d'émotion en Europe contraste avec la virulence des États-Unis. George Bush père ayant déclaré «cela ne se passera pas comme ça», commence une gigantesque opération militaire. Une remarquable manœuvre diplomatique crée des conditions politiques exceptionnellement favorables. Avec l'approbation du Conseil de sécurité qui condamne l'Iraq, les États-Unis réunissent autour d'eux une vaste coalition qui inclut de nombreux États arabes comme le Maroc et surtout la Syrie.

167

Petit émirat situé au nord-est du désert arabique, le Koweït passe sous protectorat britannique en 1899.
En 1934, les compagnies pétrolières anglaises et américaines y acquièrent la concession pétrolière et l'exploitation commence douze ans plus tard. L'émirat accède à l'indépendance en 1961. L'Iraq tente alors d'annexer une première fois le pays mais doit y renoncer rapidement.

Seuls les mouvements extrémistes dans les milieux populaires du monde arabe (plus l'OLP de Yasser Arafat) soutiendront un Saddam Hussein qui décide de se retrancher au Koweït. Cette inertie stratégique permet aux Américains de projeter à travers le monde plus de 500 000 hommes.
Cette phase logistique menée à bien, il reste à coduire une offensive en deux temps : une phase aérienne qui pulvérise les moyens de l'Iraq et place les troupes terrestres irakiennes en situation de quasi totale vulnérabilité. Pilonnées, écrasées, démoralisées, sans commandement, celles-ci n'ont plus la capacité de résister à la seconde phase qui voit l'engagement direct au sol de l'infanterie et des blindés américains.

Durant cette guerre, les États-Unis auront eu le loisir d'expérimenter en situation réelle toutes sortes de matériels nouveaux : antimissiles, munitions guidées laser, nouveaux moyens de commandement, de gestion de l'espace. Ainsi peut-on faire le point des problèmes de la guerre future. La guerre du Golfe permet de définir les orientations de la recherche et du développement des instruments des guerres futures.
Pour le reste, pour la réalité des enjeux, ce conflit d'endiguement de la puissance irakienne et de réaffirmation de la suprématie des États-Unis ne résout rien. Saddam Hussein gouverne inébranlablement un Iraq saigné par un interminable embargo. Les aviations américaine et britannique continuent à bombarder le sud-est et le nord-est du pays. Le problème kurde reste entier. L'Iraq menace périodiquement le Koweït et conteste le rapport des puissances dans le Golfe. Les forces américaines campent au large… Tout se passe comme s'il était urgent d'attendre, tandis qu'un peu plus loin, toujours dans le même périmètre islamico-pétrolier, d'autres conflits éclatent. ■

▼ Superbe manœuvre napoléonienne de débordement par le flanc, la faux des alliés se rabat sur les troupes irakiennes.

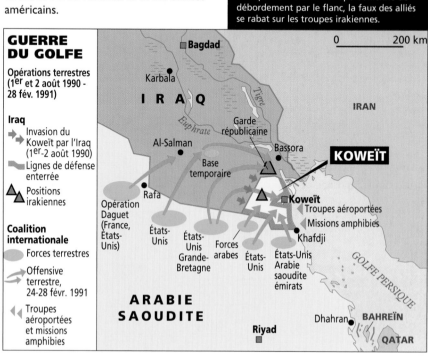

GUERRE DU GOLFE

Opérations terrestres (1ᵉʳ et 2 août 1990 - 28 fév. 1991)

Iraq
→ Invasion du Koweït par l'Iraq (1ᵉʳ-2 août 1990)
▬ Lignes de défense enterrée
▲ Positions irakiennes

Coalition internationale
⬭ Forces terrestres
⇒ Offensive terrestre, 24-28 févr. 1991
◄◄ Troupes aéroportées et missions amphibies

Bagdad
Karbala
IRAQ
IRAN
Tigre
Euphrate
Garde républicaine
Al-Salman
Bassora
KOWEÏT
Base temporaire
Rafa
Opération Daguet (France, États-Unis)
États-Unis
États-Unis Grande-Bretagne
Forces arabes
États-Unis
Koweït
Troupes aéroportées
Missions amphibies
Khafdji
États-Unis Arabie saoudite émirats
GOLFE PERSIQUE
ARABIE SAOUDITE
Dhahran
BAHREÏN
Riyad
QATAR
0   200 km

L'Europe de la défense

Une naissance dans les Balkans

Depuis la fin de la guerre froide, l'Europe de la défense est à l'ordre du jour. Complémentaire ou rivale de l'Alliance atlantique ? Pour quelles missions et avec quels moyens ? Dix ans plus tard, ces questions restent encore posées sur fonds de maintien de la paix dans les Balkans et de lutte contre les nouvelles formes de terrorisme international.

● Le traité de Maastricht

Fondateur de l'Union européenne, le traité de Maastricht pose le principe d'une politique extérieure et de sécurité commune (PESC). De cette politique, le bras armé devrait être l'UEO (Union de l'Europe occidentale), alliance constituée en 1954 dont l'activité jusqu'alors est restée en sommeil. Aussitôt se trouve posée une double question : l'Europe de la défense n'est-elle pas la rivale de l'OTAN ? Ne ressuscite-t-elle pas le fantôme de l'armée européenne disparue avec le rejet de la Communauté européenne de défense CED en 1954 ? Derrière ces deux interrogations se trouve posé un problème de fond : la place et le rôle des États-Unis dans la sécurité européenne, une fois dissipée la menace soviétique, tandis que s'allument les guerres de démantèlement de la Yougoslavie.

C'est par étapes que se constitue cette défense européenne. Le premier moteur en est la coopération franco-allemande qui permet la définition des missions et de moyens (qui, en jargon européen, deviendront des «capacités»). Lors du sommet de Petersberg en juin 1992, l'UEO définit un triptyque d'opérations : humanitaires, de maintien de la paix et de rétablissement de la paix. Cette dernière formule lourde d'ambiguïté implique d'éventuelles actions de guerre contre des agresseurs internationaux.

Cette construction rencontre la méfiance des États-Unis qui soupçonnent la France d'une manœuvre destinée à évincer l'OTAN, et l'opposition des Britanniques qui dénoncent des redondances de moyens préjudiciables à l'Alliance atlantique. En effet, très vite, intervient la question cruciale : qui va payer pour quoi ?

● L'humiliante impuissance de l'UE

Le second moteur n'est autre que la réalité de la guerre dans les Balkans. Prévue par tous, prise en compte par personne, elle est l'occasion de la démonstration de l'humiliante impuissance de l'Union européenne. Français et Britanniques font de leur mieux en Bosnie. Le salut, fort précaire, viendra de l'OTAN, enfin activée par les Américains.

L'idée d'une défense européenne évolue alors vers la notion d'une participation croissante des États européens à la mise en sécurité de leur propre continent, bien que les frontières orientales ne fassent encore l'objet d'aucune définition formelle.

En septembre 2000, les ministres de la Défense de l'UE arrêtent le principe de la constitution en 2003 d'une force de réaction rapide, d'environ 50 000 à 60 000 hommes et femmes. Elle devrait pouvoir être déployée en moins de deux mois et se maintenir sur le terrain jusqu'à une année, avec appui aérien de 400 avions et maritime d'une centaine de bâtiments.

169

Au sommet de Saint-Malo en décembre 1998, Britanniques et Français parviennent à un accord de relance de l'Europe de la défense, qui doit s'insérer dans l'Alliance atlantique tout en constituant une entité capable d'autonomie d'action. Toléré par les États-Unis, rejoint par l'Allemagne, ce compromis est mis à l'épreuve par la guerre du Kosovo, où se révèlent immédiatement la faiblesse persistante des moyens militaires purement européens et la complexité du processus décisionnel à 15 pays, voire plus.

Ce constat provoque un nouveau sursaut qui, en juin 1999, conduit à la création d'un poste de haut-commissaire pour la PESD et à une action diplomatico-militaire de création d'une force de réaction rapide européenne de 50 000 hommes. Ce processus relativement lent est aiguillonné (on osera dire heureusement) par l'urgence sur le terrain. Les Européens sauvent la Macédoine de l'explosion à l'été 2001. Mais le problème albanais ne reçoit aucune solution. Les frontières devront, tôt ou tard, faire l'objet d'une redéfinition. Ainsi d'innombrables questions restent-elles en suspens. Cette force européenne agira-t-elle au service de la sécurité en Europe, de la défense de l'Europe ? Quel devrait être le rôle des forces nucléaires françaises et britanniques au service d'une telle défense ? Contribuera-t-elle au soutien des intérêts européens en dehors de l'Europe ? Dans ce dernier cas, il s'agirait alors d'une action supranationale à laquelle personne ne semble véritablement disposé.

Un processus est lancé sans doute dont nul ne sait encore à quoi, au long du XXIᵉ siècle, il aboutira, comme une énigmatique espérance. ■

Des Balkans à l'Afghanistan

La révolution dans les affaires militaires s'affirme

Depuis 1990, la RMA *(Revolution in Military Affairs)* constitue un courant de pensée militaire qui s'efforce de mobiliser les hommes et les technologies dans la perspective d'un nouvel art opérationnel résolument en phase avec la société de l'information. Quelle que soit la part du mythe, les États-Unis entendent bien créer une tendance profonde leur permettant de renforcer leur supériorité aussi bien face à leurs adversaires potentiels qu'au regard des capacités de leurs alliés.

Depuis l'entrée en service de l'artillerie (bombardes du XVIᵉ siècle) jusqu'à l'arme nucléaire en passant par le Blitzkrieg (1940), la guerre a connu plusieurs révolutions. Toutefois on ne peut s'autoriser l'emploi d'un terme aussi fort que si, à un moment donné, l'art opérationnel est capable d'intégrer, combiner et finaliser les apports de techniques nouvelles afin de créer une supériorité décisive sur les dispositifs de force et les conceptions d'emploi de l'adversaire. Depuis la guerre du Golfe et, à mesure qu'ils interviennent militairement dans les Balkans et en Afghanistan, les États-Unis prétendent construire une révolution de ce type. Celle-ci repose sur le principe de l'intégration des systèmes de commandement et des armes grâce au traitement de l'information par les systèmes électro-informatiques dont la puissance et la vitesse de traitement ne cessent de croître. Une telle intégration contribue à renforcer l'interaction entre les armées, la combinaison des milieux (terre-mer-air-espace) et l'interopérabilité des systèmes de communication.

L'adversaire est repéré dans sa présence et ses mouvements car il est vu et entendu. Son cycle de décision est court-circuité. Car il est immédiatement pris en ligne de mire par des armes ultra-précises (missiles de croisière, guidage laser), agissant selon des distances de sécurité, de plus en plus lointaines. Toutes ses réactions étant anticipées, sa capacité de résistance est inutile. Ainsi les brouillards de la guerre disparaissent-ils, et le temps des guerres longues et hasardeuses est terminé.

● Les «dégâts collatéraux»

Ce schéma parfait est certes encore loin de correspondre à la réalité. Toutefois, les progrès réalisés par les États-Unis en dix ans −1991, le Golfe, 2001 l'Afghanistan − méritent considération. Dès lors que leurs forces peuvent agir sans entraves politiques, la capacité d'acquisition de l'information, la qualité des transmissions (de Tampa, en Floride, aux petites unités à terre au cœur de l'Afghanistan, en passant

Au sein même de l'armée américaine, plusieurs voix se sont fait entendre pour critiquer le «tout-RMA», faisant valoir que la guerre est un système complexe, interactif, imprévisible, ne pouvant se réduire un système mécanique fonctionnant uniquement sur le principe d'une synchronisation centralisée.

par les bombardiers volant au-dessus de l'océan Indien), la précision des frappes constituent des exploits techniques encore impensables dans les années 1970, quand on commençait à entrevoir la RMA. Le conflit du Kosovo (2000) est souvent présenté comme un contre-exemple. En réalité, il s'agissait d'une opération semi-humanitaire, exigeant la protection des populations. Elle s'est déroulée dans le cadre de l'Alliance atlantique, chaque opération faisant l'objet d'un véritable débat politique à 16. Enfin, les «dégâts collatéraux» (sur les civils) sont restés à un niveau faible, eu égard à la fréquence des frappes aériennes. Conséquence de long terme : les États-Unis, pour mener la guerre selon leurs standards, auront besoin d'alliés disposant de matériels au moins équivalents (si possible achetés aux entreprises américaines) et politiquement dociles (par exemple, la Grande-Bretagne). La révolution pourrait aussi consister à se passer d'alliés. ■

Les outils du renseignement

Le réseau Echelon

Indispensable pour guider l'action, le renseignement, trop souvent confondu avec une de ses composantes, l'espionnage, constitue à travers le monde une activité ordinaire, nécessaire et honorable. Le renseignement est permanent dans la paix comme dans la guerre. Toutefois le renseignement militaire directement au service des opérations constitue une activité particulière.

La raison d'être du renseignement consiste à fournir au décideur politique, au chef militaire et, de plus en plus, au

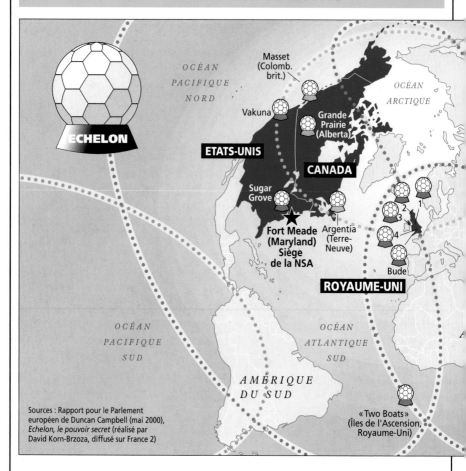

Sources : Rapport pour le Parlement
européen de Duncan Campbell (mai 2000),
Echelon, le pouvoir secret (réalisé par
David Korn-Brzoza, diffusé sur France 2)

chef d'entreprise les éléments d'information dont il a besoin pour forger son
jugement et prendre sa décision.

À mesure du développement des États, les
activités de renseignement se sont développées, spécialisées et ont essaimé en
branches diverses, en général très cloison-
nées, jalouses de leurs sources, de la qualité de leurs «produits», volontiers rivales.

● **Les moyens**

À ce jour, les États-Unis disposent de la
plus formidable organisation au monde
dans le domaine. Elle comprend la CIA,
directement rattachée au Président, la
DIA (Defence Intelligence Agency), qui
traite le renseignement militaire, et, surtout, la NSA (National Security Agency),
créée en 1947, dotée d'un budget de plus
de 3 milliards de dollars (bien supérieur à
celui de la CIA), qui couvre le renseignement électronique. La NSA intercepte

ainsi les communications téléphoniques,
les fax, les communications hertziennes,
les e-mails dans le monde entier. Elle travaille pour cela à partir de configurations
sémantiques préprogrammées, de mots-
clés, etc. Elle a contribué à la formation
du réseau secret (son existence n'est pas
reconnue officiellement) Echelon, qui
unit les services d'écoute des transmissions et communications des cinq pays
anglo-saxons : États-Unis, Canada,
Royaume-Uni, Australie et Nouvelle-
Zélande. Disposant de satellites et de
station de réception automatisées cou-
vrant le monde entier (voir carte),
Echelon traite environ 3 milliards de
communications par jour.

Or, en dépit de ce dispositif gigantesque,
il n'a pas été possible de repérer l'organisation des attentats de septembre
2001, bien que le réseau terroriste ait
été implanté sur trois continents.

NLLE - ZÉLANDE

Waihopai

AUSTRALIE

Victoria Barracks,
Watsonia Barracks
(Victoria)

Geraldton
(Australie-Occidentale)

OCÉAN
PACIFIQUE
NORD

OCÉAN
PACIFIQUE
SUD

ASIE

OYEN-
RIENT

Base américaine
de Diego Garcia
(Archipel des Chagos,
Royaume-Uni)

OCÉAN
INDIEN

UE

Pays participant au système de surveillance globale Echelon, contrôlé par l'Agence nationale de sécurité des États-Unis (NSA).

Principales bases du système Echelon

«Facilités d'écoute» au Royaume-Uni
1 - Menwith Hill (Yorkshire)
2 - Edzell (Tayside, Écosse)
3 - Brawdy (pays de Galles)
4 - Chicksands (Bedfordshire)

Zones de surveillance probables
• • • • américaines
• • • • britanniques
• • • • canadiennes
• • • • australiennes
• • • • néozélandaises

▲ Depuis 1947, les États-Unis, le Canada, le Royaume-Uni, l'Australie et la Nouvelle-Zélande se partagent l'écoute du monde.

À l'origine (1948), Echelon fut conçu comme un instrument anglo-saxon de collecte des informations en provenance de l'est. Depuis la fin de la guerre froide, ce réseau s'est largement reconverti vers le renseignement économique, notamment à l'encontre de concurrents japonais et européens. Le Parlement de Strasbourg a élevé une protestation.

● **Les difficultés**

Outre la rivalité entre les services se posent trois problèmes graves :
- l'excès d'information, en raison de l'énorme quantité de données qui peuvent être recueillies mais qui n'ont de valeur que si elles sont analysées correctement et en temps voulu ;
- l'équilibre à trouver entre renseignement «technique» et renseignement humain : la vérification, le recoupement, l'interpréta-

tion exigent une connaissance des hommes et du milieu. Énorme banalité constamment redécouverte : les machines ne peuvent remplacer l'esprit humain ;
- la qualité de la relation entre le décideur et son service de renseignement. Si la confiance n'existe pas, le renseignement devient inutile, si la liaison est mal organisée, le renseignement perd toute utilité. L'histoire abonde de ces «surprises» (invasion de l'Union soviétique par Hitler, déclenchement de la guerre du Kippour), qui résultent du refus du chef à croire ce qui lui avait été dit ou du blocage des alertes par des conseillers soucieux de ne pas importuner «leur» président.
La catastrophe survient lorsque insuffisance technique et défaillance humaine conjuguent leurs effets. ■

La guerre électronique

Une arme pour le XXIᵉ siècle

La guerre électronique (GE) est une discipline récente de l'art militaire. Elle se développe comme une parade à l'arrivée des technologies radioélectriques : la TSF (ou télégraphie sans fil) en 1896 et le radar en 1935. Indispensable à l'information, le spectre électromagnétique est devenu un nouvel espace de bataille donnant naissance à la guerre électronique. Celle-ci se définit donc comme la recherche permanente de la maîtrise du spectre électromagnétique, tout en interdisant son usage à l'adversaire. Celui qui s'assure la supériorité dans cet espace virtuel dispose alors d'un avantage déterminant. Au regard de cet objectif, les moyens de guerre électronique remplissent trois missions : le renseignement, l'autoprotection et l'attaque électronique.

Au service du renseignement, son action s'identifie par l'acronyme anglo-saxon SIGINT (pour Signal Intelligence) ou renseignement d'origine électromagnétique. Le SIGINT s'exprime à travers des capteurs passifs d'interception et de localisation des signaux (radio et radar) véhiculés sur le spectre radioélectrique. Ceux-ci sont installés dans des stations sol, des bâtiments de guerre, des avions, des drones et des satellites. Le réseau Echelon est une émanation de cette dimension de la guerre électronique, mode d'action que la France est loin de négliger, à l'image des futurs satellites Essaim. Le SIGINT est aussi le fait d'avions spécialisés : Rivet Joint ou Aries américains, Gabriel français, ou Nimrod britanniques, qui sillonnent les espaces aériens pour informer les hautes autorités et les armées des intentions d'un adversaire potentiel.

En second lieu, la guerre électronique a une fonction de protection d'une plateforme (navire, avion, etc.) contre les menaces du champ de bataille, spécifiquement les missiles. Elle se matérialise alors en systèmes embarqués associant capteurs d'alerte et contre-mesures. Au regard des exigences de l'engagement militaire – limitation des pertes et prix croissants des matériels – on trouve ces systèmes sur pratiquement toutes les plates-formes, comme l'avion Rafale ou le porte-avions *Charles-de-Gaulle*.

Dans son volet offensif, la guerre électronique a pour objet d'interdire l'information à l'adversaire, ceci par action de brouillage rendant inopérants ses communications et ses radars. Les États-Unis sont passés maîtres dans cette discipline grâce aux avions Prowler. Constituant un défi nouveau, Internet pousse depuis peu la guerre électronique à s'intéresser à la guerre informatique.

Après un siècle d'existence, devenue une pièce de la guerre de l'information, la guerre électronique est un paramètre déterminant de l'action militaire. Elle contribue aussi à définir une hiérarchie entre les nations avancées qui en maîtrisent les technologies et l'emploi et celles qui, faute de volonté ou de moyens, ont dû y renoncer. C'est la leçon des conflits du Moyen-Orient ou des Balkans. Faisant appel aux très hautes technologies, elle est un domaine en évolution permanente. On comprend alors pourquoi les États occidentaux, mais aussi l'Afrique du Sud, Israël et la Russie consacrent à la GE des sommes très importantes. ∎

La France est une des premières nations à avoir mesuré l'importance des technologies radioélectriques. Déjà, en 1914, la station TSF de la tour Eiffel écoutait les émissions radio ennemies, contribuant ainsi à la victoire de la Marne.

L'espace militaire

Un enjeu de puissance et de souveraineté

Communiquer, connaître et prévoir le temps qu'il va faire, se repérer à la surface de la Terre, guider les mobiles par GPS, toutes ces activités pacifiques et civiles correspondent également à des applications militaires. En un demi-siècle l'espace exoatmosphérique est devenu un élément clé de la conflictualité parce qu'il assure certaines des fonctions majeures de la guerre.

La maîtrise de l'espace est devenue, à l'évidence, la clé de la puissance militaire au XXIe siècle. Les gouvernements qui n'auront pas pris en compte ce fait incontournable devront en payer le prix.

Sur un mode encore proche de la science-fiction, l'initiative de défense stratégique de Ronald Reagan en 1983 avait fait comprendre que l'espace pouvait devenir une zone de guerre. Plus prosaïquement, la guerre du Golfe montra la première utilisation opérationnelle de l'espace au service des besoins sur le terrain.

Par le terme militarisation, il faut entendre, d'une part, l'utilisation de l'espace pour des activités militaires et, d'autre part, l'installation dans l'espace de véritables systèmes d'armes.

● Le rôle renforcé des satellites

Ce sont avant tout les satellites qui font de l'espace un milieu utile militairement. Les fonctions sont nombreuses, les altitudes et les orbites, fort différentes. Entre 1963 et 1968, Soviétiques et Américains ont mis en orbite géosynchrone ou en ellipse dite Molnya des satellites de détection des forts dégagements de chaleur destinés à repérer d'éventuelles explosions nucléaires dans l'espace extra-atmosphérique, désormais interdites. Ces systèmes sont aujourd'hui les seuls à pouvoir détecter un tir de missile balistique. Hormis les États-Unis et la Russie, aucun autre État n'en dispose, ce qui crée une dépendance totale en cas d'agression.

Dans les couches plus basses se situent les satellites d'observation, d'écoute électronique. En dessous, les satellites de communication et, plus bas encore, les satellites météo. À ces altitudes atmosphériques basses, les drones (avions sans pilote) viennent compléter la mission d'information.

● Paralyser les capacités de l'adversaire

La distinction entre activités civiles et activités militaires n'est pas forcément évidente. Un satellite d'observation civile dont la résolution ne cesse de s'affiner peut fournir des informations extrêmement utiles pour les opérations militaires. Près de 80 % des communications militaires américaines sont ainsi «externalisées» auprès de compagnies privées. Les satellites français d'observation du type Hélios contribuent à la vérification des traités et à la maîtrise des armements. Certes, mais c'est avant tout un outil de renseignement Quant aux satellites de communication de type Syracuse, ils assurent les transmissions des SNLE (satellites nucléaires lanceurs d'engins) de la force

À une altitude de 36 000 km, les satellites géostationnaires sont les plus performants pour le renseignement électronique et l'interception des communications.
En orbite basse, les satellites peuvent, au moyen du radar à ouverture synthétique (SAR), repérer des cibles cachées, comme des chars enterrés.

de dissuasion nucléaire. En fait, seules la destination et la personnalité de l'utilisateur qualifient la nature des satellites.

Au regard de ces activités, les armes spatiales n'occupent à ce jour qu'un rôle fort réduit. On pense aux satellites « tueurs » de satellites par collision ou à des lasers qui, tirés du sol, frapperaient les satellites adverses (première expérience américaine en 1997). À ce jour, il n'existe pas d'armes basées dans l'espace susceptibles d'attaquer des satellites, des missiles ou encore de diriger leur agression contre la Terre. Le traité de 1968 interdit d'y installer et d'y utiliser des armes nucléaires. Paralyser les capacités spatiales de l'adversaire dès les premières minutes de la guerre constitue un des objectifs avoués des États-Unis qui entendent également protéger leurs systèmes spatiaux.

● Un enjeu de puissance

Le coût élevé des activités spatiales met ce milieu hors de portée de la plupart des États. Les Européens eux-mêmes ont bien du mal à s'organiser pour développer une

Les puissances spatiales sont, outre les États-Unis et la Russie, l'Europe (qui a créé, en 1975, l'Agence spatiale européenne, à vocation civile), la France, la Grande-Bretagne, l'Italie et l'Espagne (qui ont des programmes militaires nationaux ou en coopération), la Chine, le Japon, l'Inde, Israël et le Brésil (qui ne dispose pas de lanceurs).

capacité dans ce domaine. Galileo, satellite de navigation représentant l'ébauche d'un GPS européen (et auquel s'opposent les États-Unis, pour des raisons de concurrence politique et économique), constitue un outil de souveraineté qui dépasse, à cet égard, la simple distinction entre civil et militaire. Il s'agit bel et bien de se placer dans la compétition pour la distribution de la puissance... Bien que lent, le processus semble inexorable. En réalité, s'il n'est pas encore un vrai champ de bataille, l'espace constitue déjà un enjeu de puissance et de souveraineté en temps de paix, et le milieu depuis lequel se gagne (ou se perd) la guerre moderne. ■

Armes nucléaires

Une angoisse chasse l'autre

Depuis 1990, la tendance générale est indéniable : les géants nucléaires désarment partiellement. Le nombre des têtes nucléaires diminue. Pourtant l'angoisse du surarmement cède la place une obsédante inquiétude : la prolifération qui résulterait d'un trafic clandestin d'armes russes mal gardées vers des organisations terroristes ou des perturbateurs étatiques. Cette préoccupation a été renforcée après les expériences indiennes et pakistanaises de 1998, le nombre des États nucléaires passant de cinq à sept, tandis que plane sur le Proche-Orient le risque du nucléaire israélien. En matière de nucléaire, le nombre est secondaire : l'intention politique, et c'est normal, prime sur tout le reste.

I. La « déprolifération » verticale

Elle est due à des réductions bilatérales américano-soviétiques, suivies de réductions unilatérales proportionnées par les autres puissances nucléaires. La Chine se singularise à cet égard, car elle a d'autres préoccupations.

En faisant exploser le 29 août 1949
sa première bombe atomique, l'URSS
rejoint les États-Unis et ouvre la voie
à une course effrénée – quantitative
et qualitative – aux armes nucléaires
qui devient l'enjeu de la guerre froide.

- Armes stratégiques : la grande réduction. En 1990, il existait environ 25 000 armes nucléaires stratégiques américaines et soviétiques. L'accord informel entre George W. Bush et Vladimir Poutine de l'automne 2001, en pleine guerre afghane, suggère à une date indéterminée (si tout va bien) une réduction à 2 500 pour les États-Unis et 1 700 pour la Russie. On doit rappeler pour une appréciation rationnelle de l'affaire qu'une seule de ces charges dégageant une énergie de 500 kt (Hiroshima = 20kt) peut, à coup sûr, annihiler totalement n'importe quelle grande agglomération. Par ailleurs, les 400 armes françaises, 300 britanniques et 300 chinoises, soit un total de 1 000, représentent à peine 5 % des arsenaux américano-russes existants.

- Le nombre des armes tactiques, couvert par un secret encore plus épais, ne peut faire l'objet que d'estimations qui les situent autour de 20 000.

- Volume des matières de qualité militaire : Le paradoxe des armes nucléaires est que le meilleur réceptacle des matières de qualité militaire (U 235 ou Pu 239) est l'arme elle-même. Que faire de ces matières une fois les têtes démantelées ? Les procédures étant coûteuses le processus sera lent.

2. la prolifération horizontale

À l'opposé, la prolifération dite horizontale suggère une tendance inverse : le nombre des États nucléaires augmente. L'Inde et le Pakistan ont mené des essais en 1998, sans que l'on sache exactement combien d'armes ils détiennent. Israël est souvent taxé d'une centaine d'armes nucléaires clandestines. Pour le reste, les ambitions nucléaires sont limitées à quelques pays : Iran, Iraq, Corée du Nord. Ces États sont signataires du traité de non-prolifération (TNP) de 1967, reconduit en 1995 pour une durée illimitée.

Leurs installations nucléaires déclarées sont donc soumises aux contrôles très rigoureux de l'Agence internationale de l'énergie atomique (AIEA). Toujours possible, la fabrication clandestine n'est certes pas une mince affaire. Reste alors l'acquisition par le trafic. L'arsenal russe n'est-il pas depuis dix ans l'objet de nombreuses convoitises ? La bombe pakistanaise n'est-elle pas disponible pour tous les terroristes islamistes ? Les médias sont chroniquement agités par des rumeurs qui, à ce jour, se sont révélées infondées. Car l'arme nucléaire, très complexe, d'un emploi malaisé se prête mal au terrorisme. Les candidats au trafic sont tombés dans les filets et autres pièges de services de police qui ont su coopérer efficacement à l'échelle mondiale.

● L'avenir

Si, dans l'idéal, on peut souhaiter parvenir à l'abolition des armes nucléaires, cet objectif se heurte dans la réalité à de nombreux obstacles. Admettant que les mobiles de prestige perdent totalement leur valeur jusque dans le tiers-monde, ce qui n'est pas évident, plusieurs causes militent pour le maintien, au moins à terme, de l'arme nucléaire :

- La moins assurée mais la plus immédiatement réelle est que le processus de désarmement est complexe, long, coûteux. Il ne peut être que progressif et concerté.

- Par ailleurs, le nucléaire ne se désinvente pas. L'arme atomique apporte une sécurité, certes périlleuse, mais exceptionnellement puissante. L'idée qu'elle sauve du pire, de l'invasion totale, de l'humiliation politique, etc., demeure solidement ancrée. En conséquence, l'arme paraît trop puissante pour courir le risque d'en être démuni face à celui qui la détient.

Le général Douglas MacArthur,
commandant en chef des forces
américaines en Corée, fut le seul
chef militaire américain à réclamer
ouvertement l'usage de la force
atomique depuis 1945. Il fut relevé
de son commandement en 1951.

Dans ces conditions, il est raisonnable de considérer que les modalités des conditions de détention des armes nucléaires feront l'objet d'innombrables tractations et d'aménagements nouveaux dominés par un souci de vigilance et de réduction au plus bas niveau. Le traité d'interdiction totale des essais nucléaires signé en 1997 n'a pas été ratifié par le Congrès américain.

La Convention sur l'arrêt de la fabrication des matières nucléaires à des fins explosives reste dans l'impasse à Genève depuis 1995. Les chemins de la paix nucléaire restent bien tortueux. ▪

La force atomique russe suscite encore bien des craintes, même si celles-ci ont changé de nature depuis la fin de la guerre froide. Un des principaux risques a trait à la fuite des cerveaux. On estime à 50 000 le nombre d'ingénieurs possédant une connaissance élevée en ce domaine. Sous-payés, certains peuvent être tentés de mettre leurs compétences au service d'organisations ou d'États désirant disposer de l'arme nucléaire.

▼ Tandis que les «géants nucléaires» désarment, d'autres États cherchent par tous les moyens à acquérir des armes de ce type.

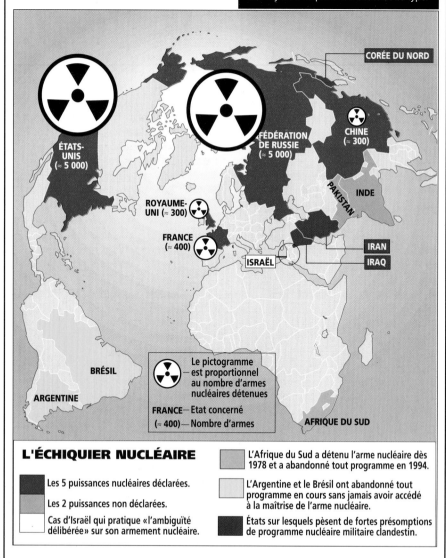

L'ÉCHIQUIER NUCLÉAIRE

Les 5 puissances nucléaires déclarées.

Les 2 puissances non déclarées.

Cas d'Israël qui pratique «l'ambiguïté délibérée» sur son armement nucléaire.

L'Afrique du Sud a détenu l'arme nucléaire dès 1978 et a abandonné tout programme en 1994.

L'Argentine et le Brésil ont abandonné tout programme en cours sans jamais avoir accédé à la maîtrise de l'arme nucléaire.

États sur lesquels pèsent de fortes présomptions de programme nucléaire militaire clandestin.

Les missiles

Le moteur de la course aux armements

Le principe est celui d'une munition aérienne sans pilote. L'expérimentation en fut faite durant la Seconde Guerre mondiale par les Allemands avec les V1 et les V2. Mal contenue, la prolifération de ces systèmes constitue un des principaux moteurs de la course aux armements du XXIe siècle.

● Les différents types de missiles

Le missile de croisière est une fusée aérobie qui se dirige à basse altitude, échappant ainsi aux détections des radars, et à vitesse réduite (inférieure au son). Il est toutefois probable que dans les prochaines décennies l'augmentation de la vitesse fera de cette arme un des engins les plus dangereux, faute de parade efficace.

Le missile balistique voyage (se déplace) à une vitesse supérieure au son, sa phase descendante lui donnant une accélération qui défie toutes les capacités d'interception connues à ce jour et pour longtemps. Il utilise un combustible liquide (de type propergol) ou solide (poudre).

Chaque missile peut être tiré à partir de plates-formes terrestres, maritimes et aériennes. Quant à la cible, elle appartient également à ces trois dimensions. On dispose donc d'une grande variété de missiles : sol-sol, air-sol, mer-air, etc. D'autant plus que les missiles sol-sol existent en version «fixe» dans des silos ou mobiles sur des camions munis d'un

Le Tomahawk est un missile de croisière américain, de 5 m de long environ. Sa vitesse approche 1 000 km/h et sa portée atteint 1 500 km. Un logiciel de reconnaissance du terrain permet un vol à basse altitude, déjouant la détection des radars.

transporteur-érecteur-lanceur. Il existe deux catégories de missiles balistiques : courte portée et portée intercontinentale. Souvent, on parle alors de missile stratégique et de missile tactique. Cette appellation tend à créer une confusion. Tout dépend en effet de la distance qui sépare les deux adversaires et des charges qu'ils adaptent à leur missile (dans le cône). La capitale de l'Inde (New Delhi) est à moins de 600 km de la frontière pakistanaise d'où peuvent être tirés des missiles de courte portée. De même, en tirant sur Israël des Scud, l'Iraq pouvait donner en 1991 à ces frappes, quelle qu'en fût l'imprécision, une qualité stratégique, puisque la population enfermée dans un espace réduit était presque tout entière la cible de ces attaques.

La capacité intercontinentale : c'est une tout autre affaire, pour le fabricant comme pour le défenseur. La capacité à construire des missiles de courte portée à un seul étage est accessible à de très nombreux États. Franchir de grandes distances en utilisant deux ou trois étages constitue un défi technique d'une tout autre dimension dont seules sont capables les grandes puissances militaires.

● Guidage interstellaire et GPS

Les technologies des missiles ont mis relativement longtemps à se développer et à se répandre dans le monde. Le MTCR (*Missile Technology Control Regime,* signé entre États industrialisés) vise à en limiter les exportations (pour les missiles à plus de 500 km de portée, emportant une charge militaire supérieure à 300 kg) . Mais cet accord, qui ne regroupe que les États disposant de haute technologie, ne suffit pas à endiguer la prolifération de missiles balistiques de première génération.

Rival de l'arme aérienne, le missile a été longtemps dédaigné pour son manque de précision et son coût élevé. Il apparaît aujourd'hui qu'avec une précision considérablement améliorée grâce au guidage interstellaire et au GPS, le missile verrait son coût fortement diminué dès lors qu'on le produirait et l'exporterait en grandes quantités. Les ingénieurs imaginent volontiers d'ici une trentaine d'années des plates-formes navales capables de tirer des centaines de missiles loin dans la profondeur du dispositif de l'ennemi.

Le GPS, ou Global Positioning System, est un système de 24 satellites gérés par le Département de la défense américain. Il permet à tout récepteur radio spécialisé de déterminer sa position exacte en n'importe quel point du globe, de tout temps et en toute circonstance.

Un avantage supplémentaire est l'extrême difficulté de l'interception, problème qui tend à devenir une des principales préoccupations techno-stratégiques. Ceci pose le problème hautement sensible du développement des défenses antimissiles. ■

Les antimissiles

L'emblème de supériorité américaine

Dès la Seconde Guerre mondiale le problème est posé : comment arrêter les «bombes volantes» V1 et surtout V2? En 1957, les premiers programmes américains (Nike-Zeus, puis Safeguard) sont lancés. Avec des résultats si faibles que cette option, sans être abandonnée, ne reçoit plus que des crédits de recherche limités permettant de poursuivre l'investigation d'un domaine excessivement complexe où l'efficacité paraît trop faible. Cependant, l'idée continue de cheminer...

1. Les aspects techniques restent fondamentaux

Deux modes d'interception sont concevables : l'un par explosion à proximité d'une charge d'un explosif conventionnel ou d'une charge nucléaire en très haute atmosphère (c'est le système que les Soviétiques avaient retenu pour le site unique de protection de Moscou) ; l'autre, par choc cinétique, c'est-à-dire un télescopage entre deux mobiles, dont les vitesses sont très élevées (plusieurs km/s), ce qui constitue un défi technologique extrême. Pour y parvenir, il faut disposer d'un système complet qui combine plusieurs couches de détecteurs et d'intercepteurs répartis entre les radars au sol et les satellites en orbite géostationnaire.

Compte tenu de la complexité que représente l'interception de plusieurs dizaines de missiles, susceptibles eux-mêmes d'utiliser des leurres, la solution théorique consiste à déployer un système combinant de multiples intercepteurs basés à la fois dans l'espace et au sol, intervenant durant les trois phases de croisière d'un missile : lancement, voyage, puis retombée vers sa cible. La meilleure solution consiste à l'intercepter en phase de propulsion initiale, mais il faut pour cela être en mesure de braquer sur l'assaillant une arme relativement proche.

D'abord hostile au projet de bouclier antimissile, arguant, comme Pékin et plusieurs pays européens, que cela allait relancer les dépenses en matière militaire pour contrer ce bouclier, Moscou semble s'orienter vers une coopération avec Washington en vue de protéger ses flancs sud et est.

Telle est l'architecture, toute théorique, qui correspond à l'IDS (initiative de défense stratégique) de Ronald Reagan en 1983. L'astrodrome protecteur des États-Unis reste purement virtuel. La réalisation matérielle se trouve encore à des années-lumière des capacités existantes. Mais la recherche se poursuit et c'est finalement l'essentiel, d'autant que l'accélération du progrès de l'électro-informatique crée de grands espoirs chez les partisans d'un tel système.

2. Une considérable portée politique et stratégique pour le XXIe siècle

Délaissant ces projets trop ambitieux, l'administration et le Congrès américains veulent, surtout depuis l'élection de G. W. Bush, à la fois développer une défense antimissile de théâtre pour protéger les troupes en opérations extérieures et les premiers segments d'une protection du territoire national dans son ensemble. Il ne s'agirait cette fois que d'intercepter quelques missiles simples lancés contre les États-Unis par des États terroristes (pendant un temps,

Le choc majeur constitué par les attentats de septembre 2001 a pu faire croire un moment que la priorité n'était plus aux grands projets technologiques. Cependant, habilement replacé dans une perspective de long terme, ce désastre pourrait donner une justification supplémentaire au développement de la protection. Tout au plus, les États-Unis vont-ils se montrer plus souples dans leur manière de traiter les objections de la Russie et de la Chine.

on parla surtout de la Corée du Nord, mais l'Iran et l'Iraq figurent également en bonne place dans la liste des «États-voyous»). Même ainsi, l'entreprise, fort coûteuse, paraît encore difficile à réaliser de manière efficace.

La défense antimissile tend à devenir l'emblème de la volonté de supériorité des États-Unis dans le processus général de redistribution de la puissance et de hiérarchisation des potentiels technologiques. En ce sens, elle inquiète autant les alliés des États-Unis que ses très hypothétiques adversaires. ∎

Les armes de destruction massive

Le spectre biologique

Au début des années 50, on disait les «armes spéciales», en utilisant le sigle NBC (nucléaire, bactériologique et chimique). On parle aujourd'hui d'«armes de destruction massive». Ces expressions cachent des réalités extraordinairement différentes, n'ayant en commun que de pouvoir tuer beaucoup de monde en utilisant une quantité de matière ou de produit relativement faible.

● Le chimique

Les toxiques chimiques sont divisés en trois catégories (asphyxiants, vésicants, paralysants). Bien connus, ces différents produits ne sont efficaces que contre des populations civiles, voire des armées improvisées, dépourvues de protection et prises par surprise (par exemple les recrues iraniennes lors de la guerre avec l'Iraq, dans les années 80).

Fondamentalement, les armes nucléaires restent à part. L'instantanéité et l'intensité de leurs effets de destruction comme l'énorme dégagement d'énergie interdisent toute protection efficace. C'est pourquoi il n'est pas possible de prétendre que le chimique serait l'arme nucléaire du pauvre.

Durant toute la guerre froide, les armées de l'OTAN, connaissant les programmes de recherche soviétiques, se sont préparées contre d'éventuelles agressions chimiques et, le cas échéant, bactériologiques. Depuis, la fabrication, la détention et l'utilisation des armes chimiques sont interdites (et la destruction des stocks existants, obligatoire) par une convention signée en 1993 à Paris par la quasi-totalité des États du monde et entrée en vigueur trois ans plus tard. Ce genre d'engagement ne concerne évidemment pas les organisations terroristes.

● Le bactériologique

L'agent appelé aussi charbon est bien connu des éleveurs. L'inhalation peut être mortelle, le contact, dangereux, mais facile à traiter. Durant la guerre froide, les Soviétiques ont développé énormément d'armes biologiques mortelles. En 1972, le centre de recherche militaire de Sverdlovsk contamina par inadvertance à l'anthrax une partie de la population. L'épidémie fit plusieurs dizaines de victimes. D'autres agents bien connus, comme la peste ou la variole, pourraient être utilisés. Enfin, il existe une recherche militaire discrète sur certains poisons et venins. En mars 1995, la secte japonaise Aum Shinrikyo, après plusieurs vaines tentatives de dispersion d'anthrax, s'est rabattue sur l'emploi du gaz sarin dans le métro de Tokyo, faisant une dizaine de morts et intoxiquant gravement 70 personnes.

Après les attentats du 11 septembre 2001, les États-Unis ont été victimes d'une agression limitée d'origine inconnue (islamistes, extrême droite américaine ?) utilisant l'anthrax. Ne causant que de faibles dommages, cette action s'est révélée très perturbatrice psychologiquement et fonctionnellement.

Les scénarios catastrophe sont donc extrêmement nombreux. Dans la réalité, la fabrication ou l'acquisition de souches biologiques, leur entretien et leur dispersion dans des conditions de réelle efficacité militaire exigent des savoir-faire hautement spécialisés et une très bonne organisation. En revanche, créer le désordre et la panique reste à la portée de tous les esprits dérangés. ■

La maîtrise des armements

L'avenir de la stabilité stratégique

P ur produit de la guerre froide, *l'arms control* n'est pas le désarmement. Il s'est développé sur la base du constat de l'impasse des négociations internationales. Central dans la confrontation nucléaire, il a servi d'outil à la limitation de la course aux armements et à l'établissement d'une stabilité stratégique minimale. A-t-il encore un avenir ?

Les principes fondamentaux font l'objet d'une révision, mais l'utilité des acquis suggère la nécessité du maintien de cette forme de dialogue stratégique.

1. S'entendre, malgré tout

Au cours de leur affrontement, Américains et Soviétiques comprirent qu'ils devaient s'accorder sur quelques principes d'intérêt commun : éviter une

« Aujourd'hui, comme les événements du 11 septembre l'ont montré de façon éclatante, les plus graves menaces pesant contre nos pays viennent non pas de nos deux pays *[i. e. les États-Unis et la Russie]* ou d'autres grandes puissances, mais de terroristes qui frappent sans prévenir ou d'États hors-la-loi. » *G. W. Bush, 13 décembre 2001*

incontrôlable prolifération des armements nucléaires, aménager les conditions de leur compétition de manière à ne pas se trouver pris dans la spirale d'une guerre nucléaire à outrance. Cette convergence politique minimale se concrétise par des négociations et des accords bilatéraux, eux-mêmes adossés à des traités multinationaux comme le traité de non-prolifération.

2. Limiter et réduire
La stabilisation des armements stratégiques intervient en 1972 par la double conclusion de l'accord SALT 1 (qui établit des plafonds pour les vecteurs balistiques emportant les armes nucléaires et qui sera suivi, en 1979, de SALT 2) et du traité antimissile balistique ABM. Ce dernier constitue la pierre angulaire du système de dissuasion fondé sur la garantie de la destruction mutuelle assurée qui équivaut à la renonciation à la défense. Les deux États renoncent à protéger leur territoire, sauf un site de leur choix (les Soviétiques choisissent Moscou pour protéger les instances dirigeantes, et les États-Unis y renoncent, préférant placer en cas de crise le président dans un système aérien en déplacement perpétuel).
À partir de 1987 commence un effort de réduction. D'abord modeste avec le traité de Washington (FNI) éliminant d'Europe les missiles terrestres. Ensuite interviennent les traités START, plus ambitieux puisque l'objectif affiché est la réduction de moitié des charges nucléaires elles-mêmes. Signé en 1990, le premier traité START est déjà contemporain du déclin de l'Union soviétique. En 1992 START II est signé avec la Russie eltsinienne, militairement exsangue et politiquement désemparée.

Un accord START III est même envisagé en 1996 à Helsinki, mais la fluidité politique et la complexité de la mise en œuvre bloquent le processus.

3. Mort de l'*arms control*?
Dès lors que l'URSS disparaît, que la guerre froide est terminée, à quoi bon ces engagements ?
Les républicains américains, traditionnellement défavorables à l'*arms control*, ont pensé à partir de 1994 que le temps était venu de sortir de ces traités jugés obsolètes et contraignants. La Russie très affaiblie n'étant plus un ennemi, à quoi bon négocier, estiment-ils. La volonté de développer une défense antimissile du territoire national paraît plus impérative que le maintien du traité ABM. Telle semblait bien être l'orientation lorsque survinrent les attentats de septembre 2001. Les États-Unis paraissent alors reprendre le principe de réductions bilatérales pour atteindre des chiffres relativement bas de 1 500-2 000 armes au maximum, assorties de nouvelles procédures de vérification réclamées par les Russes. Cependant, la tendance à l'unilatéralisme reprend vite le dessus. Dès que la victoire en Afghanistan se confirme, G. W. Bush annonce, le 13 décembre 2001, le retrait de son pays du traité ABM, afin de pouvoir mettre en place sans restriction le futur projet de défense antimissile. ■

« L'accord donne le droit à chaque partie de sortir *[du traité de 1972]* en cas de circonstances exceptionnelles. La direction américaine en a parlé à maintes reprises. Un tel pas n'était pas inattendu. Cependant nous qualifions cette décision d'erronée. » *V. Poutine, 13 décembre 2001*

Les flux d'armes mondiaux

Un marché de nouvelle génération

La fin de la guerre froide a sans nul doute porté un coup sévère à un marché qui restait centré sur le plus grand dépôt d'armes du monde : l'Europe. À l'ouest comme à l'est, la transformation du rapport des forces rendait inutiles d'énormes quantités de matériels que l'on avait pris l'habitude de moderniser régulièrement ou d'entasser les uns sur les autres (tel était le cas des blindés du pacte de Varsovie). Des traités de réduction comme FNI et FCE conduisaient à détruire, à retirer, mettre à la casse ou brader vers d'autres marchés des matériels surnuméraires.

La fin du siècle voit sur le marché de l'armement un double mouvement : une consolidation du marché occidental après une phase de déclin ; un effort de conquête des marchés les plus porteurs en Asie, au Proche- et au Moyen-Orient, qu'accompagne une intensification de l'activité en Afrique.

● La réorganisation et la relance de l'industrie occidentale : les marchés intérieurs

La consolidation a été le fait des grandes sociétés d'armement qui ont procédé à d'importantes fusions, tandis qu'elles réduisaient leurs effectifs de manière drastique. Sur cette base, elles se sont lancées dans une phase de redressement du marché occidental. Les États-Unis ont évidemment donné le ton. Le retour d'un budget de défense en hausse (300 milliards de dollars) crée, de ce point de vue, un climat favorable. Cependant, l'originalité américaine tient à la volonté de reconstituer un marché

moderne de l'armement en tirant parti des nouvelles technologies liées à la révolution de l'information-communication, portée par le développement accéléré de l'électro-informatique et l'utilisation croissante de l'espace.

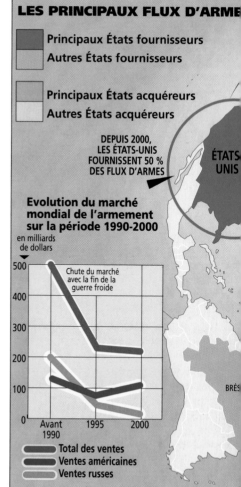

LES PRINCIPAUX FLUX D'ARME

Principaux États fournisseurs
Autres États fournisseurs

Principaux États acquéreurs
Autres États acquéreurs

DEPUIS 2000, LES ÉTATS-UNIS FOURNISSENT 50 % DES FLUX D'ARMES

ÉTATS UNIS

Evolution du marché mondial de l'armement sur la période 1990-2000
en milliards de dollars

Chute du marché avec la fin de la guerre froide

500
400
300
200
100
0

Avant 1990 1995 2000

BRÉS

Total des ventes
Ventes américaines
Ventes russes

À travers la RMA (*Revolution in Military Affairs,* voir p. 170), et en complément de la défense antimissile, c'est tout un effort pour créer un marché de l'armement de nouvelle génération qui frapperait d'obsolescence les arsenaux existants et les savoir-faire traditionnels.

● La lutte pour les nouveaux marchés

Comme il est devenu de plus en plus difficile de s'appuyer sur le seul marché national, la concurrence à l'exportation revêt un caractère encore plus féroce qu'auparavant.

- Proche- et Moyen-Orient:

La guerre du Golfe avait été pour les États-Unis, le Royaume-Uni et la France

En 1997, les principales zones d'exportation d'armes de la France étaient : l'Extrême-Orient, 53,3% (7,3% en 1980), le Moyen-Orient et le Maghreb, 28,2% (59,8% en 1980), l'Europe occidentale et l'Amérique du Nord, 15,1% (20,5% en 1980).

l'occasion de trouver une riche clientèle que l'on crut facile au départ, mais qui montra des exigences de qualité somme toute légitimes.

● L'Asie

La guerre froide n'est pas terminée en Asie, loin de là. Sans chercher la guerre ouverte, les principaux États de la région s'essayent à une confrontation des

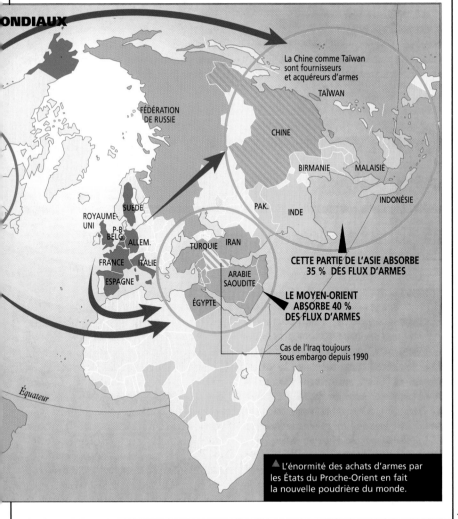

ONDIAUX

La Chine comme Taïwan sont fournisseurs et acquéreurs d'armes

CETTE PARTIE DE L'ASIE ABSORBE 35 % DES FLUX D'ARMES

LE MOYEN-ORIENT ABSORBE 40 % DES FLUX D'ARMES

Cas de l'Iraq toujours sous embargo depuis 1990

▲ L'énormité des achats d'armes par les États du Proche-Orient en fait la nouvelle poudrière du monde.

potentiels dans laquelle la capacité militaire, instrument de la politique, joue un rôle considérable.

Délaissant son traditionnel client pakistanais, la France s'efforce, comme les États-Unis, de pénétrer le marché indien, où, grâce à l'essor continu du PIB national, le budget de la défense a été relevé (de 25 % en 2000 !). Encore plus délicat est le marché chinois. Si Taïwan est encore prête à consentir de gros sacrifices financiers pour assurer sa sécurité, les pressions de Pékin, qui s'oppose aux ventes à l'île, s'avèrent de plus en plus difficiles à contenir. La crise financière asiatique ayant créé une tension sur le marché, les perspectives se révèlent moins prometteuses.

● L'Afrique consomme de plus en plus

Mauvais payeurs, mais consommateurs fidèles, les pays africains réclament, de plus en plus, un armement qui, certes, n'est pas sophistiqué. Point de Rafale, ni même de F-16, pour ces trop pauvres pays. Mais on y fait la guerre durablement, avec obstination, en recherchant des moyens de plus en plus puissants. Pour toutes ces raisons, les gros contrats de ventes d'armes s'accompagnent de commissions aux intermédiaires dans des conditions si occultes que l'on ne sait plus très bien où va l'argent. Au-delà de la corruption des individus, à de nombreuses reprises il est apparu que ces contrats discrets étaient susceptibles d'alimenter le financement de partis politiques des pays exportateurs.

● Le retour du fournisseur russe

Les ventes d'armes soviétiques ont toujours fait l'objet d'incertitudes. Après une phase de flottement et de désorganisation, en 2000, le gouvernement de Vladimir Poutine a ouvertement relancé les efforts d'exportation russes, se donnant l'ambition de redevenir le second vendeur mondial. ■

Guerre et terrorisme

La justification des moyens par les fins

E n 2000, le terrorisme international paraît en nette régression au regard de l'intense activité des années 1970-1990. Mais en 2001, alors même que l'IRA *(Irish Republican Army)* rend les armes en Irlande du Nord, une série d'attentats d'une ampleur sans précédent conduit les États-Unis à hisser la lutte contre le terrorisme au rang de guerre prolongée à l'échelle mondiale. Flux et reflux dans l'espace et le temps caractérisent un phénomène qui, dans ses multiples formes et ses innombrables causes, n'est pas près de disparaître.

● Tendances : interne, externe, mondial

Après la guerre froide, mais aussi en raison de l'avancée du processus de paix au Moyen-Orient, le terrorisme international a connu une période d'accalmie. Les attentats se localisent à l'intérieur des États où des minorités ethniques et culturelles poursuivent leur lutte pour une reconnaissance en recourant à un mode de protestation qui utilise parfois la violence organisée. Dès lors que ces minorités revendiquent par la force un droit d'autonomie, l'autorité centrale, si elle décide de ne pas donner légitimité à cette revendication, considérera que les actions menées sont de nature terroriste, c'est-à-dire illégitimes. Ainsi en va-t-il de zones aussi diverses que la Tchétchénie, le Xinjiang (Ouïghours), l'Irlande, le Pays basque et la Corse. Le front des guerres du Proche-Orient se contracte au sein d'un espace israélo-palestinien où se développe l'action radicale des «volontaires de la mort». Il n'est pas jusqu'aux États-Unis où le terrorisme n'ait frappé (Oklahoma City, 1995), révélant le fanatisme de groupements et de milices se réclamant d'une sorte d'anarchisme d'extrême droite. On a le sentiment d'une progressive internalisation du terrorisme. Cette perception conduit à ne pas accorder toute l'attention requise à plusieurs signaux : attentat suicide contre la base américaine de Khobar (1997), un an plus tard double attentat contre les ambassades américaines de Nairobi et de Dar es Salam, et en 2000 attaque d'un destroyer américain à Aden. Mais ces opérations, parce qu'elles restent confinées au tiers-monde, renvoient à une vision régionaliste du terrorisme.

Cette tendance a basculé soudain, le 11 septembre 2001, avec l'effondrement des deux tours jumelles du World Trade Center sous le coup de deux avions suicide, tandis qu'au même instant, frappé de la même manière, le Pentagone s'embrasait. En raison de l'importance des pertes humaines et de sa dimension symbolique, cette opération favorise un déplacement de la signification même du terrorisme : qu'est-ce qui sépare en effet de telles actions de la guerre elle-même ?

● La fin et les moyens

Une première réponse, la plus facile, porte sur la nature des moyens employés. Du cutter des tueurs du 11 septembre à l'électronique de haute précision dont disposent l'IRA ou l'ETA, tout est bon, utilisable et utilisé, pour les organisations terroristes. Un point paraît désormais acquis : pendant longtemps, les experts ont estimé que le terrorisme recherchait un effet d'amplification médiatique en frappant des cibles spectaculaires sans viser à faire un grand nombre de victimes. Les attentats du 11 septembre 2001 infir-

ment cette thèse. Le caractère hautement symbolique des cibles s'accompagne de la volonté de faire le plus de victimes possible. L'hypothèse d'un terrorisme spectaculaire par effet de destructions massives de vies humaines prend donc toute sa valeur. La protection consiste à considérer la totalité des possibles et à établir des priorités. Le risque demeure de se concentrer sur ce que l'on croit le plus dangereux, le plus probable et, de la sorte, on regarde à côté.

Les États-Unis répondent en décidant d'engager contre «le» terrorisme une nouvelle forme de guerre prolongée qui sera conduite en mode intégral sur tous les théâtres, intérieurs comme extérieurs. Est-ce possible ?

La coalition internationale momentanément formée risque fort de buter sur l'éternel problème de la définition des mobiles de l'action violente et de la relativité des perceptions géopolitiques. Il n'y a sans doute pas de «bon terrorisme». Mais sa diversité ne permet pas de le réduire tout entier à ses formes et à ses moyens d'action. Il ne se ramène ni à un courant idéologique (l'islamisme) ni à un conflit Nord-Sud.

Lorsqu'un État est puissant, il clame que ses adversaires sont des terroristes. Lorsqu'il devient faible, ce sont des minorités opprimées. Pour beaucoup est terroriste l'action d'un État qui utilise des moyens militaires et policiers de coercition en vue de «frapper de terreur» ses ennemis intérieurs ou extérieurs.

On rencontre chez de nombreux terroristes le sentiment de faire la guerre, avec les seuls moyens dont ils disposent. Le terrorisme justifie les moyens par les fins, par son statut de faible, par la responsabilité collective de ceux qui exercent l'oppression dont il se déclare victime. La définition de l'ennemi et de la cible reste, en effet, essentielle. Ainsi, en Palestine, le problème est le vécu même de l'ennemi. Tout colon israélien est devenu un adversaire, quels que soient son âge, son sexe ou son statut sur un territoire lui-même surpeuplé et accablé de pauvreté. Expliquer n'est pas justifier. Refuser d'expliquer constituerait une erreur politique majeure. ■

Invoquer la paix après avoir présenté la guerre sous toutes les coutures, ses formes et ses modes, ses mobiles et ses acteurs, après l'avoir presque annoncée pour le siècle qui vient, invoquer la paix n'est-ce point une pirouette paradoxale ou une coutumière concession de dernière minute à la belle âme ou à la conscience malheureuse ?

■ Nomadisation de la guerre et de la paix

Le conflit naît de la rencontre entre des activités, des intérêts, des flux. La paix et la guerre résultent de la manière dont hommes et organisations gèrent les tensions et les antagonismes issus de cette rencontre. Le recours à la guerre dépend donc de la manière dont, à un moment de l'histoire et pour un géosystème donné (une fraction homogène du globe terrestre unifiée par des forces et des intérêts de même nature), les sociétés politiques et leurs gouvernements pensent l'utilité relative de la violence armée organisée pour atteindre les buts qu'elles se sont fixés.

Au début de ce XXIe siècle, force est de constater que la guerre reste un moyen de la politique pour la plupart des grands États du monde et pour nombre d'organisations : États-Unis, Chine, Japon, Inde, Russie. Ailleurs, au Moyen-Orient et en Afrique, la guerre fait rage à l'état endémique, presque naturel. Désastreusement, elle s'y est sédentarisée.

Aurait-elle quitté l'Europe ? Continent qui, par contraste, voit s'éloigner le spectre de la guerre totale et qui, progressivement, non sans mal, dans les Balkans, propage la sécurité et la paix. Or, une fois constituée et stabilisée, l'Europe n'en devra pas moins penser la défense de ses marches. Elle peut aussi chercher, au nom de valeurs assurées, à se projeter au loin et, porteuse de conflit, provoquer la guerre au nom de la paix...

Ainsi nomadisent, de siècle en siècle, et la guerre et la paix, au gré des flux, des frontières, des empires et de leurs marches. Cette circulation générale de la guerre et de la paix s'organise selon des lieux de passages, points de concentration, distribution, répartition qui décrivent la circulation générale des biens, des activités, des entreprises humaines. Ces zones névralgiques constituent des vulnérabilités, des enjeux stratégiques, des cibles. La violence y est actuelle parfois, potentielle toujours. Pourrait-on l'éradiquer par la vertu d'une mondialisation pacificatrice ?

■ Pulsations de la mondialisation

Laissons un instant de côté l'Empire romain, son droit et ses fortifications qui traçaient la frontière entre civilisation et barbarie. Rapprochons-nous d'une Europe contemporaine. En 1496, à Tordesillas, la bulle pontificale d'Alexandre VI (Borgia) divise le monde amérindien en deux : l'Ouest sera espagnol, l'Est portugais. Ainsi Charles Quint, reprenant en Europe la couronne du Saint Empire romain germanique, peut-il considérer que le soleil ne se couche jamais sur son empire. La capacité technique de projection navale dans les grands espaces océaniques a produit ses effets. Les nobles hidalgos pauvres, trop nombreux sur la terre d'Espagne, se font chefs d'entreprises non roturières. La circulation des épices et des matières précieuses constitue un flux gigantesque irriguant l'Europe occidentale tout entière. Mondialisation, donc.

Acteurs différents pour un scénario presque identique, trois siècles et demi plus tard, les puissances européennes colonisent le monde. La révolution industrielle, les moyens de transport, le dynamisme démographique, une assurance idéologique et culturelle favorisent cette projection des Européens (mais pas tous). *Britannia rules the World* et la France... fait ce qu'elle peut. Saisie en perspective historique, la mondialisation peut donc s'identifier à la poussée d'une puissance dominante, à vocation conquérante et hégémonique, dont l'action et les perceptions tendent à créer dans l'espace et la durée une tendance relative et une apparence imparfaite d'unification du monde connu. Cette puissance doit être capable de générer, entretenir et développer des flux continus, unificateurs d'un espace de prospérité uniformément codifié par des normes portant sur les hommes et les biens.

La mondialisation est d'abord une circulation générale et continue dans un espace impérial en dilatation. On peut considérer qu'à des poussées de mondialisation succèdent des périodes de fragmentation : les liens se défont et les flux tarissent. À l'évidence, le début du XXIᵉ siècle constitue une phase de développement et d'accélération des flux traditionnels, tandis que, créatrice de richesses et de pouvoirs nouveaux, l'information ajoute sa propre circulation sur l'ensemble de la planète. Ainsi en arrive-t-on, inexorablement, à l'examen du cas américain.

■ États-Unis : la paix par l'empire ?

Depuis la fin de la guerre froide, la question ne cesse d'être posée, irritante et fastidieuse : Washington devient-elle la capitale d'un nouvel empire ? On l'avait évoqué après la guerre du Golfe, mais, rapidement, les États-Unis avaient montré leur peu de goût à devenir le « gendarme du monde » (départ de Somalie, réticences à s'engager dans les Balkans).

Après le 11 septembre, avec la déclaration de guerre au terrorisme, n'assiste-t-on pas précisément à un engagement mondial pour éradiquer les adversaires des États-Unis, identifiés à une menace contre la civilisation ? Quelle que soit l'importance de l'événement, tout raisonnement sur l'empire exige une prise de recul et une analyse macro-stratégique dans le temps et dans l'espace.

Le 11 septembre a liquidé ce qui pouvait rester d'isolationnisme américain. Un ennemi est venu frapper les États-Unis au cœur même de leur existence réelle et symbolique. Pour la quatrième fois en moins d'un siècle – 1917 (guerre sous-marine allemande), 1941 (Pearl Harbor), 1957 (menace balistico-nucléaire soviétique), 2001 –, les États-Unis ont été attaqués, à chaque fois plus près de la tête, plus près du vital.

À chaque fois, ils ont riposté par des réactions de puissance politique et militaire toujours plus lointaines et plus durables. On peut estimer qu'il existe aujourd'hui une fraction importante de la classe dirigeante américaine animée par la volonté d'exercer un leadership mondial en s'appuyant sur des sous-systèmes alliés et en réduisant par la force les agresseurs potentiels, où qu'ils se trouvent. Dans cette phase d'expansion de leur puissance, les États-Unis cherchent leurs marches, leurs limes. Cela entraîne deux conséquences géopolitiques.

Tout d'abord, un double phénomène de dérégulation territoriale apparaît. D'une part, un affaiblissement de la souveraineté des États qui, progressivement, sont entraînés dans l'orbite impériale. Si la démarcation entre les identités politiques et culturelles demeure, l'importance des frontières décroît à l'intérieur des sous-ensembles de l'empire. D'autre part, l'apparition de « zones grises » de non-droit et de non-souveraineté qui constituent les « terres barbares ».

Ensuite, à plus long terme, les États-Unis ne pouvant et ne prétendant pas contrôler la totalité du monde, il leur faudra définir les modalités de leurs relations avec les grands États souverains, concurrents et rivaux potentiels. Ce serait alors le retour à un cas de figure classique où la guerre de grande ampleur entre armées régulières redeviendrait une option politique possible. Les planificateurs du Pentagone et tous les experts militaires qui considèrent les horizons 2030-2040 préparent cette éventualité. Si les États-Unis sont entrés dans la voie de l'empire, ce processus s'annonce tumultueux, dans le fracas des armes de haute technologie. L'empire oui, mais sans la paix !

F. G.

Le temps
du soupçon

M ais que recherchait la nébuleuse terroriste surnommée Al-Qaida en frappant les États-Unis le 11 septembre 2001? Si le but était de plonger le monde dans l'angoisse et la violence, c'est réussi! Au regard des années 2001-2003 et, peut-être, des suivantes, la guerre froide apparaîtra comme une période de calme et de stabilité. La crise est partout, la discorde ronge les alliances, la guerre se répand dans le monde, les Bourses déclinent…

Pour autant, Al-Qaida n'est pas responsable de la crise grave qui affecte les grandes entreprises en phase de mondialisation. C'est bien avant le 11 septembre que la nouvelle économie mondiale était entrée en crise puisque le phénomène est repérable dès l'été 2000. Le scandale de la société américaine Enron relève sans doute de malversations individuelles, mais comment qualifier les opérations extrêmement risquées, sinon délirantes, conduites par les dirigeants de WorldCom, de FranceTélécom ou de Vivendi Universal? Des anticipations fondées sur un optimisme irréfléchi ont conduit à de véritables désastres comparables à ceux des holdings financiers de 1929. La dissimulation des comptes réels aggrave la crise de confiance. Une spirale de défiance frappe de plein fouet la prospérité de la fin du XXe siècle.

● De nouvelles fractures

De nouvelles divisions, sinon du monde, du moins de la conception du monde, se forment. Rien à voir avec le «choc des civilisations». C'est bien davantage un affrontement des visions de l'avenir. Idéologies régressives et modernistes rivalisent pour attirer des opinions désorientées. Retour à l'islam ultrarigoriste ou mise en œuvre du développement durable? Désormais les sommets du G8 ont leur homologue sur le versant antimondialisation. Ces phénomènes encore embryonnaires sont annonciateurs de clivages très importants, de dimension mondiale : l'environnement, l'organisation de la distribution des ressources naturelles mobilisent des opinions et des courants hétéroclites que réunit, pour un temps, le rejet de la puissance des États-Unis, accusés de s'engager dans la voie impériale. De nouvelles causes de conflits armés apparaissent qu'il conviendrait de traiter au plus tôt pour ne pas avoir à y remédier dans l'urgence.

Le spectre de la stagflation hante à nouveau l'Europe où les restructurations industrielles ramènent les chiffres du chômage vers le seuil fatidique des 10 %. Certes, les mécanismes de régulation réussissent à contenir la brutalité des effets sans parvenir, cependant, à traiter le problème. Les gouvernements utilisent les rouages bien huilés des stratégies médiatiques pour désamorcer le caractère explosif de la réalité sociale. Mais les faits sont têtus et, à force d'euphémismes rassurants, la parole des dirigeants perd en crédibilité.

Enfin, Al-Qaida peut être difficilement tenue pour responsable de la décision américaine de se débarrasser une fois pour toutes du régime de Saddam Hussein, au nom de la menace spectrale des armes de destruction massive. Mais là encore, en absence de preuves tangibles, le soupçon pourrit la situation. Les allégations font leur chemin, fracturant les relations d'alliance traditionnelles fondées sur la confiance.

Pourquoi la France repousse-t-elle la solution militaire? Serait-ce en raison de liens économiques coupables avec l'Irak? Les États-Unis ont-ils décidé a priori la guerre pour mettre la main sur les ressources pétrolières irakiennes? S'agit-il de la première phase d'une guerre de longue durée qui pourrait embraser le monde, région après région? L'aggravation de la tension en Corée où fait retour le spectre du conflit nucléaire conduit à l'angoisse d'une cascade de guerres préventives entreprises par les États-Unis. À qui le tour après l'Irak, l'Iran ou la Corée du Nord?

Quels sont les intérêts cachés? Le syndrome du complot gagne du terrain sur les explications structurelles. Une paranoïa rampante l'emporte sur la rationalité. Qui est vraiment responsable? Quelle est la réalité des menaces? Et celle des armes de destruction massive?

● Pourquoi les guerres?

Hé bien, précisément, lorsque l'inquiétude des passions l'emporte sur le calme des raisons, lorsque la confiance disparaît et que la peur, mauvaise conseillère, alimentée par le soupçon, guide dirigeants et dirigés. À l'idée rassurante d'un ordre mondial semble succéder la réalité d'une mondialisation du chaos.

La Corée du Nord

Le dangereux avatar du totalitarisme nucléarisé

Depuis 1953, l'armistice de Panmunjom a établi une zone démilitarisée sur le 38ᵉ parallèle, qui constitue le front de deux énormes arrières stratégiques. Les Nord-Coréens ont creusé des centaines de kilomètres de tunnels et d'abris profondément enterrés. Une retenue sur la rivière Pukham doit permettre de lâcher en cas de conflit environ 20 milliards de mètres cubes d'eau sur la Corée du Sud.

● Un État-forteresse

Pendant un demi-siècle, Kim Il-sung puis son fils Kim Jung-il ont bâti une puissance militaro-industrielle grâce au soutien de l'Union soviétique et de la Chine communiste. La Corée du Nord (22,5 millions d'habitants, 120 000 km²) a pu se donner les bases d'un complexe nucléaire et d'une industrie de missiles balistiques qu'elle a su développer par la suite grâce à ses propres moyens.

Prenant modèle sur ses alliés, le régime a instauré un culte de la personnalité outrancier fondé sur une adaptation de la doctrine communiste, le « djouché ». La réalité sociale de la Corée du Nord repose sur une division sans nuances de la société entre une masse de paysans-prolétaires affamés et une caste politico-militaire sans véritable idéologie depuis la fin de la guerre froide et que seule guide la volonté de conserver ses privilèges.

La Corée du Nord, que l'on peut caractériser comme une « stratocratie » (gouvernement militaire), a développé deux compétences : le nucléaire et les missiles balistiques. Dans les deux cas, elle a bénéficié, au démarrage, de l'assistance technique de l'Union soviétique, bien plus que de la Chine, très prudente à l'égard d'armes aussi dangereuses. Ayant mis sur pied une industrie autonome, la Corée du Nord exporte ses missiles à qui paie « cash » dans le monde. Elle a aidé le Pakistan et l'Iran dans le développement de leurs programmes balistiques. Fin 2002, un de ses navires a été arraisonné avec à son bord des missiles Scud commandés par le Yémen.

● Dix ans de diplomatie « au bord du gouffre nucléaire »

En 1985, la Corée du Nord, pressée par l'Union soviétique et la Chine, adhère au traité de non-prolifération des armes nucléaires (TNP) en tant qu'État non doté d'armes nucléaires et renonçant à en acquérir. Désormais les réacteurs civils nord-coréens sont placés sous surveillance régulière de l'Agence internationale de l'énergie atomique (AIEA).

En 1993, alors que l'AIEA, dirigée alors par M. Hans Blix, s'inquiète des activités

---

Le traité sur la non-prolifération des armes nucléaires (TNP). Conclu le 1ᵉʳ juillet 1968, le TNP est entré en vigueur le 5 mars 1970. Il interdit aux cinq détenteurs officiels de l'arme nucléaire – Chine, États-Unis, France, Royaume-Uni, URSS – de livrer du matériel ou des renseignements aux autres États, lesquels s'engagent à ne pas produire de bombes. Le TNP constitue la première barrière juridique à la non-prolifération nucléaire, d'autant qu'il s'agit d'un des traités internationaux les plus universels : presque tous les États l'ont signé, la France l'ayant rejoint en 1992).

de retraitement du plutonium en Corée du Nord, celle-ci annonce son intention de se retirer du traité, provoquant ainsi une crise internationale durant laquelle il est démontré que Pyongyang a détourné clandestinement du plutonium afin de développer un programme militaire. Les États-Unis envisagent le recours à la guerre, mais choisissent la voie d'un compromis vivement souhaité par Séoul, Tokyo et Pékin.

En 1995 est créée la KEDO, consortium réunissant la plupart des membres du G7 chargé d'aménager la reconversion des centrales nucléaires nord-coréennes au profit de nouveaux modèles de réacteurs peu proliférants. De surcroît, les États-Unis s'engagent à fournir en fuel la Corée pour compenser le déficit d'énergie électrique résultant de l'arrêt des réacteurs. Cette amélioration de la situation n'empêche pourtant pas la Corée du Nord de manifester son agressivité potentielle. En août 1998, Pyongyang tire une fusée à longue portée destinée à mettre en orbite autour de la Terre un petit satellite. L'expérience est manquée, mais l'émotion est forte : l'engin, qui a survolé le Japon, dispose d'une potentialité balistique intercontinentale.

À la surprise de l'administration américaine, Kim Jung-il reconnaît ouvertement en octobre 2002 l'existence d'un nouveau programme secret basé cette fois sur l'uranium hautement enrichi, seconde filière du nucléaire militaire. Une nouvelle crise en résulte qui voit la Corée du Nord sortir du TNP, renvoyer les inspecteurs de l'AIEA et remettre en activité ses réacteurs nucléaires anciens. Ces différents gestes s'accompagnent d'une escalade diplomatique qui recourt à la menace la plus outrancière. Pyongyang parle volontiers de guerre totale, laissant planer le doute sur sa capacité à assem-

▼ Depuis 10 ans, tensions et rapprochements ponctuent un dialogue ambigu, aux enjeux risqués, sur fond de menace nucléaire.

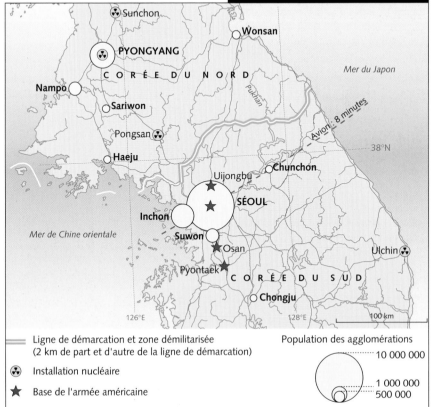

Ligne de démarcation et zone démilitarisée
(2 km de part et d'autre de la ligne de démarcation)

☢ Installation nucléaire

★ Base de l'armée américaine

Population des agglomérations

10 000 000

1 000 000
500 000

bler quelques armes nucléaires simples. Sachant que Séoul se situe à moins de 100 km des lignes nord-coréennes, un missile de courte portée doté d'une charge au plutonium du type de celle qui explosa à Nagasaki constitue une menace insupportable. C'est pourquoi les États-Unis, qui entretiennent en Corée du Sud une garnison de 37 000 hommes, se trouvent dans l'obligation de gérer cette crise avec d'extrêmes précautions. Ils doivent également tenir compte des inquiétudes du Japon et de la Chine qui, sans soutenir la Corée du Nord, ne veut pas d'une guerre américaine à proximité de son territoire. Les difficultés ont été aggravées par la désaffection croissante entre la Corée du Sud (47 millions d'habitants, 99 000 km^2) et son protecteur américain. La «Sunshine Policy» (politique de réchauffement des relations entre les deux Corées), adoptée en 1998 par Séoul et grâce à laquelle la Corée du Sud parvient à rétablir des liens avec sa voisine du Nord, prétendant trouver par elle-même les voies d'une éventuelle unification, convient mal à l'administration Bush. Les manifestations anti-américaines n'ont

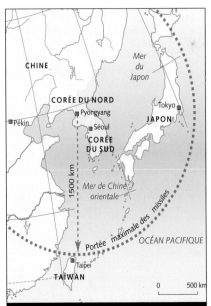

▲ Les missiles balistiques dont dispose la Corée du Nord représentent une menace prise très au sérieux par Séoul, mais aussi par Tokyo.

cessé de se développer à Séoul. La péninsule coréenne reste durablement porteuse de dangers extrêmes. ■

Territoires de l'islam et djihad

Entre pouvoir religieux et autorité politique

L'islam contemporain présente trois caractéristiques majeures : son expansion spirituelle, sa forte diversité intellectuelle et le fait que les Arabes y sont largement minoritaires (220 millions sur un total de 1,1 milliard). L'Indonésie, avec ses 210 millions d'habitants en majorité musulmans, constitue le plus grand pays d'islam, devant le Pakistan (145 millions).

Comme toute religion de tradition ancienne, l'islam a connu précocement et en continuité de nombreux déchirements idéologiques matérialisés par des courants, des sectes – d'importance et d'influence variables –, dont les deux principales sont le sunnisme (90 % des musulmans) et le chiisme. Cette pluralité contrarie l'idée d'une implantation géographiquement et politiquement compartimentée.

L'islam est une religion éminemment sociale, qui s'adresse au croyant non seulement comme à un individu, mais comme à un membre d'une communauté. Il est ainsi difficile d'être un croyant isolé ou minoritaire tant les normes de l'islam régissent la vie en société.

Contrairement à la chrétienté, qui a instauré après la Réforme le principe de soumission à la religion de l'autorité établie (*Cujus regio, ejus religio,* «Telle la religion du prince, telle celle du pays»), l'islam n'a jamais adopté une règle semblable. La compétition et la diversité prévalent face au pouvoir politique, et parfois même contre lui. Ainsi les chiites sont majoritaires dans un Irak laïque. Les sunnites syriens sont gouvernés par une minorité alaouite qui prétend à la laïcité. Cette diversité explique la forte turbulence d'un monde spirituel qui récuse par principe toute séparation entre la religion et la politique.

Le monde musulman ne s'inscrit pas dans un cadre national. Il repose sur la notion d'oumma, communauté des fidèles, absolument transfrontalière. C'est pourquoi la distinction entre pouvoir religieux et autorité politique n'existe pas, sauf dans les États, assez peu nombreux – Turquie, Irak ou Syrie –, qui ont choisi la laïcité.

Deux notions du territoire s'opposent dans la logique de l'Islam : dar al-islam, ou territoire de l'islam, et Dar al-harb, ou territoire du conflit, celui qui est occupé par les infidèles. Entre les deux territoires, il existe bien un antagonisme de principe. Mais il a été admis de longue date que la guerre n'est point une obligation. Et ce conflit tolère des aménagements sous forme de trêves de longue durée d'autant plus acceptables que l'action missionnaire de prédication (dawa) est autorisée sur le territoire des infidèles. Encore faut-il savoir comment traiter ce principe de conciliation. Comportements et prises de position varient au fil des temps, d'autant que depuis toujours s'ajoutent aux multiples défenseurs d'un retour à l'islam fondamental les tenants d'un islam moderne, ouvert aux sciences et au dialogue.

Les multiples réseaux du fondamentalisme

La religion musulmane est marquée par l'existence d'une multitude de sectes opposées et rivales. À l'origine, le schisme fondamental se produit du VIIe au IXe siècle entre chiites et sunnites. À partir de là se développeront au fil du temps de multiples sectes.

Le wahhabisme domine aujourd'hui l'Arabie saoudite et connaît un très fort développement. Son origine remonte à Ibn Abd al-Wahhab (1703-1792), qui propose une vision traditionaliste puritaine de l'islam, se voulant délibérément réactionnaire. Il est à l'origine du salafisme, mouvement de retour à la pensée des ancêtres, qui inspire des organisations extrémistes en plein développement dès l'entre-deux-guerres.

Les Frères musulmans, fondés en 1928 par l'Égyptien Hassan el-Banna (assassiné en 1949), récusent le fractionnement étatique de l'oumma. Ce mouvement interprète à sa manière les «cinq piliers» de l'islam (profession de foi, prières, aumône, jeûne et pèlerinage) en privilégiant le djihad (guerre sainte) et le martyre. Sayyid Qutb, idéologue des Frères musulmans après el-Banna, fut à l'origine d'une relance de la notion de djihad, avant d'être pendu par Nasser en 1966. (Son livre, *Jalons sur la route de l'islam,* a été traduit en anglais en 1977.) Son action a été aussitôt relayée par Abdel Salem Faraj, dont le groupe «Anathème et exil» fut à l'origine de l'assassinat du président Anouar el-Sadate en 1981. Cette organisation a rallié à sa cause un jeune médecin, Mohamed Zawahiri, qui a contribué autant que Ben Laden, sinon plus, au développement du réseau dit «Al-Qaida».

Ces groupes n'ont depuis cessé de se développer dans les pays non arabes, tant en Asie orientale qu'en Afrique.

Les interprétations du devoir de djihad

Cette extrême diversité, accompagnée d'une ambiance de violence et d'intolérance, conduit à s'interroger sur un point crucial : le statut du djihad. Largement connue comme l'équivalent de la «guerre

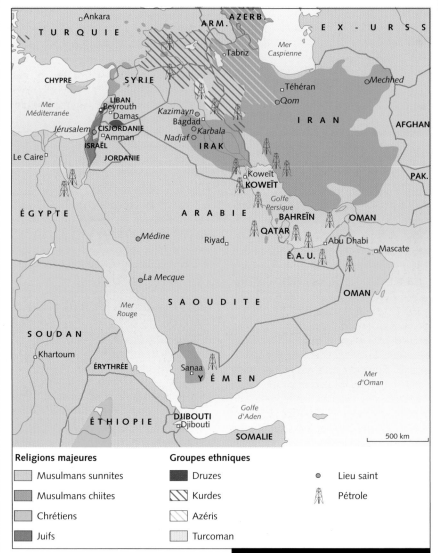

Religions majeures

- Musulmans sunnites
- Musulmans chiites
- Chrétiens
- Juifs

Groupes ethniques

- Druzes
- Kurdes
- Azéris
- Turcoman

- ⊙ Lieu saint
- ⛽ Pétrole

sainte», cette notion résume assez bien les ambiguïtés et les contradictions de la religion musulmane. Ce n'est pas une obligation au même titre que la prière, la dîme ou le pèlerinage. Mais elle est parfois interprétée comme un des «piliers» de la religion par certains groupes comme les Frères musulmans. Le grand djihad correspond à l'effort privé du croyant pour s'améliorer dans la voie de l'islam.

Un autre aspect du djihad est la reconquête des esprits au sein de la communauté des croyants, ceux qui ont été dévoyés par des idéologies nationalistes,

▲ Le monde musulman est majoritairement sunnite. Le chiisme est un mouvement minoritaire, mis en lumière par l'actualité. Il est centré sur l'Iran, l'Irak, le Liban et le golfe Persique.

laïques, et marquées par l'Occident. La décentralisation de l'islam (par opposition à l'Église catholique) favorise l'initiative d'individus qui, à un échelon régional, proclament le djihad en même temps qu'ils s'érigent en prédicateurs de fatwas (décrets) qui n'engagent que le cercle plus ou moins large de ceux qui les soutiennent. ■

Le tribunal pénal international

Une idée ancienne au service d'un nouvel ordre international

La fin de la guerre froide a ouvert de nouvelles perspectives dans le domaine des droits de l'homme. D'une part, la sacro-sainte loi de non-ingérence a été remise en question. D'autre part, l'exemple du général Pinochet a démontré que les anciens chefs d'État accusés de crimes contre l'humanité n'étaient plus à l'abri des poursuites judiciaires. Dans le même temps, ce renouveau géopolitique s'accompagne d'une recrudescence des conflits d'origine ethnique, caractérisée par un déchaînement de violences barbares à l'encontre des civils. En conséquence, et dans un contexte politique favorable, une volonté collective, sans être unanime, s'est manifestée pour juger les responsables de crimes à grande échelle.

À vrai dire, l'idée n'est pas nouvelle. Elle éclôt au terme de ces guerres atroces qui laissent les hommes effrayés d'eux-mêmes et désireux de criminaliser les excès de certains des leurs, pour en éviter la répétition. Dès 1921 est établie à La Haye la Cour permanente de justice internationale, qui, en 1945, se succède à elle-même sous le nom de Cour internationale de justice sans que sa compétence et ses pouvoirs aient progressé. Les tribunaux de Nuremberg et de Kyoto ne furent que des juridictions spéciales sans continuité au-delà d'une mission liée à des crimes de guerre très spécifiques. Ainsi, un tribunal pénal international a-t-il vu le jour pour juger les crimes contre

Kofi Annan lors de l'installation à La Haye de la Cour pénale internationale en mars 2003.

l'humanité commis en ex-Yougoslavie et au Rwanda. Le Tribunal pénal international pour le Rwanda (TPIR) était créé en 1994 (résolution 955 du Conseil de sécurité de l'ONU), soit un an après la mise en place du Tribunal pénal international pour l'ex-Yougoslavie (TPIY, résolution 827 du Conseil de sécurité). Le résultat majeur intervient en 1998 : un projet de statut instaurant une Cour pénale internationale (siégeant à La Haye) a été adopté lors d'une conférence organisée sous l'égide des Nations unies. Début 2003, ses 18 juges ont été élus. Les difficultés

197

pour trouver un procureur internationalement acceptable témoignent de l'extrême sensibilité diplomatique de cette démarche. Le secrétaire général de l'ONU, Kofi Annan, déclarait à ce sujet : «Il ne peut y avoir de justice au niveau mondial à moins que les pires des crimes, les crimes contre l'humanité, ne relèvent de la loi.» La comparution à La Haye en 2001 de l'ancien chef d'État yougoslave Slobodan Milosevic a marqué une étape importante dans l'évolution du concept de justice internationale, et son procès devrait définir en grande partie l'avenir de la cour. Néanmoins, cette initiative souffre d'un manque de légitimité, en particulier hors d'Europe, où l'on se montre sceptique quant à l'application universelle de la justice internationale. Les États-Unis ont fait savoir vigoureusement qu'ils ne reconnaissaient aucune légitimité à cette juridiction.

● Vers l'instauration d'un nouvel ordre international ?

L'enjeu du débat tient en grande partie au problème de la souveraineté des États considérée depuis les traités de Westphalie de 1648 comme la garante d'un ordre international minimal. En conséquence, il ne saurait être question d'incriminer le représentant légitime, passé ou actuel d'un État sur le territoire d'un autre État. Couvertes par l'immunité diplomatique, ces personnes juridiques ne peuvent tout au plus qu'être expulsées vers leur pays d'origine. Remettre en cause ces pratiques séculaires revient à substituer un ordre international à un autre. C'est dire l'ambition d'un tel projet, aux contours encore mal définis, soutenu par certains États, rarement les plus puissants, et par de nombreuses ONG. Car les moyens de coercition suivront-ils ? On peut également douter de l'effet dissuasif de cette institution sur les responsables gouvernementaux de nombreux États parfaitement sourds à ces préoccupations. Si la force est un abus sans le droit, le droit n'est rien sans la force.

Pour échapper aux bonnes intentions d'une Europe qui se pacifie, il ne faudrait pas s'illusionner sur la réalité des rapports de force dans le reste du monde, de la Côte d'Ivoire à l'Irak, en passant par la Tchétchénie. La Belgique s'est mise en pointe dans ce domaine et a intenté en 2003 une action contre Ariel Sharon, soulevant un tollé en Israël et dans la diaspora juive.

Toutefois, si la justice pénale internationale doit affiner et approfondir son action, elle a d'ores et déjà réussi à modifier d'une certaine manière la nature des relations internationales. ■

Les diasporas dans le monde

Des foyers d'influence stratégique

L e terme «diaspora» renvoie à l'origine, à la dispersion du peuple juif, puni pour sa révolte par l'autorité romaine sous le règne de Titus, en 70 apr. J.-C. La diaspora résulte donc d'une persécution de masse qui, en supprimant l'autorité politique établie, expulse les habitants du territoire qu'ils occupaient. Ce schéma reste valable, mais le terme diaspora a pris toutefois un sens plus général.

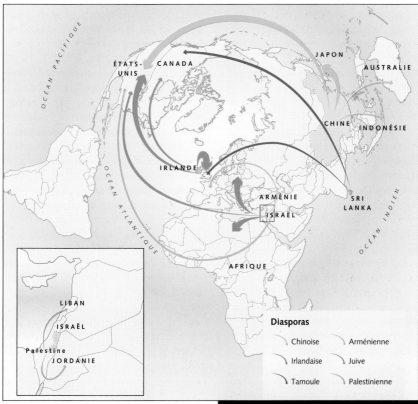

Diasporas

↖ Chinoise	↖ Arménienne
↖ Irlandaise	↖ Juive
↖ Tamoule	↖ Palestinienne

▲ L'Amérique du Nord, relativement peu peuplée, attire fortement. L'UE devient une zone de transit migratoire, car elle rejette les flux extérieurs massifs.

● Les causes de formation

Il rend compte de l'existence d'une communauté culturellement homogène dont une partie des membres prend, de gré ou de force, le parti de l'émigration pour s'établir durablement – et souvent même définitivement – dans des pays d'accueil où elle reconstitue une entité relativement cohérente et solidaire. Les causes de l'expatriation – qui peuvent prendre la forme extrême de la déportation – sont classiques. On quitte la pauvreté, la surpopulation. On fuit la persécution pour ses convictions religieuses ou politiques.

● Diasporas polarisées et diasporas disséminées

Le groupe d'origine peut se retrouver sur un ou deux pays d'accueil – par exemple les Arméniens en France et aux États-Unis – ou, au contraire, essaimer un peu partout dans le monde.

Sur les 4 millions d'Irlandais qui émigrèrent durant la seconde moitié du XIXᵉ siècle, 64 % s'établirent aux États-Unis. Depuis 1949, la diaspora palestinienne, éparse à travers le Proche-Orient, joue un rôle important au regard d'un territoire et d'une communauté d'origine qui n'a pas pu accéder au statut d'État-nation souverain. Souvent parvenus à des niveaux de responsabilité élevés dans les appareils d'État des pays environnants, ses membres ont pourtant bien du mal à s'accorder sur la meilleure stratégie possible pour l'établissement d'un État palestinien.

La diaspora chinoise est probablement la plus importante du monde. Elle comprend plus de 25 millions de personnes installées depuis plus d'un siècle dans l'aire Pacifique, en mer de Chine du Sud et dans l'océan Indien. Elle est également présente en Europe occidentale, sans y exercer une quelconque influence.

● **Diasporas : influence et solidarités ambiguës**

Le degré d'organisation de l'influence et de la solidarité varie selon les cas. Aux États-Unis, où tout le monde pratique le lobbying, la diaspora juive est à l'origine d'un système complexe, composé de courants divers, visant à infléchir la politique américaine en faveur d'Israël. Une telle organisation n'a pas d'équivalent en France, où l'influence s'exerce de manière plus diffuse.

Toutefois, le nombre et la concentration ne sont pas forcément déterminants dans l'appui apporté à la communauté d'origine. Un conseiller bien placé, un milliardaire puissant représentent un pouvoir au moins égal au tribut versé par une communauté marginale. Par ailleurs, on se gardera de surestimer la capacité d'influence. Les Polonais aux États-Unis ont-ils vraiment, grâce au lobby de Chicago, entraîné la décision américaine d'accepter l'entrée de la Pologne dans l'Alliance atlantique en 1999 ? Bien d'autres facteurs ont été pris en considération. D'autant plus que certaines diasporas peuvent se livrer à une sorte de guerre d'influence au sein même du pays d'accueil. Ainsi en va-t-il des communautés indienne et pakistanaise au Royaume-Uni.

Une petite diaspora, très efficace, est celle des Tamouls qui, depuis vingt ans, contribuent à soutenir la lutte du LTTE, organisation séparatiste du nord du Sri Lanka. Elle est surtout présente au Canada, au Royaume-Uni, dans les pays scandinaves et en Malaisie. De gré ou de force, elle contribue à des trafics de cigarettes, de thé, de drogues, d'armes qui permettent de financer le LTTE. Cet exemple illustre assez bien l'ambiguïté de la relation de la diaspora à la terre d'origine.

Contrairement à une vision romantique facile, le membre d'une diaspora n'est pas spontanément disposé à aider sa communauté d'origine, au prétexte qu'elle serait demeurée dans la détresse et l'oppression. Bien des émigrants définitifs souhaitent couper les liens avec leur pays d'origine et se fondre dans la communauté d'accueil. Cela ne signifie pas qu'ils vont totalement renier leur culture d'appartenance, mais ils auront tendance à la dissoudre au sein de la culture d'accueil. En outre, au fil du temps une diaspora confortablement installée perd de vue ses attaches originelles même si elle en conserve la mémoire culturelle. La solidarité sert parfois de prétexte à de véritables rackets menés par des organisations à caractère terroriste, certaines parfois rivales, dont les méthodes ne rencontrent pas l'assentiment des diasporas. Autant de diasporas, autant de formes de relations, variant avec le temps. La communauté irlandaise américaine de New York n'a jamais cessé de soutenir l'action du Sinn Féin et de son bras armé, l'IRA. Mais, par l'intermédiaire des présidents des États-Unis qui, de Kennedy à Clinton, éprouvaient un penchant pour la cause irlandaise, elle a fini par peser sur l'évolution du conflit avec le Royaume-Uni.

*Dès le IX*e *siècle av. J.-C. les communautés juives se sont dispersées hors de la Palestine. Babylone (VI*e *s.), Alexandrie (IV*e *s.), Antioche (III*e *s.) et Rome (I*er *s.) en furent les principaux centres.*

● **Précarité des diasporas**

L'importance prise dans l'économie ou dans la vie politique par une diaspora peut conduire à des réactions de rejet se traduisant par des actes de pillage ou des massacres.

Ces violences peuvent avoir deux origines. Le risque d'une véritable prise de pouvoir par les membres de la diaspora s'ils sont nombreux, influents, organisés et armés (insurrection communiste en Malaisie, en 1957, dirigée par les Chinois ; affrontements jordano-palestiniens de 1970, libano-palestiniens de 1977).

Elles relèvent parfois de manipulations politiques faisant des membres des diasporas les boucs émissaires du mécontentement social. Les pogroms antisémites d'Ukraine de la fin du XIXe siècle furent à l'origine de l'effort du mouvement sioniste pour rassembler les diasporas juives persécutées dans un foyer national. ■

Les forces spéciales

Des unités d'élite au profil discret

Dans l'histoire militaire, on trouvera maints exemples d'ancêtres des forces spéciales (FS), car l'action discrète de petits groupes d'élite voués à des missions à haut risque correspond aux besoins de toute opération militaire. Toutefois, les Britanniques, durant la Seconde Guerre mondiale, sont les premiers à avoir organisé et entraîné systématiquement des unités destinées à agir à l'intérieur du territoire occupé par l'ennemi, sur ses arrières. Ainsi fut constitué en 1942 le SAS (Special Air Service) britannique afin d'endommager les aérodromes allemands d'Afrique du Nord.

De nos jours, la plupart des États disposent de forces spéciales, même si c'est parfois en très petites quantités.

● Caractéristiques des forces spéciales

Petits groupes de cinq à quinze hommes, unités facilement projetables par des moyens discrets (parachutages, hélico-

ptères, sous-marins) et peu détectables, elles appartiennent à chaque armée (terre, mer et air) qui les a développées, en fonction de leurs besoins eu égard à leur milieu opérationnel. Les effectifs d'ensemble ne dépassent guère 1 500 hommes en Grande-Bretagne et sont sensiblement de même niveau en France, même si, par principe, le nombre exact reste secret.

Le COS (Commandement des opérations spéciales) français fut créé en 1992, après une longue période de désaffection pour cette catégorie d'unités, marquée par la dissolution du IIe bataillon parachutiste de choc, dit « IIe choc », puis des nageurs de combat d'Aspreto, en Corse. Delta Force, Bérets verts, Rangers se sont multipliés aux États-Unis dans les années 1960 pour connaître dix ans plus tard une phase de purgatoire qui les réduisit à rien. En 1980, la tentative de sauvetage des otages américains de Téhéran (opération

▼ Matériels performants, anonymat, secret : les forces spéciales deviennent le fer de lance des armées occidentales.

Desert One) se solda par un humiliant échec qui tenait au manque d'entraînement pour ce type de mission. De leur côté, les Soviétiques avaient fortement développé les unités «petsnaz» durant la guerre froide afin d'agir sur les arrières de l'OTAN en cas de guerre en Europe. Les Britanniques, pour leur part, ont mis sur pied le Special Boat Squadron, unité spéciale de la Royal Navy, assimilable aux SEALS (nageurs de combat, acronyme qui renvoie au mot phoque) américains et à l'actuel commando Hubert de la marine nationale française. Il s'agit de troupes régulières dissimulées et camouflées. Toutefois, elles agissent en uniforme et en conformité avec les conventions internationales. Elles ne relèvent en aucun cas des «groupes action» des services secrets qui, par définition, n'existent pas. Il s'agit de discrétion plus que de secret : ce ne sont pas des formations d'espions. Il en résulte cependant des frictions organisationnelles et bureaucratiques considérables, qui, parfois, obèrent gravement l'efficacité de ces unités. Ainsi le COS français n'a jamais reçu l'ordre d'intervention en Afghanistan à laquelle il n'avait cessé d'être préparé. C'est dire que ces unités régulières entretiennent encore, du fait de la zone d'obscurité projetée par le secret militaire et, plus encore, par le secret d'État, une relation délicate au pouvoir politique dans les pays démocratiques. L'usage parfois inconsidéré dont l'autorité politique porte la responsabilité a terni l'image des FS, notamment dans les actions dites «antisubversives» qui présentaient un caractère éminemment politique. C'est John F. Kennedy qui, séduit par la flexibilité de ce type de forces, favorisa une croissance massive qui contribua à la contre-guérilla en Amérique latine et se fit remarquer au Viêt Nam avec des succès mitigés, souvent mal perçus, tels que le programme «noir» (secret, échappant au contrôle du Congrès) Phénix qui visait à assassiner les cadres vietcongs.

● Missions

Elles sont infiniment moins violentes que l'image souvent véhiculée. Même si les forces spéciales disposent de snipers (tireurs d'élite), leur objectif est rarement de tuer. Le renseignement tend à prévaloir sur la destruction. En revanche, faire des prisonniers constitue une mission toujours délicate. Ces forces infiltrent et exfiltrent. Elles assurent le sauvetage de personnes privées ou de militaires en difficulté.

On distinguera utilement entre les unités formées pour l'agression et celles davantage destinées aux opérations de sauvetage et de protection. Les forces spéciales préparent le terrain pour l'action des grosses unités. Elles anticipent l'action en mode offensif. Les premières s'insèrent dans le dispositif ennemi pour des missions de reconnaissance ou de sabotage. Les secondes agissent en réaction par rapport à une agression, notamment les actes de piraterie et toutes les formes de prises d'otages.

Le GIGN (Groupe d'intervention de la gendarmerie nationale) français est ainsi intervenu dans plusieurs prises d'otages, enregistrant un de ses plus beaux succès avec la prise de l'Airbus détourné en 1995 par des islamistes algériens qui avaient l'intention de faire exploser l'avion au-dessus de Paris.

La formation et l'entraînement des forces des pays alliés fait souvent partie des missions des FS, mission qui peut susciter la critique dans la mesure où il est impossible de contrôler par la suite l'usage qui est fait par ces pays du savoir-faire acquis.

● Profil : «Mens sana in corpore sano»

Contrairement à des présentations outrancières, du type Rambo, l'exploit physique et la violence extrême ne constituent pas la principale caractéristique des FS. L'endurance, la méticulosité, la capacité de survie dans la durée et en milieux extrêmes sont certes requises. Les SAS britanniques recrutés dans les unités d'élite passent ainsi une série de tests d'une exceptionnelle sévérité (un parcours de 64 km dans les montagnes du pays de Galles, en 20 heures et avec une charge d'environ 40 kg). Par ailleurs, l'utilisation de matériels complexes fait des FS plus des techniciens de haut niveau que des «baroudeurs de choc».

▲ En Afghanistan puis en Irak, les FS ont démontré la puissance des armes de haute technologie: le satellite dirige le tireur.

● Technologie

Les forces spéciales disposent des équipements les plus performants, trop coûteux pour en doter l'ensemble des forces armées. On peut citer le fusil M4 A1, qui est un dérivé du classique 16 A2, le pistolet-mitrailleur silencieux, avec capacité de lance-grenade et pointage laser pour le tir de nuit, ou le fusil pour la destruction des radars.

Les transmissions jouent un rôle de plus en plus important. Les FS disposent de moyens de communication sur fréquences rares et réservées. Les SOF (Special Operations Forces) américaines utilisent le RF-5000 Falcon. Ce poste peut permettre de transmettre des images (il dispose pour cela d'un modem intégré), de communiquer sur de courtes distances (en VHF) ou sur plusieurs milliers de kilomètres (en HF), et cela en toute discrétion, puisqu'il est chiffré et qu'il dispose d'un mode évasion de fréquence.

● Image de marque : l'excellence ou le pire ?

Les forces spéciales offrent une image de marque très ambivalente, mal assurée. Leur professionnalisme et leur sérieux devraient leur garantir considération et respect.

Toutefois, elles ne parviennent pas à se défaire d'une réputation douteuse qui attire les uns et révulse les autres. Ainsi, les forces spéciales israéliennes se sont couvertes de gloire lors du détournement, en 1976, d'un avion de ligne à Entebbe (Ouganda) par des terroristes palestiniens ; en revanche, leur action de répression contre l'Intifada est souvent critiquée. De même, l'intervention des forces spéciales russes, en 2002, lors de la prise d'otages dans un théâtre moscovite par des terroristes tchétchènes fut largement remise en cause, certains spécialistes estimant qu'une unité de protection eût été mieux adaptée à la situation. L'action des FS s'accommode mal d'une couverture médiatique en raison du secret de ses opérations qui ne sont connues que lorsqu'elles tournent mal, à leur désavantage. Depuis la guerre d'Afghanistan, le Pentagone diffuse une nouvelle image des FS, sorte de synthèse de l'histoire de la guerre.

Les forces spéciales doivent pouvoir chevaucher dans les montagnes afghanes et assurer par pointage laser la désignation de cibles pour les drones (avions sans pilote) qui tireront leurs missiles. Publicité complaisante et fragile qui pourrait ne pas tenir à la première bavure grave ou au premier revers important. Décidément, ce n'est pas dans l'action que les FS sont le plus exposées. ■

Logiques d'élargissement

Des processus d'intégration souvent complexes

À l'occasion de son 50ᵉ anniversaire en 1999, l'OTAN (Organisation du traité de l'Atlantique Nord) fait entrer en son sein la Pologne, la Hongrie et la République tchèque. En novembre 2002, à Prague, sept autres États, les trois pays Baltes, la Bulgarie, la Roumanie, la Slovénie et la Slovaquie, portent à vingt-six le nombre des membres de l'Alliance. Entre-temps, le sommet de Rome, en mai 2002, établit un Conseil OTAN-Russie qui clarifie les relations entre l'Alliance et son ancien adversaire.

De son côté, dans un parallèle qui n'est qu'apparent, l'Union européenne poursuit l'intégration de nouveaux États membres. À Copenhague, en décembre 2002, l'Union décide d'accueillir dix nouveaux membres, passant ainsi à vingt-cinq en mai 2004. Hongrie, Pologne, République tchèque, Slovaquie forment le groupe du « centre ». S'y ajoutent les trois États baltes, la Slovénie, Chypre et Malte. L'adhésion de la Roumanie et de la Bulgarie pourrait s'effectuer en 2007, tandis qu'en 2004 commenceront les négociations sur l'adhésion de la Turquie. Ce processus sera soumis à référendum dans la plupart des États, avec des risques de blocages, ne seraient-ils que temporaires comme ce fut le cas pour l'Irlande. Une logique élémentaire fondée sur l'expérience de ces douze dernières années porte à croire que la gestion complexe de son bon fonctionnement interne conduira ce géant économique à se soucier davantage de lui-même et de sa sécurité que de la définition d'une grande politique étrangère. Déjà les modalités de prise de décision posent d'énormes problèmes. Le sommet de Nice de décembre 2000 a fait prévaloir le critère démographique, dont la pondération favorise les « petits États » et complique de ce fait la prise de décision.

Le vaste élargissement de 2002 s'effectue dans un contexte très différent. La prospérité n'est plus au rendez-vous. L'Allemagne n'est plus un moteur de croissance au centre de l'Europe. Au contraire, elle ne parvient pas à « digérer » l'unification et n'entend plus maintenir sa contribution au niveau des années de prospérité. La guerre froide étant terminée, la croissance économique de l'Europe de l'Ouest ne se fait plus sous l'aile protectrice des États-Unis mais bien davantage en compétition avec leur action économique de plus en plus dynamique dans le cadre général de l'OMC.

L'entrée graduelle des pays de l'Est pose quand même le problème de leur niveau économique plutôt bas et de leur volonté politique de rechercher la tutelle américaine au nom de la sécurité dans l'Alliance atlantique.

● L'affrontement de deux logiques

Ainsi l'élargissement, loin de s'effectuer dans un environnement serein et positif, se trouve soudainement mis à l'épreuve d'une crise économique généralisée qu'accompagne une crise politico-militaire liée à l'Irak.

En 2003, la Pologne, à peine admise dans l'UE, achète des avions de combat F-16 américains, de préférence à du matériel européen. Or ce n'est pas une trahison, c'est l'application d'une logique. Depuis la fin de la guerre froide, les logiques d'élargissement divergent sur un point fondamental : la capacité de l'Union européenne à disposer d'une défense mise au service d'une politique extérieure commune. La logique risque d'être d'autant plus acrobatique que de nombreux États – sans doute une majorité – entendent développer l'Union sans heurter les États-Unis.

L'Union européenne ne dispose pas, ou du moins pas encore, d'une organisation de sécurité dotée de moyens militaires efficaces. L'Union de l'Europe occidentale (UEO) n'existait qu'en tant qu'institution dépourvue de moyens réels. L'OTAN est avant tout une organisation militaire.

Depuis la fin de la guerre au Kosovo (été 1999), une forte impulsion a permis de progresser dans la voie de l'établissement d'une force européenne de réaction rapide capable d'aligner 60 000 hommes sur une durée d'un an avec les forces navales et aériennes correspondantes.

Il existe bien deux logiques : celle des accueillants et celle des accueillis.

Ces derniers, en dépit des subtilités diplomatiques, raisonnent de manière immédiate et pragmatique. Assurer l'intégration d'abord, et voir ensuite. Obtenir la sécurité dans l'OTAN, seule véritable organisation militaire efficace. Entrer dans les liens de l'Union européenne, garante de prospérité économique et de progrès social. La logique des accueillants est évidemment plus complexe. Leurs soucis, loin de relever d'une préoccupation unifiée, sont, d'abord, de conserver l'acquis (ne pas dénaturer les organismes existants ; ne pas en perdre l'efficacité économique ou militaire), ensuite, de promouvoir leurs intérêts matériels au sein du grand marché européen. Logique transatlantique pour la sécurité, logique européenne pour l'économie.

● Sécurité en Europe et défense de l'Europe

Si l'entrée de Malte dans l'Union ne pose guère de problèmes, celle de Chypre soulève la question des relations avec la Turquie.

La Turquie, une fois de plus, se situe à la croisée de ces logiques tant économiques que militaires, pour ne rien dire de la question religieuse. Soucieux d'entrer dans l'Union, ce pays musulman a longtemps bloqué le processus de délégation des moyens de l'OTAN au bénéfice du Corps européen, bras armé de l'Union européenne. Ces tensions que l'on a cru apaisées lors du sommet de Prague resurgissent avec une acuité particulière avec la crise irakienne. Face à un veto franco-belgo-allemand, en février 2003, la Turquie invoque l'article IV du traité, mettant ainsi en question la réalité de la solidarité atlantique.

On méconnaît la logique de l'OTAN si on ne prend pas en compte qu'il s'agit de la plus puissante organisation militaire multinationale jamais érigée dans l'histoire. Certes, ses moyens ont décliné après la fin de la guerre froide, mais ils connaissent un regain depuis le 11 septembre 2001 en raison de nouvelles missions largement inspirées par les États-Unis. À l'expectative succède une réorientation et une motivation nouvelle auxquelles contribuent puissamment les États nouvellement entrés. En tant que ministre de la Défense des États-Unis, M. Donald Rumsfeld croit alors pouvoir se permettre de tenir des propos insultants à l'égard de l'Allemagne et de la France, qualifiées de « vieille Europe ». La dynamique de l'OTAN lui donne, pour le moment, pleinement raison.

Reste que l'Union européenne dispose officiellement depuis décembre 2002 de la pleine capacité à utiliser les moyens de l'OTAN pour mener des opérations propres auxquelles l'Alliance en tant que telle ne souhaiterait pas participer (en clair, dans lesquelles les États-Unis ne souhaiteraient pas s'impliquer).

L'idée d'une défense européenne assurée par les Européens fait ainsi son chemin entre les écueils.

Sécurité en Europe, défense de l'Europe. Les deux notions font l'objet depuis dix ans d'une confusion étrangement systématique.

Mettre en sécurité l'Europe, c'est abolir l'usage de la guerre dans son périmètre. Défendre l'Europe, c'est lui donner la capacité de dissuader et de contrer une éventuelle agression. ▪

Le pacifisme au XXIe siècle

Dénoncer la guerre comme la faillite de la politique

Le XXe siècle, qui a connu les guerres les plus sanglantes de l'histoire, fut aussi le siècle des grands mouvements pacifistes. Qu'en sera-t-il du XXIe siècle ?

Au tournant du XXe siècle, la (première) conférence de La Haye, en 1899, lançait un appel à la paix. Les grands mouvements pacifistes prenaient alors forme, au moment même où les forces politiques et militaires européennes se dirigeaient vers la confrontation armée. Le pacifisme engagé, semblable à bien des égards aux autres mouvements politiques de l'époque, eut comme porte-

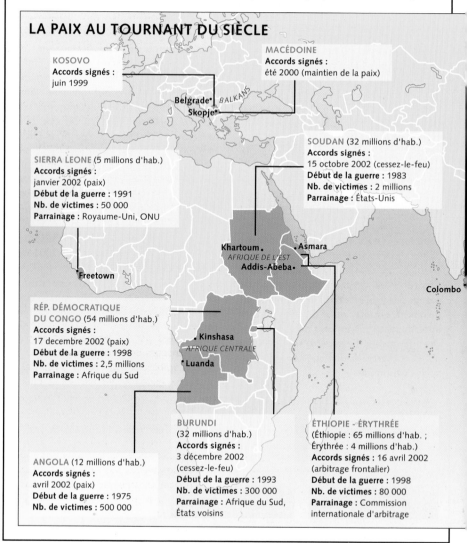

LA PAIX AU TOURNANT DU SIÈCLE

KOSOVO
Accords signés :
juin 1999

MACÉDOINE
Accords signés :
été 2000 (maintien de la paix)

Belgrade• *BALKANS*
Skopje•

SOUDAN (32 millions d'hab.)
Accords signés :
15 octobre 2002 (cessez-le-feu)
Début de la guerre : 1983
Nb. de victimes : 2 millions
Parrainage : États-Unis

SIERRA LEONE (5 millions d'hab.)
Accords signés :
janvier 2002 (paix)
Début de la guerre : 1991
Nb. de victimes : 50 000
Parrainage : Royaume-Uni, ONU

Khartoum•   •Asmara
AFRIQUE DE L'EST
Addis-Abeba•

Freetown

Colombo

**RÉP. DÉMOCRATIQUE
DU CONGO** (54 millions d'hab.)
Accords signés :
17 decembre 2002 (paix)
Début de la guerre : 1998
Nb. de victimes : 2,5 millions
Parrainage : Afrique du Sud

•Kinshasa
AFRIQUE CENTRALE
•Luanda

BURUNDI
(32 millions d'hab.)
Accords signés :
3 décembre 2002
(cessez-le-feu)
Début de la guerre : 1993
Nb. de victimes : 300 000
Parrainage : Afrique du Sud,
États voisins

ÉTHIOPIE - ÉRYTHRÉE
(Éthiopie : 65 millions d'hab. ;
Érythrée : 4 millions d'hab.)
Accords signés : 16 avril 2002
(arbitrage frontalier)
Début de la guerre : 1998
Nb. de victimes : 80 000
Parrainage : Commission
internationale d'arbitrage

ANGOLA (12 millions d'hab.)
Accords signés :
avril 2002 (paix)
Début de la guerre : 1975
Nb. de victimes : 500 000

parole quelques grandes figures du siècle, parmi lesquelles Mohandas Gandhi ou le philosophe Bertrand Russell, actif dans ce domaine dès la Première Guerre mondiale et jusqu'à la guerre du Viêt Nam. Guerres totales, guerres de libération nationale, menace nucléaire, ces conflits chauds ou froids qui avaient émaillé le court XXᵉ siècle (1914-1991) avaient sans doute contribué à enraciner le sentiment pacifiste mais suggéraient son grave manque d'efficacité.

▼ La paix n'est pas impossible, la guerre reste toujours probable. Ce biface des relations internationales est là pour durer.

SRI LANKA (19 millions d'hab.)
Accords signés :
23 février 2002 (cessez-le-feu)
Début de la guerre : 1980
Nb. de victimes : 60 000
Parrainage : Norvège

PROVINCE INDONÉSIENNE D'ATJEH (4 millions d'hab.)*
Accords signés :
9 décembre 2002 (paix)
Début de la guerre : 1976
Nb. de victimes : 12 000
Parrainage : ONG suisse

Jakarta*

TIMOR-ORIENTAL
Accords signés :
septembre 1999

*Reprise des combats au printemps 2003

Le désastre de l'entre-deux-guerres en particulier fut néfaste aux pacifismes utopiques qui tablaient sur les progrès de l'humanité et sur la fin de la politique de puissance.

● Les nouvelles formes du pacifisme

Le contexte géopolitique, géostratégique et idéologique du début du XXIᵉ siècle est bien différent. Il ne correspond pas davantage au monde de l'an 2000 qu'entrevoyaient la plupart des pacifistes, qu'ils fussent optimistes ou pessimistes. L'établissement d'une entité supraétatique capable de réguler les conflits et d'imposer la paix dont rêvaient les pacifistes n'est pas encore une réalité, et les progrès réalisés par des institutions comme l'ONU ne font que mettre en relief la difficulté d'une telle tâche. Le pacifisme doit s'adapter à un contexte nouveau. Avec la mort des idéologies traditionnelles et le recul de la menace d'un conflit généralisé (classique ou nucléaire), le pacifisme contemporain prend de nouvelles formes et adopte d'autres objectifs. Moins théorique, moins utopique aussi, il semble beaucoup plus capable désormais de peser sur le cours des événements. C'est aussi que les acteurs ne sont plus les mêmes qu'au siècle dernier. Le gigantesque fossé qui opposait autrefois les militaires et les pacifistes s'est pratiquement volatilisé. Aujourd'hui, dans le cadre des opérations de maintien de la paix, par exemple, les armées et les organismes non gouvernementaux travaillent ensemble. Leurs actions sont souvent cautionnées par les intellectuels et par les défenseurs des droits de l'homme. Moins ambitieux que leurs prédécesseurs, les pacifistes du XXIᵉ siècle cherchent plutôt à obtenir des succès sur le terrain, car, même si la paix semble pour le moment assurée dans certaines zones, le nombre de conflits locaux reste élevé. De manière générale, la guerre est souvent considérée par les populations concernées comme une faillite de la politique et non plus comme sa simple continuation.

▲ Le pacifisme est multiforme et peut s'inscrire dans le cadre de luttes plus larges, du type de celles que mènent les opposants à la mondialisation, comme ici à Porto Alegre, en février 2002.

Les courants bellicistes ont fortement régressé ; les pacifistes ne sont plus des marginaux isolés comme ils purent l'être dans le passé. Parfois marqué par un apport religieux œcuménique, le pacifisme s'est débarrassé au fil des décennies de la forte dimension idéologique qui le caractérisait voici un siècle. Soutenus par de puissantes fondations, les agents du pacifisme contemporain sont actifs dans de multiples domaines, y compris au niveau de la recherche, et dans de nombreux endroits.

● **Maîtriser le conflit plutôt que l'annuler**

Quel que soit le contexte, la lourde histoire du siècle précédent rappelle aux

La chute du mur de Berlin et l'écroulement du communisme ont constitué à la fois un facteur d'ébranlement et une perspective de renouvellement, voire de développement pour le pacifisme. Les problèmes liés à la guerre froide étant dépassés, la perspective d'un désarmement mondial ne pouvait-elle pas s'ouvrir à nouveau?

pacifistes du troisième millénaire qu'un excès d'optimisme dans le domaine de la paix peut avoir des conséquences extrêmement graves. Faut-il tenir la guerre pour un mal perpétuel ? Entre 2000 et 2002, la paix a été rétablie dans huit cas affectant sept pays d'Afrique, la province d'Atjeh en Indonésie et le Sri Lanka, enfoncé depuis vingt ans dans une guerre ethnique particulièrement meurtrière. Immédiatement, on fera valoir que ni au Soudan ni en Sierra Leone il n'est possible de parier sur l'enracinement durable de la paix.

Cependant, dans de nombreuses portions du monde s'établissent de véritables zones de paix en expansion. Tel est bien le cas de l'Europe. Si la guerre peut cesser de constituer un moyen au service de la politique internationale, on ne saurait perdre de vue que la conflictualité demeure une dimension majeure des relations entre les individus et les groupes organisés. Maîtriser le conflit, le contrôler, l'apaiser et le résoudre constituent probablement l'horizon du pacifisme du XXIᵉ siècle. ■

L'Irak dans le deuxième conflit du Golfe

Une guerre américaine?

Au terme d'un bras de fer de plus en plus dur entre, d'une part, les États-Unis et le Royaume-Uni, soutenus par l'Espagne et, d'autre part, l'Allemagne, la Russie et la France, dont la diplomatie se met en première ligne, le président Bush décide d'engager les opérations militaires contre l'Irak le 20 mars 2003. Cette initiative provoque une vague de manifestations hostiles en Europe, dans les pays arabes et dans l'ensemble du monde. Elle s'attire même une profonde réprobation publique de la part du pape Jean-Paul II. Tandis que la chrétienté et l'Islam s'unissent dans une même condamnation, le fossé entre les opinions publiques et les gouvernements favorables à la guerre constitue un élément important de cette crise. L'Union européenne s'en trouve particulièrement affectée.

Le bombardement de Bagdad constitue l'opération militaire urbaine la plus importante depuis la Seconde Guerre mondiale car, lors de la guerre du Viêt Nam, Hanoi avait été épargnée. Tandis que les Anglo-Saxons lancent une offensive au sud à partir de leurs bases du Koweït, au nord, la capacité d'action américaine a été fortement entravée par la Turquie, soucieuse de pouvoir prendre des gages sur l'avenir du Kurdistan irakien dont elle rejette l'autonomie. À nouveau, la cohésion de l'Alliance atlantique est mise en question. L'Iran s'inquiète, non sans raison.
Ainsi, bien avant sa conclusion, la crise, puis la guerre d'Irak auront soudainement révélé, derrière des façades artificiellement maintenues, l'effondrement réel des systèmes d'alliances de la guerre froide et des solidarités européennes plus faciles à proclamer qu'à tenir devant l'épreuve des faits.

La prise de Bagdad intervient trois semaines exactement après le début des opérations, le 9 avril. Tikrit, la ville de Saddam Hussein qui a lui-même disparu, tombe le 14. La guerre est finie. Brisée par des bombardements aériens massifs, l'armée irakienne n'a pu opposer qu'une très faible résistance à la montée des forces blindées américano-britanniques qui, partant du Koweït, ont franchi en quinze jours plus de cinq cents kilomètres. À aucun moment, l'usage d'armes chimiques n'est venu perturber ce nouvel exemple de Blitzkrieg. Le commandement irakien a été dans l'incapacité d'opposer une résistance de niveau stratégique. Les ponts sur le Tigre et l'Euphrate sont restés intacts, tout comme l'aéroport de Bagdad pris par la coalition sans coup férir. Sitôt qu'il est apparu que les forces de la garde républicaine, qui avaient écrasé le soulèvement de 1991, sont définitivement éliminées, les chiites de Bassora font bon accueil aux Britanniques, en charge des opérations dans ce secteur, et se dotent de pouvoirs locaux.
Les scénarios catastrophe n'ont pas été au rendez-vous. Les puits de pétrole n'ont pas été incendiés et, dans les derniers jours, les champs de Kirkouk et de Mossoul sont tombés entre les mains des peshmergas kurdes, encadrés par les forces spéciales américaines, provoquant l'inquiétude d'Ankara. Les pertes des coalisés ont été minimes (environ 150 tués). En revanche, les forces irakiennes enregistrent des milliers de

morts. On avance un rapport minimum de 1 à 500. Le général américain en retraite Jay Garner, ami personnel de Donald Rumsfeld (secrétaire d'État à la Défense) et de Richard Cheney (vice-président), a été désigné pour diriger une autorité civile de transition chargée de créer les conditions de la formation d'un gouvernement démocratique dans un Irak reconstruit.

M. Chalabi, amené par les Américains, a bien du mal à trouver une légitimité. Comptant sur la majorité chiite, l'Iran entend tirer parti de la transformation politique de l'Irak pour écarter une menace ancienne, mais aussi pour sortir du ghetto diplomatique où les États-Unis le tiennent enfermé.

Dans ce processus, l'ONU, confiné aux tâches humanitaires et au secours des réfugiés, subit une sorte d'humiliation. Les fractures au sein de l'Europe semblent

L'Irak connaît une instabilité chronique dont témoigne un «paysage» ethnique et confessionnel particulièrement hétérogène.

difficiles à réduire. Une page des relations internationales est manifestement tournée. Une vaste réorganisation géopolitique du Proche-Orient commence, dans une région où le droit du plus fort impressionne. En moins de deux ans, la puissance militaire américaine s'est infiltrée en Asie centrale, en Afghanistan. Désormais le territoire de l'Irak sert de base avancée ceinturant l'Iran, réduisant à peu de chose la puissance syrienne et prenant curieusement à revers l'Arabie saoudite. Cette avancée conquérante, couplée avec la logique d'élargissement de l'OTAN toujours plus à l'Est, suggère, par-delà les incidents de parcours, le début d'une inexorable mutation du monde.

▲ La poignée de main cache le bras de fer. Le Conseil de sécurité a été le théâtre d'un affrontement historique entre Paris et Washington.

● Les fondements de la crise irakienne

Chargé d'autant de pétrole (deuxième réserve du Proche-Orient après l'Arabie saoudite) que d'histoire, l'Irak contemporain n'est pas parvenu à trouver son équilibre. L'héritage culturel du pays fait apparaître une instabilité chronique liée à l'extrême violence des relations entre tribus de l'interfluve mésopotamien (Tigre et Euphrate) et à l'hétérogénéité de sa composition ethnique et confessionnelle. L'État moderne s'est constitué en deux temps, marqué par une forte ingérence des grandes puissances occidentales : le démembrement de l'Empire ottoman sous la loi des vainqueurs anglo-français puis, sur cette base, la révolution laïque de 1958, qui a mis à la tête du pays un régime militaire non confessionnel.

L'idéologie officielle devint le baathisme, adaptation du personnalisme du Français Emmanuel Mounier par le Syrien chrétien Michel Aflak en 1943. Rapidement cette inspiration humaniste laïque a dérivé en idéologie totalitaire. Le parti a progressivement encadré toute la société irakienne, extrêmement diverse, en établissant la domination d'un clan originaire de Tagris (Tikrit), de tradition sunnite, minoritaire face aux chiites.

Succédant au général al-Baker, Saddam Hussein est parvenu à établir un pouvoir absolu fondé sur un encadrement policier de la population, l'abolition de toute liberté d'expression et la pratique de purges régulières jusque dans son entourage afin de conserver un pouvoir personnel. Les revenus du pétrole permettent d'acheter des armes sophistiquées partout dans le monde. Car ce régime affiche de grandes ambitions locales et régionales. Se réclamant d'un héritage séculaire babylonien, Saddam prétend incarner une grandeur rivale par rapport aux visions de l'Iran perse qu'avait développées la dynastie Pahlavi jusqu'à l'effondrement de Mohammad Reza sous les coups de la révolution khomeyniste.

● Un régime guerrier

Sentant son rival affaibli, Saddam croit le moment venu d'affirmer sa puissance et s'engage dans une guerre qui va durer près de dix ans. Deux des trois géants pétroliers de la zone s'affrontent en vain. À partir de 1980, la guerre ne quitte plus l'Irak. À peine terminé le sanglant conflit iranien, durant lequel Bagdad utilise à

plusieurs reprises des armes chimiques, les armées irakiennes sont jetées sur le Koweït, provoquant la réaction des Nations unies dont les forces sont largement dirigées par la puissance militaire des États-Unis. En 1991, l'Irak doit accepter un cessez-le-feu (résolution 687) qui place son territoire sous le contrôle d'inspecteurs des Nations unies ayant pour mandat de détruire ses armes dites de destruction massive (NRBC). Cette défaite limitée permet à Saddam Hussein d'écraser les insurrections qui se déclenchent dans le Sud chiite et dans le nord du pays où vivent les Kurdes.

Clairement découvertes par les inspecteurs des Nations unies, les ambitions nucléaires militaires de l'Irak sont irréfutables. Peu après l'arrivée de Saddam à la tête de l'État, Bagdad avait acheté un réacteur nucléaire civil à la France, installé sur le site d'Osiraq. Convaincu qu'il permettrait à l'Irak de détourner des matières nucléaires à des fins militaires, Israël prit en 1981 la décision de le détruire avant même son entrée en service. Cette action de «contre-prolifération» a certes ralenti l'effort irakien, mais n'a pas pour autant entamé la détermination de Saddam Hussein. La défaite de l'Irak en 1991 permit d'établir l'existence d'un considérable programme clandestin qui fut totalement démantelé par les inspecteurs chargés d'appliquer la résolution 687. Depuis cette défaite partielle qui n'a pas ébranlé le régime en place, la sou-

Quelque part en Irak, le 25 mars 2003. La tempête de sable contrarie la progression des unités américaines et britanniques.

veraineté du territoire irakien est de facto amputée au nord et au sud par des zones d'interdiction de l'espace aérien. Elles correspondent à la présence des Kurdes dans la partie septentrionale du pays et d'une forte densité de populations chiites dans sa partie méridionale. Dans les deux cas, Mossoul ou Bassora, l'enjeu pétrolier est évident. En outre, un embargo sur les transactions pétrolières et le commerce international appauvrit considérablement la population irakienne, en dépit d'un allégement consenti par les Nations unies en 1996, aux termes de la résolution 986 dénommée «Oil for Food». À la fin de l'année 1998, le gouvernement de Bagdad déclare refuser désormais les inspections, invoquant non sans raison la présence d'agents de renseignements américains au sein des équipes.

● **Les raisons américaines**

La crise que déclenche l'administration Bush en mai 2002 repose sur deux données fondamentales. En premier lieu, l'exaspération de Washington de voir se maintenir un État hostile capable de fabriquer, à terme plus ou moins court, des armes de destruction massive. Ensuite, l'inquiétude qu'un tel régime puisse user de ces armes pour mettre en sûreté ses propres réserves pétrolières et menacer celles de ses voisins de la péninsule arabique, également gros producteurs, sans que les forces armées américaines puissent intervenir efficacement. Stimulée par les attentats du 11 septembre, l'administration Bush décide d'en finir avec ce régime qui, selon elle, défie les États-Unis depuis douze ans. Elle se déclare prête à une action militaire unilatérale, position rejetée par l'ensemble de la communauté internationale, les Britanniques mis à part. Mais, en septembre 2002, George Bush choisit de trouver une légitimité internationale dans le cadre régulateur des Nations unies dont le Conseil de sécurité adopte la résolution 1441, compromis diplomatique autorisant des interprétations très divergentes. Elle permet le retour des inspecteurs au mois de novembre, sous l'autorité de M. Hans Blix.

● **Vers un nouvel ordre mondial ?**
Après avoir été déprécié ou ignoré, le Conseil de sécurité retrouve (mais pour combien de temps ?) son rôle de tribune mondiale où chacun peut apprécier les politiques des États. La position américaine, loin d'être isolée, rallie de nombreuses capitales à travers le monde, notamment en Europe en raison de l'élargissement de l'Alliance atlantique vers l'Est. Washington se pose en rivale des Nations unies, conséquence du déséquilibre de puissance résultant de la dis-

parition de l'Union soviétique. La France, qui, dès le départ, a cherché à faire prévaloir l'ordre international contre l'ordre «impérial» des États-Unis, se trouve placée en première ligne. Cette crise devient un révélateur des relations euro-atlantiques. Elle porte la dissension au sein de l'OTAN, mais également au sein de l'Union européenne, précisément au moment où celle-ci entreprend la construction réaliste d'un outil de défense commun. Les velléités turques d'entrer militairement en Irak ont immédiatement fait l'objet de protestations de la part de l'Allemagne. De ce fait, c'est aussi l'intégration de la Turquie dans l'Union européenne qui se trouve compromise.

Une très grande manœuvre a été engagée dont les répercussions seront à mesurer sur plusieurs années, modifiant les données régionales et l'équilibre mondial. Car à la clé de la crise irakienne, outre le pétrole, sont venus s'inscrire les enjeux du conflit israélo-palestinien et la lutte contre le terrorisme islamiste, qui, depuis le 11 septembre 2001, représente un facteur de perturbation durable à travers le monde. La sorte de proconsulat que les États-Unis entendent établir temporairement sur l'Irak constitue un objectif très ambitieux dans une partie du monde dont la complexité n'est plus à démontrer. ■

La position française

Dès le début de la crise, au printemps 2002, le gouvernement français s'oppose à la démarche unilatéraliste des États-Unis pour faire prévaloir une approche multilatérale prenant appui sur la légitimité internationale incarnée par le Conseil de sécurité des Nations unies. Cette position de principe est renforcée par une inquiétude à l'égard des intentions véritables de l'administration Bush vis-à-vis de l'Irak. Washington s'étant finalement rallié à ce point de vue, la résolution 1441 constitue un compromis diplomatique

qui permet le retour des inspecteurs de l'ONU en Irak en novembre 2002 afin de procéder, s'il en était besoin, à la destruction de toutes les armes de destruction massive que Bagdad pourrait avoir conservées. Considérant que le travail des inspecteurs apporte des résultats substantiels, la France s'oppose à tout recours prématuré à l'usage de la force et propose l'intensification des inspections. De conserve avec l'Allemagne et la Russie, le président Chirac prend la tête d'un front du refus de la guerre. La menace du veto de la France est clairement brandie. Paris fait acti-

vement campagne pour empêcher les États-Unis de réunir la nécessaire majorité de 9 voix au Conseil de sécurité. Finalement, c'est le retrait d'une nouvelle résolution anglo-saxonne et la décision de Washington d'engager les opérations militaires sans un nouvel aval de l'ONU sur la base de l'interprétation américaine de la 1441. La guerre qui commence le 20 mars 2003 est condamnée par la France comme un abandon du droit au profit de la force. Paris réclame un retour aussi rapide que possible à une action dans le cadre des Nations unies.

Première partie : les conflits du XXᵉ siècle

ARON (R.), *Paix et guerre entre les nations,* Calmann-Lévy, 1962
BADIE (B.), *la Fin des territoires,* Fayard, 1995
BERG (E.), *les Relations internationales dans le monde,* Economica, 1990
BOUGAREL (X.), *Bosnie, anatomie d'un conflit,* la Découverte
CARRÈRE D'ENCAUSSE (H.), *l'Empire éclaté,* Flammarion, 1978
CHALIAND (G.) et Rageau (J.-P.), *Atlas stratégique Fayard,* 1983 ; réédition, Complexe, 1988
CHALIAND (G.) et LACOUTURE (J.), *Voyage dans le demi-siècle,* Éditions Complexe, 2001
COUTAU-BÉGARIE (H.), *Traité de stratégie,* Economica, 1999
DOMENACH (J.-L.), *l'Asie en danger,* Fayard, 1998
DUROSELLE (J.-B.), *Tout empire périra,* Presses de la Sorbonne, 1966
FOUCHER (M.), *Fronts et frontières,* Fayard, 2ᵉ éd., 1992
GARCIN (TH.), *les Grandes Questions internationales depuis la chute du mur de Berlin,* Economica, 2001
GARDE (P.), *Vie et mort de la Yougoslavie,* Fayard, 1992
GRIMAL (H.), *la Décolonisation,* Armand Colin, depuis 1966
GUILLARD (O.), la Stratégie de l'Inde, Economica, 2000
JOYAUX (F.), *la Nouvelle Question d'Extrême-Orient,* Payot 1985
LIDDEL HART (B.) *la Seconde Guerre mondiale,* Marabout, 1960
MIQUEL (P.), *la Guerre de 1914,* Fayard, 1980
RODINSON (M.), *Israël et le refus arabe,* Seuil, 1968
SAPIR (J.), *le Déclin de la stratégie soviétique,* la Découverte, 1991

Deuxième partie : Mobiles et acteurs

ANDREANI (J.-L.), *Comprendre la Corse,* Paris, Gallimard, 1999
BAZELAIRE (J.-P.) et Cretin (T.), *la Justice pénale internationale,* Paris, PUF, 2000
BERTRAND (M.), *l'ONU,* Paris, la Découverte, 1994
BLANC (H.), *le Dossier noir des mafias russes,* Paris, Balzac le Griot, 1998
CHALIAND (G.) [sous la dir. de], *Stratégies du terrorisme,* Desclée de Brouwer, 1999
CHARLES-PHILIPPE (D.) [sous la dir.], *les Institutions de la paix ?* Paris, L'Harmattan, 1997
COHEN (E.), *l'Ordre économique mondial. Essai sur les autorités de régulation,* Paris, Fayard, 2001
CRETIN (T.), *Mafias du monde, organisations criminelles transnationales,* Actualité et perspectives, Paris, PUF, 1998
HOFFMAN (B.) *la Mécanique terroriste,* Calmann-Lévy, 1998
IZQUIERDO (J.-M.), *la Question basque,* Bruxelles, Éditions Complexe, 2000
LÉONARD (Y.), *l'ONU à l'épreuve,* Paris, Hatier, 1993
MARRET (J.-L.), *la Fabrication de la paix, nouveaux conflits, nouveaux acteurs,* Paris, Ellipses, 2001
MERLE (M.) et MONTCLOS (C. de), *l'Église catholique et les relations internationales,* Paris, Le Centurion, 1988
MONTCLOS (C. de), *le Vatican et l'éclatement de la Yougoslavie,* Paris, PUF, 1999
RAUFER (X.) et QUÉRÉ (S.), *le Crime organisé,* Paris, PUF, « Que sais-je ? », 2000
SIRONNEAU (J.), *l'Eau, nouvel enjeu stratégique mondial,* Paris, Economica, 1996
WEISS (P.), *les Organisations internationales,* Paris, Nathan, 1998
YACOUB (J.), *les Minorités dans le monde,* Desclée de Brouwer, 1998
YERGIN (D.), *les Hommes du pétrole,* Paris, Stock, 1994

Troisième partie : les conflits du XXIᵉ siècle

BALENCIE (J.-M.) et GRANGE (A.), *les Mondes rebelles,* Michalon, 1999
BAYART (J.-F.), *l'État en Afrique,* Fayard, 1989
BILLION (D.), *la Politique extérieure de la Turquie,* L'Harmattan, 1997
BINDER (P.) et LEPICK (O.) , *les Armes biologiques,* PUF, 2000
CHARNAY (J.-P.), *Principes de stratégie arabe,* L'Herne, 1984
DORRONSORO (G.), *la Révolution afghane,* Karthala, 2000
FORGET (PH.) et POLYCARPE (M.), *le Réseau et l'infini,* Economica, 1998
GÉRÉ (F.), *Demain, la guerre,* Calmann-Lévy, 1997
GÉRÉ (F.), *la Prolifération nucléaire,* PUF, 1994
GROUARD (S.), *la Guerre en orbite,* Economica, 1994
KEPEL (G.), *Montée et déclin de l'islamisme,* le Livre de poche, 2001
LEPICK (O.), *les Armes chimiques,* PUF, 1998
MARRET (J.-L.), *la France et le désarmement,* L'Harmattan, 1997
MARTIN (D.), *la Criminalité informatique,* PUF, 1997
MURAWIEC (L.), *la Guerre du futur,* Odile Jacob, 1999
ROY (O.), *la Nouvelle Asie centrale,* 1997, Seuil, 1990
SINGH (S.), *Histoire des codes secrets,* J-Cl. Lattès, 1999
TOFFLER (A.) et TOFFLER (H.), *Guerre et contre-guerre,* Fayard, 1995
VAN CREVELD (M.), *la Transformation de la guerre,* éditions du Rocher, 1998

Achevé d'imprimer en août 2003
par Grafica Editoriale Printing à Bologne (Italie)
N° de projet : 101 02754